HISTOIRE
DU CLIMAT
DEPUIS L'AN MIL
II

EMMANUEL LE ROY LADURIE

HISTOIRE
DU CLIMAT
DEPUIS L'AN MIL
II

FLAMMARION

Pour recevoir régulièrement, sans aucun engagement de votre part, l'Actualité Littéraire Flammarion, il vous suffit d'envoyer vos nom et adresse à :

Flammarion, Service ALF, 26, rue Racine, 75278 PARIS Cedex 06.

Pour le CANADA à : Flammarion Ltée, 4386 rue St-Denis, Montréal, Qué. H2J 2L1.

Vous y trouverez présentées toutes les nouveautés mises en vente chez votre libraire : romans, essais, sciences humaines, documents, mémoires, biographies, aventures vécues, livres d'art, livres pour la jeunesse, ouvrages d'utilité pratique...

CHAPITRE V

HYPOTHÈSES DE TRAVAIL

La première question, sur le contexte climatique du *Fernau*, admet, semble-t-il, deux types de réponses.

Réponse théorique, d'abord. Appelons «phénomène B» la phase séculaire de *décrue* la plus récente (1855-1955). On sait qu'à cette fluctuation glaciaire «B», correspond une fluctuation climatique («phénomène A») qui joue, par rapport à B, le rôle de cause. C'est en effet le réchauffement séculaire, enregistré un peu partout dans le monde, et notamment en Europe, qui a fait reculer durablement les glaciers : A détermine B.

Inversement on ne note, entre 1590 et 1850, aucun épisode de déglaciation séculaire qui soit comparable en ampleur au phénomène B. Une telle absence postule logiquement l'absence simultanée du phénomène inducteur, de type A : il n'y aurait donc eu, entre 1590 et 1850, aucune période de réchauffement marqué, qui soit du moins comparable à la nôtre, en ampleur et en durée. Autrement dit, en dépit de fluctuations diverses, *de réchauffements courts ou modérés toujours possibles,* le *trend* séculaire des températures moyennes, de 1590 à 1850, serait généralement demeuré à quelques dixièmes de degrés centigrades en dessous du niveau contemporain : l'ordre de grandeur de cet écart tendanciel étant compris probablement entre 0,3 °C et 1 °C.

Une telle assertion paraît logiquement inattaquable. Pour la poser, je me suis borné à inverser le modèle pertinent, solidement établi, qui donne, pour le XXᵉ siècle, la corrélation réchauffement-déglaciation. Mais il va de soi qu'à un tel stade de la réflexion, ce modèle inversé demeure encore purement théorique.

Pas pour longtemps peut-être ? Car il existe, à l'appui d'une telle conception, des commencements de preuves expérimentales, à tirer des anciennes séries d'observations météorologiques.

Séries d'abord au plan large, trop large certes, de l'Europe occidentale : les tableaux et courbes thermiques du XVIIIe siècle et de la première moitié du XIXe siècle, relevés par Labrijn en Hollande, par Manley en Angleterre, et par d'autres encore en Suède, au Danemark, en Allemagne et en Autriche, indiqueraient pour certaines saisons, notamment l'hiver, des températures moyennes nettement inférieures à celles du XXe siècle (de 1 °C ou même davantage); quant aux températures annuelles de ces périodes et séries anciennes, elles seraient dépassées, de quelques dixièmes de degré centigrade, par celles d'aujourd'hui [1].

Très probantes également, de ce point de vue, seraient les anciennes séries phénologiques hivernales d'Europe, d'Amérique et d'Extrême-Orient : année par année, on sait la date de la première neige à Annecy [2] (1773-1910), celle où se produisait l'embâcle glaciaire, puis la débâcle de la Néva à Leningrad (1711-1951); les mêmes phénomènes ont été notés chaque année pour le lac Kavalési [3], en Finlande (1384-1943), pour le lac Champlain [4], aux États-Unis (1816-1935), pour le lac Suwa, près de Tokyo (série citée, 1444-1954). Enfin, H. Arakawa, qui a tant fait pour l'histoire climatique de l'Extrême-Orient, a également publié la date annuelle de la première neige à Tokyo [5] (1632-1950) : c'était, en effet, le jour rituel où les daïmios venaient présenter leurs hommages au shogoun Togukawa. Toutes ces séries convergent; et leur convergence, au moins pour l'Europe, paraît significative; les neiges, les gels étaient plus précoces, les dégels plus tardifs aux XVIIe et XVIIIe siècles, qu'après 1840-1850 : la saison froide était donc plus longue (de près de trois semaines en Russie et en Finlande) et plus rude. En Europe comme en Extrême-Orient, cette rigueur hivernale paraît s'être déchaînée à partir de 1540-1560. Elle sévit avec une force particulière au XVIIe siècle, nettement froid dans tout l'ancien continent.

On objectera à juste titre que les lacs, et les stations météorologiques mises en causes (Tokyo, Utrecht, Edimbourg, Stockholm, Berlin, Vienne), sont, Vienne mise à part, fort éloignés des Alpes et de leurs glaciers-témoins.

---

1. Labrijn, 1945; Manley, 1946 et 1953; Liljequist, 1943; Lysgaard, 1949 et 1963, etc. Cf., ici même, figures 8 et 9.

2. Mougin, 1912, p. 206-208 (tableau et moyennes).

3. Sokolov, 1955, p. 96-98.

4. Kassner, 1935.

5. Arakawa, 1954, 1956, 1957.

Il faudrait donc disposer aux environs des glaciers eux-mêmes de stations d'observations qui donneraient, *pour le XVIIIe siècle*, l'accumulation neigeuse, et les températures (celles-ci sont le facteur principal d'ablation) ; vœu pieux bien sûr, et qui ne correspond en rien aux réalités documentaires, infiniment plus pauvres.

Cependant, la zone glaciaire ou «périglaciaire», en un sens très ou trop large de ce terme, n'est pas entièrement démunie, dans les Alpes, d'observations thermiques anciennes : Annecy est située, à peu de choses près, sur le même parallèle que les glaciers du mont Blanc, et dans une région voisine de ceux-ci. Et cette ville possède l'une des plus anciennes séries météorologiques françaises, successivement mise à jour par le médecin Despines à partir de 1773, puis par le chanoine Vaullet, enfin par la commission météorologique de Haute-Savoie, jusqu'à la guerre de 1914. Est-ce vraiment une série bien tenue de bout en bout ? Elle est en tout cas confirmée, dès l'origine (1773), par les observations phénologiques sur la première et la dernière neige de l'année : le réchauffement séculaire que dénoncera en toutes saisons la série d'Annecy semble en effet réel, puisqu'il s'accompagnera, au fur et à mesure de son instauration (au XIXe siècle), de premières neiges plus tardives et de dernières neiges plus précoces, autrement dit d'un raccourcissement de la saison froide.

D'autre part, la série d'Annecy semble en corrélation satisfaisante, au XIXe siècle, avec la série voisine de Chambéry. Elle répondrait ainsi favorablement aux divers tests de concordances possibles.

Mois par mois, année par année, décennie par décennie, Mougin a publié ces chiffres d'Annecy [6]. Que donnent-ils ?

D'abord un réchauffement en toutes saisons, à partir de la décennie 1843-1852. Chronologiquement s'opposent les deux moitiés de la série, 1773-1842 et 1843-1913, la première un peu plus fraîche et la seconde un peu plus tiède.

Le tableau suivant schématise cette évolution. Les signes « + » indiquent les décennies dont la température moyenne, en telle ou telle saison, ou dans l'année entière, est supérieure à la moyenne de la période 1773-1913 ; les autres décennies, dont la température est seulement égale ou inférieure à cette moyenne, ne sont affectées d'aucun signe.

---

6. MOUGIN, 1912 (neiges); MOUGIN, V, 1925, p. 103-105 (séries détaillées, à partir desquelles a été directement construit le tableau ci-après).

ANNECY : TEMPÉRATURE AU-DESSUS
DE LA MOYENNE 1773-1913

	Hiver	Printemps	Été	Automne	Année
1773-1782	+				
1783-1792					
1793-1802					
1803-1812					
1813-1822				+	
1823-1832		+	+		
1833-1843					
1843-1852	+	+	+	+	+
1853-1862	+	+	+	+	+
1863-1872	+	+			+
1873-1882	+	+	+	+	+
1883-1893 (a) .		+	+		
1894-1903		+	+	+	+
1904-1913	+			+	+

(a) L'année 1892 manque.

La chronologie de ce réchauffement (à partir des années 1840-1850) correspond bien à celle d'autres stations européennes — par exemple Copenhague, publiée par Lysgaard.

Si l'on descend dans le détail, on voit que, de 1773 à 1913, tous les mois de l'année (sauf mai, août et décembre) se réchauffent. Plus généralement, *toutes les saisons* d'Annecy s'attiédissent. Pas tellement l'hiver, dont l'influence sur l'ablation glaciaire, en tout état de cause, est presque nulle. Mais aussi le printemps, l'été [7], l'automne. Et le réchauffement de ces trois saisons, dans l'aire savoyarde, suffit à lui seul à rendre compte de la fusion accélérée des glaciers alpins, de 1850 à 1914. C'est en effet en été, à la fin du printemps ou au début de l'automne, qu'intervient pour l'essentiel l'ablation glaciaire. Si ces mois critiques se réchauffent, même légèrement, l'ablation augmente, le budget du glacier devient déficitaire, les fronts de glace reculent. C'est bien ce qui se produit autour du Mont-Blanc.

Il n'est pas besoin pour cela de grands écarts de températures. Si l'on compare, chiffres à chiffres, à Annecy, les

7. Ce qui répondait aux légitimes objections de LLIBOUTRY, 1965, p. 834.

moyennes 1773-1842 et 1843-1913, on voit que les différences, au profit de la seconde période [8], sont assez faibles, de l'ordre de 0,5° à 1 °C. Il n'en faut pas plus pour mettre en déficit les budgets glaciaires.

Les glaciers du Mont-Blanc seraient donc bien, tout à la fois, des «balances ultra-sensibles» et des «miroirs grossissants». Aux températures faiblement mais constamment plus élevées de la seconde moitié du XIXe siècle, répondraient les fronts glaciaires en recul.

Il faut tenir compte cependant du facteur d'*inertie*, ou «hystérésis», du retard glaciaire: car les changements qui s'opèrent en *amont* dans les bassins d'accumulation et d'ablation des glaciers n'ont pas de répercussion *immédiate, en aval*, sur la position du front terminal. L'effet d'aval ne se fait sentir qu'au bout de plusieurs années (deux à six ans, selon certains glaciologues [9]).

Dans la zone savoyarde Annecy-Chamonix, ce décalage paraît spécialement sensible. Les températures, en effet, s'y réchauffent de façon durable et séculaire à partir de la décennie 1842-1852. Or les glaciers n'inaugurent leur grand retrait, lui aussi durable et séculaire, qu'à partir de la décennie 1852-1863. En d'autres termes, une inertie décennale séparerait la *cause* météorologique de l'*effet* glaciaire.

Cela dit, bien sûr, sous toutes réserves; car trop de données nous échappent dans les budgets glaciaires de 1840-1860 (et notamment, ablation mise à part, le fait capital de l'accumulation neigeuse [10]). Nous ne pouvons que constater cette inertie vraisemblable; nous ne pouvons pas en interpréter correctement les causes et les modalités.

* * *

Quoi qu'il en soit, la série d'Annecy aurait valeur d'exemple. Les glaciers des Alpes semblent avoir *répondu*, réagi aux oscillations climatiques locales (Haefeli du reste a tenté la même démonstration en comparant les séries thermiques de

---

8. Cf. les chiffres détaillés à l'annexe 14.

9. Cf. les données et les références indiquées par CHARLESWORTH, 1957, I, p. 152.

10. LLIBOUTRY, 1965, p. 833-836, pense lui aussi (avec HAEFELI, MERCANTON, etc.) que le rôle des températures, surtout estivales, est essentiel pour expliquer les crues et décrues glaciaires de longues durées des siècles écoulés, et notamment le long retrait récent. En revanche, il insiste sur le rôle des précipitations et de l'accumulation neigeuse lors des paroxysmes brefs des glaciers alpins, par exemple en 1818-1820, 1860, etc. (*ibid.*, p. 833, commentaire du tableau statistique).

Bâle, fort anciennes, au comportement des glaciers suisses [11]).

La phase interséculaire de crue des glaciers alpins, l'oscillation de *Fernau*, a précisément son apogée terminale en 1773-1850, quand débutent les premières observations thermométriques. Or celles-ci, à Bâle comme à Annecy, donneraient des moyennes inférieures de près de 1 °C aux moyennes de l'époque suivante.

Inversement, c'est le relèvement des températures à partir de 1843-1852 qui, par de multiples médiations (advections plus fréquentes d'air tiède, ensoleillement plus long, *albedo* réduit), paraît exalter l'ablation et réduire les glaciers [12].

Quelles que soient les modalités intermédiaires, la corrélations température-glaciers, déjà solidement posée au XXe siècle, resterait donc valable pour la fin du XVIIIe et pour le XIXe siècle. Dans la période 1770-1840, cette corrélation prendrait la forme concrète suivante : à températures légèrement plus basses, glaciers nettement plus développés.

A partir de ces données fragiles, est-il légitime d'extrapoler encore, et par induction, jusqu'à la période antérieure ? jusqu'à la première moitié du XVIIIe siècle, jusqu'au XVIIe ? Certes, les observations thermométriques, en ces époques reculées, font partout défaut dans la zone alpine. Mais les glaciers du XVIIe siècle, sans aucun doute, ont déjà leur format élargi de 1770-1850, et ils sont beaucoup plus gros qu'aujourd'hui. Il semble donc qu'à l'époque classique également, le «caractère météorologique» des saisons alpines, ou «complexe global d'intempéries [13]» *(Witterungscharakter)*, soit déjà, *grosso modo*, vaguement semblable à ce qu'il sera vers 1770-1840. Et qu'il diffère, par des nuances, du «caractère météorologique» ou «complexe global d'intempéries» de notre XXe siècle alpin et, plus largement, européen. Parmi ces nuances différentielles, il faudrait peut-être inscrire un écart thermique moyen de quelques dixièmes de degrés centigrades (ou davantage), à l'actif de notre époque, au passif du XVIIe siècle. Telle est du moins l'extrapolation admissible,

11. Les chiffres et graphiques proposés par HAEFELI, 1955, p. 695 et 696, montrent qu'il existe une corrélation rigoureuse entre :
a) la hausse progressive des températures *annuelles*, depuis 1850, et surtout 1890, à Bâle, Zurich, Saint-Bernard et Jungfraujoch (ces deux dernières stations en pleine montagne alpine) et, d'autre part,
b) le recul vers l'amont («*Hebung*») des langues glaciaires, parallèlement à la montée en altitude de l'isotherme 0° C, sous l'influence de ce réchauffement séculaire.
12. HOINKES, 1955, 1962, 1963 ; LLIBOUTRY, 1965, p. 835 ; HAEFELI, 1955-1956.
13. HOINKES, *ibid.*

l'hypothèse de travail inductive, qu'autorise le postulat d'uniformité : toutes choses égales d'ailleurs, les effets semblables ne dérivent-ils pas généralement de causes analogues ?

Incidemment, je remarque qu'il n'est nul besoin — pour élucider le climat d'Europe et les glacier alpins à l'époque moderne — de recourir à des phénomènes inouïs et inédits. Il suffit, en fait, de faire fonctionner les modèles et les *trends* qu'offrent en abondance les relevés météorologiques les plus prolongés vers le passé. Le climat des XVIIe et XVIIIe siècles n'était guère différent du nôtre ; mais il devait ressembler comme un frère au climat qui régnait encore dans la période initiale des observations précises (1770-1850) : il était très légèrement plus frais qu'en notre temps. C'est du moins ce qu'on peut supposer dans l'état actuel des connaissances.

*
* *

Nous avons désormais des données plausibles, quoique très provisoires, sur les conditions climatiques qui se sont perpétuées longtemps et qui ont entretenu, comme à petit feu, la phase interséculaire (*Fernau*) de crue des glaciers alpins. Nous connaissons aussi, après 1850-1900, les conditions un peu différentes, un peu réchauffées, qui ont mis fin à cette phase. Et, en cela, un premier objectif de notre recherche est atteint.

Mais l'enquête régressive n'est pas terminée pour autant. L'oscillation de Fernau, comme on l'a vu, devient nettement perceptible à la fin du XVIe siècle. Pourquoi donc s'est-elle déclenchée ? Dans quelles conditions climatiques a-elle trouvé sa cause, son lieu de naissance ?

*
* *

Une première explication, devenue classique chez les historiens du climat, est depuis longtemps proposée. Elle s'attache à mettre en évidence une légère aggravation dans la rigueur de l'hiver. Cette aggravation du XVIe siècle serait inverse de l'adoucissement contemporain du XXe siècle.

A l'origine de cette idée se trouve le travail monumental d'Easton (1928) : bon chercheur, néerlandais et consciencieux, Easton compile, rassemble, rapproche, critique, publie, année par année, les textes événementiels (avec références) sur le caractère des hivers, depuis le Moyen Age jusqu'au début des observations rigoureuses. Le grand nombre de ces textes qualitatifs, leur diversité et leur concordance, la comparaison avec les relevés quantitatifs actuels permettent à Easton d'attribuer un coefficient à chaque hiver successif, classé dans un système à dix catégories : hiver très doux, doux, tiède, normal plutôt tiède, normal, normal plutôt froid, froid, rigoureux, très rigoureux, grand hiver excessif et et rigoureux.

Easton est vaguement «fixiste» ; il travaille sans idée préconçue, ni présuppositions initiales ; il ignore tout du comportement des glaciers ; il ne tire aucune conclusion particulière de ses harassantes recherches. Il se borne à publier, à la fin de son livre, une longue séquence annuelle d'indices de rigueur hivernale [14].

Sur ce matériau brut, une réflexion historique peut s'instaurer : Scherhag dès 1939, A. Wagner en 1940 reprennent la série d'Easton, mettent ses indices en diagrammes ; et ils concluent, au vu de ces graphiques, à un refroidissement séculaire des hivers à partir de 1550 [15].

Dix ans plus tard (1949), D. J. Schove vérifie, à partir de séries locales ou régionales de base, les indices européens d'Easton. Il s'aide notamment des chroniques ou compilations météorologiques de Corradi, Riggenbach et Vanderlinden ; et il constitue huit séquences (1491-1610), dont les trois principales intéressent Bâle, l'Italie, la Belgique : lui aussi trouve après 1540 une augmentation du nombre des hivers rudes, et une diminution générale en nombre des hivers doux [16]. Ce second phénomène, «de moindre douceur», est également noté sur la courbe d'Easton après 1544 [17] ; il est capital ; il confirme que le refroidissement mis en cause est réel ; l'accumulation de rigueurs hivernales n'est pas simplement déterminée par la densité croissante de l'information, conservée au fur et à mesure du XVIe siècle. Flohn, en 1950, travaillant indépendamment de Schove, parvient lui aussi à la même périodisation [18].

J'ai constitué personnellement, pour le midi de la France au XVIe siècle, diverses séries symptomatiques du comportement des hivers. Ces séries concernent les faits de rigueur (ou de douceur) hivernale ; le gel à mort des oliviers ; enfin le gel du bas Rhône, à porter patineurs et charrettes.

Trois types d'épisodes rhodaniens, donc : ils se multiplient

14. EASTON, 1928.
15. WAGNER, 1940.
16. SCHOVE, 1949.
17. Cf. *infra, les diagrammes d'Aspen*, 1965, XVI, 1 (courbe tirée d'EASTON).
18. FLOHN, 1950.

de façon *significative* à partir de la décennie 1540-1550 [19].

Enfin, la même chronologie, avec rupture de pente au deuxième tiers du XVIᵉ siècle, vaut pour la séquence qu'a constituée Gordon Manley [20], à partir de ses recherches sur les hivers britanniques. Partout donc, de l'Italie à la Suisse, et de l'Angleterre au Languedoc, les rigueurs hivernales se multiplient à partir de 1540-1550; tandis que se prépare, pour la fin du XVIᵉ siècle, au flanc des vallées alpines, le coup de bélier des appareils glaciaires.

* *

Un ultime et tout récent sondage, de haute qualité, vient confirmer ces périodisations convergentes. Publié par l'historien Van der Wee, au terme de longues recherches dans les archives, ce sondage intéresse la région d'Anvers [21]. J'en donne ici même, en annexe, un tableau résumé, avec nombres absolus et pourcentages, décennie par décennie, de 1500 à 1599. Principale conclusion à tirer de ce tableau : la date critique paraît se situer, localement, autour de 1550. Après cette date, et par comparaison avec la période 1500-1549, le nombre des hivers sévères, des gels, des gelées rigoureuses augmente à Anvers de façon significative. Augmente aussi beaucoup, à partir de 1560, la fréquence décennale des grosses chutes de neige (cette tendance neigeuse, si favorable aux glaciers, est du reste confirmée, entre 1550 et 1580, par le journal météorologique de Wolfgang Haller, bourgeois de Zurich [22]). Corrélativement, le nombre des hivers doux et très doux diminue à Anvers, de façon nette, après le tournant du demi-siècle.

La série Van der Wee, fine, originale, détaillée, confirmerait sans équivoque les résultats acquis par ailleurs.

* *

Les contemporains, entre 1500 et 1600, ont-ils conscience de cette fluctuation séculaire, de cette aggravation hivernale [23] qui s'affirme dans la seconde moitié du XVIᵉ siècle ?

---

19. Cf. annexe 11 et L.R.L., 1966, chap. Iᵉʳ.
20. Cf. cette courbe, *infra*, aux *diagrammes d'Aspen*, XVI, 3.
21. VAN DER WEE, 1963, vol. I, p. 550 et voir, *infra*, l'annexe 11.
22. Cf. *infra*, les *diagrammes d'Aspen*, XVI, 10 et HALLER, éd. 1875.
23. A titre d'*illustration* (mais nullement comme preuve !) de la vague d'hivers froids des années 1550-1700 décelée par les recherches d'Easton, citons, de Breughel à Avercamp, les très nombreuses scènes de guerre consacrées au

Comme telle, et directement, non. Le *trend,* le mouvement de longue durée du climat est trop lent, trop minime, trop masqué par les oscillations plus brèves et de forte amplitude, trop peu perceptible enfin en cinquante années de vie consciente, pour que les témoins directs soient capables d'en élaborer eux-mêmes la synthèse. C'est l'historien, et lui seul, qui peut faire toute la lumière, par le recoupement et par la collection des témoignages.

Indirectement, pourtant, les gens du XVIᵉ siècle finissant semblent avoir pris connaissance de certains effets du refroidissement hivernal. Lucien Febvre cite le cas [24] du petit moulin de Verrières-de-Joux (Jura) : celui-ci a probablement été construit lors de la fièvre des moulins qui a saisi, vers 1500-1530, les villageois dynamiques de la Franche-Comté. Or, en juin 1587, ses possesseurs cherchent à se défaire de leur bien, car l'installation, «tant à cause du petit bief et peu d'eau servant audit moulin *que pour les grandes gellées*», ne parvient pas à fonctionner régulièrement. Ils cessent donc d'affermer le moulin de trois ans en trois ans; et ils le remettent pour vingt-neuf ans à un tenancier. Autant dire qu'ils s'en débarrassent.

Nul doute que les hivers rudes plus nombreux, attestés après 1550, ne soient parmi les causes de ces «*grandes gellées*» qui ont peu à peu écœuré les propriétaires du moulin de Verrières-de-Joux.

*
* *

Donc, hivers moins doux, gels plus fréquents, neiges plus abondantes dans la seconde moitié du XVIᵉ siècle. Voilà qui dénonce une fluctuation thermique inverse (mais symétrique) de celle qui se produira après 1850-1880 : quand les hivers deviendront plus doux et les gels moins fréquents et moins sévères que dans la première moitié du XIXᵉ siècle.

Cette fluctuation froide après 1550 est attestée par les documents d'hivers et par leurs séries : elle est probable. Mieux, elle est plausible : comme on sait, d'après les tourbières, le climat européen, depuis son rafraîchissement initial de l'âge subatlantique, s'est contenté d'osciller séculairement ou interséculairement autour de moyennes millénaires ou inter-

patinage sur les lacs glacés en Flandre et Hollande, pendant cette période. Un exemple parmi vingt autres : B. Avercamp (1612-1679), *Games on the ice,* High Art Museum of Atlanta.

24. FEBVRE, 1912, p. 194.

millénaires relativement stables. Il n'est donc pas illogique de poser ceci : l'oscillation hivernale vers la douceur, après 1850, a été précédée d'oscillations inverses allant au contraire vers la rigueur ; ainsi, après 1550.

L'écart thermique défini par ces types opposés d'oscillations, après 1550 d'une part, après 1850 d'autre part, ne doit pas être très différent dans les deux cas ; et il ne saurait dépasser de beaucoup 1 °C. La principale différence, c'est que l'écart vers la douceur est affecté d'un signe « + » et, vers la rigueur, d'une signe « − »...

*
* *

Cependant, cette rigueur hivernale, probable et plausible du second XVIᵉ siècle, ne suffit pas, loin de là, pour expliquer l'histoire longue des glaciers de ce temps, et leur violente et durable offensive. L'hiver, après tout, ne représente qu'un quart de l'année. Les livraisons neigeuses qu'il implique intéressent évidemment l'accumulation, et par là même les budgets glaciaires. Mais ses fluctuations thermiques, en revanche, demeurent assez indifférentes aux glaciers. L'hiver de haute montagne, même quand il est relativement doux, demeure de toute façon trop froid : tant qu'il dure, l'ablation est suspendue, sauf en quelques journées spécialement tièdes.

Le refroidissement hivernal de la seconde moitié du XVIᵉ siècle n'a donc pas suffi, *à lui seul,* à faire avancer les glaciers, comme ils ont avancé, en fait, jusqu'à leurs maxima historiques.

Une telle avance ne peut s'expliquer, entre autres facteurs primordiaux, que par un défaut d'ablation. Et ce défaut d'ablation n'intervient que si la saison privilégiée d'ablation, elle aussi, tend à se rafraîchir ; saison d'ablation, c'est-à-dire période non hivernale ; et, pour l'essentiel, fin du printemps, été, début de l'automne.

En bref : si l'on considère la crue longue des glaciers, symptôme capital, il est plausible d'admettre que la période non hivernale, elle aussi, s'est rafraîchie au cours et jusqu'au-delà du XVIᵉ siècle. Flohn a du reste admis, comme hypothèse raisonnable, un rafraîchissement non hivernal à cette époque [25].

L'idée, donc, est valable du point de vue de l'histoire glaciaire ; et aussi du point de vue d'une pure histoire clima-

25. FLOHN, 1950, p. 356.

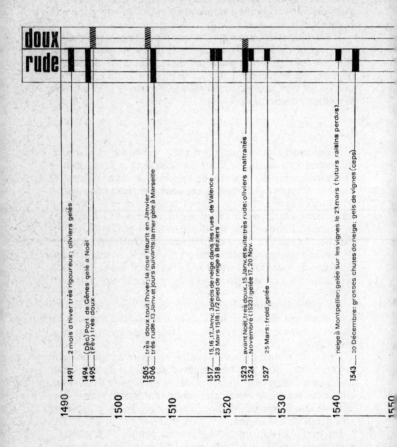

Fig. 30. — LES HIVERS DANS

Rappelons que l'hiver de 1494, par exemple,

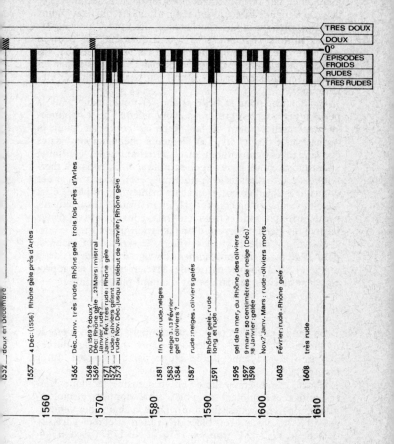

	TRES DOUX
	DOUX
	0°
	EPISODES FROIDS
	RUDES
	TRES RUDES

1552 ___ doux en Décembre

1557 ___ 4 Déc. (1556) Rhône gèle près d'Arles

1565 ___ Déc. Janv. très rude; Rhône gelé trois fois près d'Arles

1568 ___ ou 1569 ? doux?
1569 ___ Déc: Rhône gèle - 23 Mars: mistral
___ Janvier, rude?
1571 ___ Janv. Fév. très rude ; Rhône gèle
1572 ___ rude - oliviers gelent
1573 ___ rude Nov. Déc. jusqu au début de Janvier; Rhône gèle

1581 ___ fin Déc. : rude.neiges
1583 ___ neige 3 .13 Février
1584 ___ gel d oliviers ?

1587 ___ rude : neiges . oliviers gelés

1591 ___ Rhône gelé . rude
___ long et rude

1595 ___ gel de la mer, du Rhône, des oliviers
1597 ___ 9 mars; 50 centimètres de neige (Déc.)
1598 ___ 18 Janvier : gelée

___ Nov.? Janv. Mars : rude . oliviers morts

1603 ___ Février : rude - Rhône gelé

1608 ___ très rude

1560

1570

1580

1590

1600

1610

LE MIDI DE LA FRANCE AU XVIᵉ SIÈCLE.

comprend décembre *1493*, janvier et février 1494.

tique : au XIXᵉ et au XXᵉ siècle, par exemple, le réchauffement hivernal, fait dominant, s'est également accompagné, dans la longue durée, d'un réchauffement plus ou moins marqué, plus ou moins synchronisé, des autres mois et des autres saisons de l'année [26]. Symétriquement, ne peut-on admettre que le phénomène inverse (le refroidissement hivernal du XVIᵉ siècle) ait été accompagné, lui aussi, par un certain refroidissement des autres saisons, printemps, été, automne ?

Par chance, pour la belle saison, et notamment pour la période mars-septembre, nous avons mieux que les données événementielles, dont il faut bien se contenter pour la connaissance des hivers. Les éléments phénologiques (dates de vendanges) constituent une source annuelle, continue, quantitative, homogène : et elles indiquent la tendance thermique de la belle saison (printemps, été), pour une année donnée. Ensoleillement et chaleur printanière-estivale, c'est en effet vendange précoce (et glacier en fusion). Inversement, printemps maussade et froid, été frais, pourri, c'est vendange tardive (et glace préservée d'une ablation trop forte).

On sait par ailleurs que les principales séries de vendanges, pour l'âge moderne, proviennent de vignobles proches de la Suisse et de la Savoie, patries des glaciers alpins : le rapprochement glaciers-vendanges est d'autant plus légitime.

* *

Ce rapprochement peut se faire, pour toute la période moderne (XVIᵉ-XVIIIᵉ siècles), à deux plans de durée : «courte» et moyenne durée d'une part ; «longue» durée d'autre part.

Courte et moyenne durée : en ce domaine, certaines correspondances semblent possibles entre données glaciologiques et phénologiques (figure 6). Dans la chaîne des vendanges du XVIIIᵉ siècle, trois blocs de printemps et d'étés frais se détachent, 1711-1717 (*culmen*, 1716), 1740-1757 (max., 1740-1743), enfin les années qui précèdent et qui suivent immédiatement 1770. A ces séries d'années froides, durant lesquelles le taux d'ablation fut certainement affaibli, correspondent, avec le décalage nécessaire de quelques années, les maxima glaciaires les plus marqués du XVIIIᵉ siècle : 1716-1719, années 1740, 1770-1776. G. Manley avait déjà noté la correspondance frappante entre la fraîcheur des printemps et

26. Cf., par exemple, LYSGAARD, 1963, p. 153 et *passim*.

des étés britanniques et la progression des glaciers alpins et scandinaves, dans les années 1740[27] ; mais quand on connaît, pour une même région, à la fois les glaciers et les vendanges, le rapprochement s'impose avec plus de force encore.

La même confrontation appliquée au XVIIe siècle paraît suggestive :

SÉRIES DE VENDANGES TARDIVES	MAXIMA GLACIAIRES LES PLUS MARQUÉS (Alpes)
1591-1602	1601
1639-1644	1643-1644

Toutes les séries d'années froides de la courbe phénologique ne donnent pas lieu à des maxima glaciaires : c'est chose normale puisque, d'une part, les températures du printemps et de l'été ne sont pas le seul facteur d'avance glaciaire, et puisque, d'autre part, bien des avances glaciaires n'ont pas été enregistrées par les archives ou les historiens. En revanche, il est certain que les avances glaciaires connues accompagnent souvent ou suivent de près un groupe d'années caractérisées par le déficit thermique de la période principale d'ablation.

Un tel rapprochement n'a rien de tellement nouveau. Le géologue Favre avait noté, dès 1856, que « six étés frais » avaient précédé l'éruption glaciaire de 1817-1822 dans les Alpes[28] ; la courbe des vendanges et celle de l'Observatoire de Paris[29] lui donnent pleinement raison. Gordon Manley, travaillant sur les séries météorologiques anglaises et hollandaises, et les comparant aux observations glaciologiques alpines et scandinaves, a noté la fraîcheur significative des étés préludant aux poussées glaciaires, dans les périodes décennales 1691-1702, 1740-1751, 1809-1818, 1836-1845[30]. Enfin H. W. Ahlmann[31] a montré qu'entre 1900 et 1940, les dix-sept langues terminales des glaciers de Jotunheim progressent ou régressent, selon que la température moyenne de la belle saison (mai-septembre en Norvège) marque une tendance à diminuer ou à augmenter pendant quelques an-

---

27. MANLEY, 1952, p. 125-127.
28. D'après MOUGIN, 1912, p. 165.
29. GARNIER, 1955 et, ici même, fig. 4.
30. MANLEY, 1952.
31. AHLMANN, 1940, p. 120-123 ; cf. aussi LLIBOUTRY, 1965, II, p. 834.

nées consécutives ; la fluctuation glaciaire, positive ou négative, débute deux ou trois ans après le commencement de la fluctuation météorologique : ce temps de latence est relativement bref ; quant aux autres facteurs, températures hivernales, précipitations neigeuses, ils interviennent aussi, mais à un moindre degré, dans le mouvement de courte durée.

* *

Cela dit, on ne doit pas forcer cette comparaison glaciers-vendanges. Dans les fluctuations relativement brèves des glaciers, l'ablation des glaces (dont la phénologie des vendanges est corrélative [32]) n'est pas le seul facteur en cause. L'accumulation neigeuse rentre aussi en jeu, sur laquelle la date des vendanges ne donne bien sûr aucun renseignement.

Enfin Lliboutry a judicieusement rappelé le caractère local qu'affectent souvent les mouvements décennaux et intraséculaires des langues terminales : « *Le temps séparant deux fluctuations peut varier entre vingt-cinq et cinquante ans, et l'on peut se demander s'il n'est pas conditionné par le temps de réaction des glaciers, c'est-à-dire par leurs dimensions et leur débit* [33] » autant et plus que par des facteurs météorologiques.

Ce caractère local est flagrant par exemple pour le glacier des Bossons : très sensible au climat, cet appareil présente des fluctuations d'origine climatique grossièrement semblables à celles d'Argentière et de la mer de Glace. Mais par suite de sa structure particulière, il réagit toujours avec quelques années d'avance sur ces deux géants [34].

* *

Longue durée des dates de vendanges maintenant ; temps séculaire et multiséculaire des glaciers.

A leur propos, s'impose au préalable un bref rappel méthodologique.

L'étude critique et méthodique du problème des dates de vendanges a été faite par Angot, Duchaussoy, Garnier [35] ; j'ai repris et parfois développé leurs thèses aux chapitres précédents et dans diverses publications [36]. Quant aux dates elles-mêmes, par dizaines et par centaines de séries locales, on les

32. *Supra*, p. 18.
33. LLIBOUTRY, 1965, II, p. 727.
34. Figure 10 (d'après LLIBOUTRY, 1965).
35. ANGOT, 1883 ; DUCHAUSSOY, 1934 ; GARNIER, 1955.
36. Notamment L.R.L., 1959, 1960, 1965 et 1966, chap. Ier.

trouvera, ainsi que les courbes moyennes qui les visualisent, chez les auteurs précités et aussi dans l'annexe n° 12, à la fin de ce livre.

Les dates de vendanges, on le sait [37], constituent de bons indicateurs de la fluctuation *courte*, qui forme la fluctuation météorologique au sens propre du terme. Elles pourraient l'être également des fluctuations séculaires qui sont, elles, à strictement parler, les véritables fluctuations climatiques; mais dans le cas de celles-ci, il convient d'abord de rappeler quelques difficultés spécifiques.

A certaines époques, en effet, la courbe séculaire des dates de vendanges est détraquée par des facteurs non climatiques et purement humains. Aux XVIIe et XVIIIe siècles, c'est le retard des vendanges, imputable au désir qu'ont les vignerons d'obtenir un vin de qualité et titrant davantage de «degrés» [38]; au XIXe siècle, comme l'a montré Robert Laurent, c'est l'avance de celles-ci : les vignerons pressés, désireux de satisfaire un marché populaire qui s'accroît sans cesse et qui ne regarde pas à la qualité du vin, pratiquent des vendanges de plus en plus précoces [39]. Dans ces deux cas, dans ces trois siècles, précocité ou retard séculaire n'ont guère à voir avec une fluctuation du climat.

Cependant, si la viticulture et les techniques viticoles sont fixées, si les exigences des consommateurs et du marché se modifient peu pendant une longue période, on peut disposer, pendant un siècle ou même davantage, de courbes phénologiques stabilisées, «*calées*». C'est le cas du XVIe siècle.

Reprenons en effet la courbe que j'ai publiée [40] dans un autre ouvrage : celle des dates de vendanges en France, ou dans les régions les plus voisines, de 1490 à 1610. Cette courbe synthétise une douzaine de séries locales dont le centre de gravité géographique se trouve situé — non loin des glaciers — quelque part dans l'aire des Alpes de Suisse francophone.

Sans avoir la haute précision des courbes phénologiques des XVIIe et XVIIIe siècles, validées par cent cinquante séries, ce diagramme des vendanges au XVIe siècle présente néanmoins de bonnes garanties de fidélité climatique. Les tests de concordance sont en effet positifs : concordance interne entre vignobles proches ou éloignés les uns des autres; concor-

37. D'après les divers travaux cités ci-dessus.
38. L.R.L., 1959 et 1966, chap. Ier.
39. LAURENT, 1957-1958.
40. L.R.L., 1966, vol. II, graphique n° 1.

dance externe, inattendue et réconfortante, avec les courbes dendrochronologiques. La curieuse période 1530-1540 où l'été chaud succède à l'été frais, pendant dix ans, dans une rigoureuse alternance biennale, se retrouve en effet exactement, avec son zigzag en dents de scie caractéristique, ou *Sägesignatur*, à la fois sur mes courbes phénologiques des vendanges, et sur les diagrammes dendrochronologiques du chêne, tirées des arbres vivants et des vieilles poutres de l'Odenwald [41].

*
* *

Cette courbe du XVIe siècle est ainsi doublement vérifiée. D'autre part, son allure séculaire est différente de celle qu'affecte le diagramme phénologique des XVIIe-XVIIIe siècles (notamment après 1650 [42]). Ce dernier diagramme monte irrésistiblement, en toutes ses parties, qu'il s'agisse des années maximales ou minimales, ultra-tardives ou ultra-précoces. Les unes comme les autres sont décalées vers le haut de la courbe, sous Louis XV, d'une dizaine de jours par rapport à l'époque Louis XIII. Facteur humain, bien sûr : le vigneron a choisi, a décidé de vendanger plutôt tard, que l'année soit climatiquement chaude ou froide, précoce ou tardive : les fluctuations météorologiques demeurent inscrites sur le diagramme ascendant ; mais la date de récolte, en toute année, est régulièrement reportée, de plus d'une semaine vers «l'après», dans la deuxième moitié de la courbe (la moitié Louis XV).

Au XVIe siècle (1490-1610), on ne rencontre pas d'évolution comparable à celle de cette période 1640-1760. Il y a bien sûr des fluctuations ; j'en reparlerai ; mais la courbe est stabilisée, *calée* — du moins vers le haut, vers la tardivité. Au début comme à la fin du XVIe siècle, les vendanges tardives tombent toujours à peu près à la même époque, soit une semaine après la date moyenne des vendanges du siècle, pour toutes les localités mises en cause. Donc cette courbe n'est pas ou peu perturbée dans son *trend* par les facteurs humains. Dans de telles conditions, ses fluctuations *longues* peuvent revêtir une signification climatique.

---

41. HUBER et SIEBENLIST, 1963; cf. aussi, ici même, la figure 31. (Je remercie D. J. SCHOVE, qui m'a signalé ce remarquable rapprochement.)
42. Sur ce le problème général de l'alternance biennale des étés chauds et des étés frais, voir DAVIS (N.E.), 1967 (avec bibliographie); MILES, 1967; HUBER, SIEBENLIST et NIESS, 1964, p. 31; SCHOVE, 1969; MURRAY et MOFFITT, 1969.

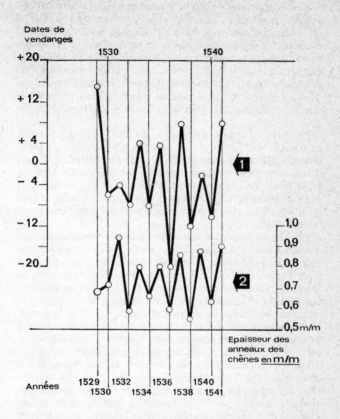

Fig. 31 — LA SÄGESIGNATUR.

La *Sägesignatur,* ou graphique en dents de scie, concerne, pour la décennie 1530, la courbe dendrochronologique du chêne dans l'Odenwald (courbe II) et la courbe phénologique des dates de vendanges franco-suisses (courbe I). Ces deux courbes manifestent une admirable concordance (*supra,* p. 22). En abscisses, les années. En ordonnées, à gauche : les dates de vendanges (écarts à la moyenne, en jours ; les chiffres utilisés sont ceux de l'annexe 12, paragraphe B, colonne D du tableau). En ordonnées, à droite : épaisseur des anneaux des chênes, en millimètres. (La courbe II est tirée de HUBER et SIEBENLIST, 1963, fig. 2 et p. 258-259.)

Or que constatons-nous ? (Cf. annexe 12Ba, tableau 2) Clairement, pendant les quatre décennies qui vont de 1561 à 1600 (la tendance s'affirmant très précisément à partir de 1563), le nombre des vendanges tardives (octobre) s'accroît, celui des vendanges précoces (septembre) domine. Même évolution très exactement pour la qualité du vin, qui est déplorable entre 1560 et 1600 (annexe 12C, tableau 2). On ne revient à des conditions plus normales, et plus chaudes, comparables à celles de la première moitié du XVIe siècle, qu'au cours des décennies 1600 et 1610.

On voit, par ces données, qu'après 1560, et jusqu'en 1600, le nombre et l'intensité des étés chauds diminue de façon radicale, si l'on compare avec la période antérieure à 1560 : en d'autres termes (évolution absolument inverse de celle de 1880-1950), de 1560 à 1600, il n'y a plus de grande série, de grande décennie d'étés chauds. Les glaciers ont alors tout loisir de s'accroître, n'étant plus érodés par une fusion trop intense.

Les témoignages des hivers, des dates de vendanges et des glaciers s'éclairent donc les uns par les autres. Et ils permettent de dégager une hypothèse de travail, que voici : progressivement, au XVIe siècle, à partir de 1540-1560, et jusque vers 1600, un phénomène antithétique de celui qui se produira entre 1850 et 1950 intervient. Il y a moins d'hivers doux, des séries moins fournies et moins intenses d'étés brûlants. L'abaissement des températures annuelles moyennes ainsi déterminé [43] ne doit pas dépasser, si même il l'atteint seulement, 1 °C. Cet écart suffit cependant pour déséquilibrer, au profit de l'accumulation, au détriment de l'ablation, la balance budgétaire des glaciers alpins. Du coup, les recettes l'emportent sur les dépenses, un régime régulier d'excédents glaciaires s'instaure ; et les glaciers atteignent, à la fin du XVIe siècle, leurs maxima ; en dépit de fluctuations mineures, ils n'en rétrocéderont profondément qu'après 1850.

*
* *

Le léger refroidissement ainsi impliqué n'a peut-être pas, au niveau des basses altitudes (les nôtres), de conséquences biologiques ou agricoles significatives. Mais dans la haute montagne, la détérioration climatique, en provoquant la croissance des névés et des glaciers (eux-mêmes facteurs de réfrigération locale), crée-t-elle une sorte de «cercle vicieux»

---

43. Cf. aussi LLIBOUTRY, 1965, p. 847.

et une aggravation particulière du microclimat montagnard ?
On en aurait, semble-t-il, un indice frappant dans les Alpes
de Berchtesgaden où vivent, en limite supérieure de la forêt,
des mélèzes centenaires, dont les plus âgés ont six cents ans.

Comme l'a écrit K. Brehme, qui a tracé les courbes de
leurs *tree-rings*, «la croissance de ces arbres était deux fois
plus forte *avant 1600* qu'elle ne sera après 1700, ce qui
indique une péjoration climatique, déjà connue par d'autres
sources, et notamment par la recherche glaciaire [44]».

---

44. Brehme, 1951.

CHAPITRE VI

LA CHRONOLOGIE DU CLIMAT MÉDIÉVAL ET LES PROBLÈMES DU «PETIT OPTIMUM».

La phase interséculaire de crue des glaciers alpins, dite encore «petit âge glaciaire», a donc été définie dans sa spécificité, dans son individualité glaciaire, dans ses plausibles déterminants climatiques. Cette phase a permis, dans la mesure du possible, de diagnostiquer, non sans incertitudes, une fluctuation climatique probablement froide, une sorte d'hypothétique, impalpable et léger rafraîchissement, inférieur ou égal à 1 °C; celui-ci aurait sévi, avec une intensité sans doute variable, sur de vastes régions de l'Europe occidentale, entre 1590 et 1850. Il se serait instauré surtout après 1540. Il aurait progressivement pris fin au terme du XIXᵉ siècle et au XXᵉ siècle.

Ce «rafraîchissement», dans son amplitude multiséculaire, ne représente encore, il faut bien le dire, que la moins mauvaise des hypothèses de travail. Les études en cours diront si cette hypothèse doit être retenue; ou bien remplacée par quelque autre, moins insatisfaisante.

Quoi qu'il en soit, la fluctuation glaciaire de 1600-1850 n'est ni la seule, ni même (quoi qu'en aient pensé Kinzl et Matthes) la plus forte qui ait été enregistrée à l'époque historique. L'abondance relative des documents, la bonne conservation des moraines toutes récentes, qui sont les témoins de cette fluctuation, valent à celle-ci d'être décrite et jaugée avec davantage de précisions. Mais elle ne constitue, en fait, que la répétition d'épisodes analogues, qui se sont déroulés à diverses reprises au cours de la période historique; très exactement depuis la fin de la période chaude, optimum ou *Wärmezeit*, et depuis le déclenchement du refroidissement subatlantique.

Après Leo Aario[1], Franz Mayr[2], dans sa remarquable

---

1. AARIO, 1944 (1945).
2. MAYR, 1964.

étude de 1964, compte au total, depuis le début du Subatlantique, cinq épisodes séculaires ou multiséculaires de même type que le stade récent de Fernau. Mayr travaille précisément sur ce glacier de Fernau (Tyrol) qui donna son nom, grâce à Kinzl [3], à la poussée de 1600-1850; les moraines maximales de ce glacier, par une heureuse coïncidence, s'achèvent dans la tourbière ou marais de Bunte Moor (le front glaciaire en retrait est actuellement à 800 m de cette tourbière). Dans la stratigraphie de Bunte Moor, les couches de tourbe correspondent donc à des minima glaciaires (comparables à l'actuel), où la tourbière, délaissée par la langue glaciaire en recul, peut fonctionner, produire de la tourbe sans difficultés. Et ces raies de tourbe alternent avec les couches de sables morainiques, indicatifs, eux, de forte avance glaciaire, où le grand glacier devient jointif du marécage. Les datations sont données par les étages polliniques, bien repérés depuis les travaux de Firbas et d'Aario [4]; par diverses méthodes géomorphologiques; par le C 14; et enfin par la vitesse d'accroissement (de la tourbe), mesurée avec précision. Le diagramme final de Mayr se contente de schématiser, à la verticale d'une échelle de temps, l'empilement alternatif des strates de tourbe et de sables glaciaires: la stratigraphie est mi-pollinique, mi-morainique.

Le groupement des cinq épisodes glaciaires ainsi révélés ne saurait laisser indifférent l'historien de la très longue durée: bien entendu, il n'est pas question pour autant de déduire, à partir d'un unique glacier (Fernau), une chronologie nécessairement valable pour l'ensemble des Alpes. Ce serait absurde. En ce qui concerne la tranche chronologique étudiée en ce livre (climat «depuis l'an mil»), la tourbière de Fernau se borne à offrir quelques exemples pertinents, qui convergent avec bien d'autres. Et cela, qu'il s'agisse du «petit âge glaciaire» ou du «petit optimum» du Moyen Age.

Quoi qu'il en soit, sur le diagramme de Mayr [5], deux grandes périodes s'opposent nettement: d'une part, le premier millénaire avant J.-C. est presque entièrement occupé par deux longues poussées glaciaires, à peine séparées par un intervalle d'un siècle de retrait. Au contraire, au cours des deux derniers millénaires (de notre ère), la tourbière de Bunte Moor est atteinte beaucoup moins longtemps par les glaces terminales du glacier de Fernau: les intervalles chauds

---

3. Kinzl, 1932.
4. Aario, 1945; Firbas, 1949; Mayr, 1964, planches 4 et 6.
5. Voir à la figure 32 la reproduction de ce diagramme.

ou doux, de retrait, l'emportent nettement, en durée, sur les intervalles frais, d'avance.

Voici maintenant, dans l'ordre des siècles, les cinq épisodes majeurs des derniers 3 500 ans :

a) Le « maximum des glaciers alpins entre 1400 et 1300 av. J.-C. », où la langue terminale (à 750 m en avant du maximum de 1850) « atteignit sa plus grande extension du Postglaciaire ».

b) Les « maxima des glaciers entre 900 et 300 av. J.-C. » : il s'agit de deux poussées glaciaires successives, dont chacune se prolonge pendant deux ou trois siècles ; elles sont très rapprochées l'une de l'autre, et seulement séparées par un intervalle de retrait qui ne dure qu'un siècle et demi. Ces deux poussées marquent de leur empreinte la plus grande partie du premier millénaire avant notre ère et elles sont décelables, hors de Bunte Moor, en bien d'autres glaciers des Alpes autrichiennes : Heuberger et Beschel, qui utilisent comme indicateur chronologique la mesure de la croissance des plaques de lichen accrochées aux moraines, fixent eux aussi à 600 av. J.-C. la date d'une importante avance des glaciers alpins[6]. Le long épisode froid, déclenché vers 900 av. J.-C. et destiné à durer avec des hauts et des bas, environ six siècles, inaugure les fraîcheurs de l'époque subatlantique : comme tel, il offre beaucoup d'analogies[7] avec ce que sera plus tard le *little ice age* de 1550-1850 ap. J.-C.

c) Après un retrait intermédiaire, qui correspond à l'époque romaine, survient un nouveau maximum des glaciers entre 400 et 750 ap. J.-C.

d) La brève poussée médiévale va des environs de 1200 (peut-être 1150) à 1300 (peut-être 1350).

e) Vient enfin le maximum de 1550-1850, dont ce livre a très largement fait état.

Merveille d'une tourbière : il avait fallu, dans les chapitres qui précèdent, pour restituer patiemment les grandes lignes de ce maximum moderne (1590-1850), évoquer des centaines de textes et de documents iconographiques. Or, brusquement, grâce à la stratigraphie de Bunte Moor, ce même maximum est visualisé, en une couche sableuse et morainique ; cette couche elle-même se trouvant pincée entre deux raies de tourbe qui représentent, l'inférieure, la déglaciation

6. HEUSSER, 1954 et BRESCHEL, 1961, d'après MANLEY, 1966, p. 37 et 39. Cf. aussi la chronologie très comparable de MERCER, 1965 (*infra*, p. 49-50).

7. LAMB, 1966, p. 156.

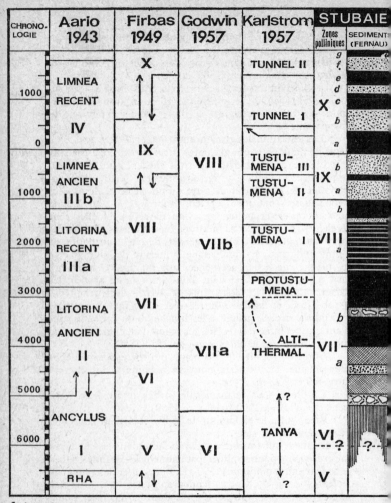

CHRONO-LOGIE	Aario 1943	Firbas 1949	Godwin 1957	Karlstrom 1957	STUBAIE Zones polliniques	STUBAIE SEDIMENT (FERNAU)
		X		TUNNEL II	g f. e d c	
1000	LIMNEA RECENT IV	↑ ↓	VIII	TUNNEL I	X b a	
0		IX		TUSTU-MENA III	b	
1000	LIMNEA ANCIEN IIIb	↑ ↓		TUSTU-MENA II	IX a	
2000	LITORINA RECENT IIIa	VIII	VIIb	TUSTU-MENA I	b VIII a	
3000	LITORINA ANCIEN II	VII	VIIa	PROTUSTU-MENA ↑ ALTI-THERMAL	b VII a	
4000						
5000	↑ ↓	VI		↑?		
6000	ANCYLUS I	V	VI	TANYA ↕ ?	VI ?--- ?	?
	RHA	↑ ↓			V	

(*) Poussée glaciaire de «FERNAU»

Fig. 32. — PÉRIODISATION RÉCENTE GLACIO-CLIMATIQUE

Au centre de ce tableau (tiré de MAYR, 1964, p. 384-385, tableau 6) se schématique, la stratigraphie de la tourbière sous-glaciaire de Bunte Moor-points noirs : les niveaux de sables morainiques, indicatifs d'avance glaciaire. A postglaciaires et postoptimales de divers auteurs, notamment celles d'Aario sur Karlstrom sur les glaciers d'Alaska, etc.

ALPEN VÉGÉTATION (UTTERBERGTAL)	PERIODISATION et TYPOLOGIE de Mayr. 1964			Lüttig 1960	CHRONO-LOGIE
	(*)				
ÉPICÉA AROLLE	PHASES DE RETRAIT ET D'AVANCE DES GLACIERS ALPINS	Stade de la « POST-WÄRMEZEIT »		HOLOCÈNE RÉCENT	1000
					0
BOULEAU ÉPICÉA	SUBATLANTIQUE proprement dit				
BOULEAU					1000
PICÉA SAPIN	SUBBOREAL		TARDIVE TRES ANCIEN.		2000
					3000
PICÉA	ATLANTIQUE	WÄRMEZEIT	Récente	HOLOCÈNE MOYEN	4000
↑ ↓					5000
CHÊNAIE MIXTE	BOREAL RECENT		Ancienne	HOLOCÈNE ANCIEN	6000
?	?		OSCILLATION de LARSTIG		
BOULEAU	BOREAL ANGIEN		TRES ANCIENNE		

APRÈS UN MARÉCAGE SOUS-GLACIAIRE.

...uve (à la colonne *Stubaier Alpen, Sediments, Fernau*), en représentation ...rnau. En noir : les étages de tourbe (recul glaciaire) ; en blanc piqueté de ...che et à droite du tableau : échelle des temps et rappel des périodisations ...Baltique, de Firbas et de Godwin sur les pollens d'Europe occidentale, de

médiévale; et la supérieure, la déglaciation contemporaine non encore terminée.

Il est difficile d'imaginer «mise en perspective» plus radicale et concrétisation plus évidente de la longue durée. On pense aux cosmonautes qui, de leur vaisseau spatial, aperçoivent, en un seul regard, les contours compliqués d'un continent, qu'avant eux les cartographes avaient mis des siècles à dessiner correctement... La phase interséculaire de crue des glaciers alpins (1590-1850), péniblement reconstituée grâce aux documents, apparaît, tout à coup, à l'échelle des millénaires, simplement comme le cas particulier d'un phénomène récurrent, comme une péripétie multiséculaire venant après quatre ou cinq autres du même style, qui l'ont précédée.

Même idée pour la phase, jusqu'ici séculaire, de décrue des glaciers alpins. Elle est en cours depuis 1860; et on ne sait pas encore si elle va se terminer en quelques décennies, ou persévérer un ou plusieurs siècles. Mais on dispose déjà, quant à elle, d'une certitude : certitude que cette décrue n'est, elle aussi, qu'un cas particulier, un exemple après cinq autres phénomènes semblables, dont chacun est matérialisé, comme elle et avant elle, dans la tourbière de Bunte Moor, par une simple strate de tourbe.

Plus généralement, c'est la difficile question du mouvement séculaire et interséculaire du climat d'Occident, à l'époque historique, qui se trouve, non pas résolue certes, mais du moins éclairée par la stratigraphie de ce marécage sous-glaciaire.

Ce mouvement séculaire, on l'établissait jusqu'ici pour deux siècles, grâce aux observations météorologiques récentes; pour quatre ou cinq siècles, grâce aux mouvements glaciaires connus par les documents et par les moraines les plus fraîches.

Brusquement, ces données accumulées en un fastidieux dossier se trouvent reprises, portées à un niveau de généralité supérieur, situées à leur juste place dans un contexte temporel beaucoup plus long. Les deux grands types connus d'oscillations séculaires ou interséculaires, fraîche (1590-1850) et douce (1860-1960) sont tout à coup répétées à une dizaine d'exemplaires au total. Et les caractéristiques du mouvement interséculaire qu'avaient indiquées les climatologistes — et notamment Pierre Pédelaborde en 1957[8] — se trouvent authentifiées, expérimentalement vérifiées : ce mouvement implique sans aucun doute oscillations longues, alternances

8. PÉDELABORDE, 1957, p. 412.

et, si l'on veut, périodicités; mais cette périodicité n'est pas régulière, ni rigoureusement cyclique, au sens égalitaire et mathématique de cette épithète. Car les «phases», qu'elles soient douces ou fraîches, ne sont jamais de durée égale les unes aux autres. Des périodes de poussée glaciaire peuvent durer environ deux siècles et demi (ainsi l'oscillation proprement dite de Fernau, 1590-1850), ou bien à peine plus d'un siècle (de 1150-1200 à 1300); ou plus de trois siècles (au premier millénaire avant notre ère). Inversement, des phases de retrait glaciaire et de douceur climatique peuvent dépasser à peine un siècle, ou, au contraire, durer trois ou quatre siècles ou davantage.

Autre leçon : l'homogénéité temporelle. Beaucoup de climatologistes pensent qu'en définitive toutes les oscillations du climat sont de même type, qu'elles soient annuelles, décennales, séculaires, millénaires... ou géologiques [9]. Constatons en tout cas que les oscillations interséculaires, mises en valeur au glacier-marécage de Fernau-Bunte Moor, se composent entre elles pour donner un mouvement d'allure millénaire et intermillénaire; et que, à son tour, ce mouvement tout entier compris dans la phase subatlantique, s'intègre, à travers celle-ci, aux divisions chronologiques fondamentales de l'âge postglaciaire et du quaternaire. Il y a ainsi continuité, soudure, du temps historique au temps géologique.

*
* *

Ces diverses poussées glaciaires — dont la durée est variable, mais toujours supérieure à un siècle — présentent par ailleurs une grande homogénéité géographique : au cours des unes et des autres, en effet, le glacier mis en cause (le Fernau) n'a jamais dépassé de plus de 200 à 800 m l'emplacement des moraines terminales de 1850, qui marquent l'ultime apogée, quant à la dernière de ces poussées.

*
* *

L'offensive médiévale des glaciers alpins (vers 1215-1350)

Du point de vue des méthodes d'investigation scientifique, deux de ces «poussées» s'individualisent particulièrement.

9. PÉDELABORDE, 1957, p. 413.

La poussée moderne (1590-1850) — on l'a vu et je n'y reviens pas — est abondamment décrite par une foule de documents historiques. Mais l'avant-dernière, la médiévale (1200 à 1350), bien qu'elle soit pour l'essentiel (et comme ses devancières) hors des documents, reste cependant accessible, pour qui sait lire, à quelques tentatives extrêmes et non négligeables du métier d'historien.

Documentation pure et méthodes géomorphologiques peuvent en effet s'y recouper assez suggestivement, et en d'autres glaciers que celui de Fernau : ceux de Vernagt, d'Aletsch et de Grindelwald sont eux aussi de fort bons témoins ; et ils réfutent par avance les critiques qui accuseraient notre chronologie médiévale de ne reposer que sur l'évidence d'un seul glacier.

J'ai déjà cité par exemple le très curieux texte de Benedikt Kuen [10], affirmant en 1712, sur la foi d'un ancien registre trouvé chez un *Tumbherr,* que la poussée initiale du glacier de Vernagt avait pris naissance «au XIII° siècle» (*Anfang... im dreyzehnten saeculo*). Les recherches géomorphologiques de Mayr confirment pleinement cette vieille assertion du chroniqueur tyrolien.

Au glacier d'Aletsch, source fondamentale de datations médiévales, les données archéologiques et documentaires, ainsi que les déterminations radioactives, forment un faisceau convergent. C'est en effet en étudiant près d'Aletsch, textes en main et sur le terrain, le tracé de l'*Oberriederin* (ancienne conduite d'eau pour l'irrigation des prés), que Kinzl a déterminé [11], au Moyen Age, un état du glacier d'Aletsch plus petit qu'au XVII° siècle, et même plus petit qu'aujourd'hui. L'*Oberriederin* (dont le tracé est signalé par divers pans de murs [12]) prenait naissance au torrent sous-glaciaire, ou dans l'un de ses affluents, en un emplacement qui, aujourd'hui encore, est recouvert et oblitéré par le glacier. Elle était déjà abandonnée, d'après un texte d'archives, en 1385. Et récemment, les datations au C 14 ont permis de reculer encore cette date [13].

Dans son retrait des dernières décennies (1940), le glacier d'Aletsch, en effet, découvre les restes d'un humus et d'une forêt fossiles, mélèzes et feuillus, aux troncs enracinés dans le roc. Divers échantillons, testés au C 14 à Berne, datent la

---

10. Texte cité par RICHTER, 1892, p. 384.
11. KINZL, 1932 (fin de l'article).
12. J'ai pu les apercevoir encore, en 1961, grâce à M. Berchtold, guide de la région d'Aletsch.
13. ŒCHSGER et ROTHLISBERGER, 1961.

mort de cette forêt : elle vécut environ deux siècles, puis elle fut écrasée par l'avance du glacier en :

720 ± 100 ans avant l'époque actuelle (échantillon 1 : mélèze);

800 ± 100 ans avant l'époque actuelle (échantillon 2 : feuillu), soit vers 1190 de notre ère, date *moyenne* [14].

Puisque le point de départ de l'*Oberriederin* est encore aujourd'hui recouvert par le glacier, il faut admettre que cette conduite d'eau était déjà hors service vers 1190 : date à laquelle le glacier avait déjà franchi le point de départ en question, pour atteindre la position un peu plus avancée dont il se retirera en 1940.

A Aletsch (comme au Fernau), en tout cas, le XIIIe siècle est en crue glaciaire, par opposition à une époque antérieure (IXe-XIe siècles) de décrue marquée, où poussa la forêt et où fonctionna l'*Oberriederin*, libres de glaces.

*
* *

A Grindelwald, la chronique locale, en un texte [15] tardif du XVIe ou XVIIe siècle, signale que l'église, en 1096, fut déménagée depuis le «Burgbiel» jusqu'à son emplacement actuel, «en raison du glacier et du danger d'inondation». Texte douteux : l'église ancienne du Burgbiel ne remonterait en effet qu'à 1140; faut-il donc lire qu'on l'évacua en 1196 ? ou bien mettre le texte au panier?

Beaucoup plus sérieuses et précieuses sont les données sur la forêt fossile de Grindelwald. Écoutons Grüner [16], bon témoin du XVIIIe siècle (1760) : «Dans le glacier de Grindelwald, près du lieudit *Feuilles chaudes* ou *Planche noire* (*Heisse Platte* ou *Schwarze Brett*), on voit des mélèzes encore tout frais, quoiqu'ils y soient depuis longtemps... Ces arbres font voir évidemment qu'autrefois ce terrain était fertile»; et plus loin : «A Grindelwald, sur la côte du Fischerhorn et de l'Eiger, au milieu de la glace (il y a) plusieurs troncs de mélèzes, peut-être depuis plusieurs siècles. Ceux qui y sont allés disent qu'il n'est pas possible d'en détacher la plus petite partie avec le couteau le mieux aiguisé.» Et Grüner compare ces troncs fossiles aux bois pétrifiés, trouvés dans le Danube, sous les piles d'un pont romain.

---

14. Par convention, les spécialistes du carbone 14 fixent «l'époque actuelle» à 1950 ap. J.-C.
15. Texte de la *Cronegg* cité et discuté par RICHTER, 1891, p. 16 et *passim*.
16. GRÜNER, 1760, I, p. 83 et 1770, p. 63 et 330.

En 1960, j'ai visité l'emplacement indiqué par Grüner. On trouve en effet, aujourd'hui encore, dans la moraine latérale droite [17], près du lieu-dit Stieregg, des troncs magnifiques d'arolle (pin cembro) qui émergent du gravier morainique : ils sont écorcés, rabotés par la glace, et susceptibles d'une étude dendrochronologique. Le fait le plus impressionnant est l'absence totale d'arbres vivants, sur les pentes qui avoisinent, d'un côté ou de l'autre, le glacier et ses moraines, à cette altitude, et plus haut que cette altitude.

Il semble donc qu' «autrefois» une forêt s'était installée dans cette zone, aujourd'hui dénudée et partiellement englacée. Cette forêt aurait profité d'un retrait glaciaire assez prolongé... et probablement aussi d'un pacage ovin peu intense ou inexistant. Elle aurait été détruite ultérieurement par l'avance du glacier, lequel, par la suite, a conservé dans ses moraines des reliques des troncs morts.

L'une de ces reliques, collectée par le pasteur Nil de Grindelwald [18], a été datée, voici dix ans, au C 14 : elle date la mort de la forêt à 680 ± 150 ans avant l'époque actuelle, soit 1270 ± 150 ans de notre ère. C'est toujours la poussée du XIIIᵉ siècle : on est très près des datations d'Aletsch (1190 ± 100 ans de notre ère). Une sorte de *terminus a quo* se situerait donc vers 1200.

*
* *

Telle était du moins la chronologie dont je disposais au moment où paraissait la première édition de ce livre. Depuis lors, Stuiver et Suess [19] ont proposé des tables de correction qui rectifient et remettent à jour l'ensemble des datations du carbone 14. Pour le XIIIᵉ siècle, ces corrections sont minimes, et elles ont tendance, fort heureusement, à resserrer la «fourchette». Dans l'ensemble, elles maintiennent, ou bien elles rajeunissent légèrement la chronologie précitée.

---

17. Cf. la carte à la figure 22.
18. «*BM 95, Schreckhorn, 680 ± 150 (B.P.). Wood (pinus cembro) from the surface of the old right lateral moraine beside the path from Baregg to Schwarzegg at 1 700 m above sea level on the right bank of the Lower Grindelwal glacier (47 35' N. Lat., 08-05' E. long). Collected in July 1947 by the late Paster Nil of Grindelwald and submitted by Sir Gavin de Beer, Director, British Museum (Natural History)*» (D'après le *Radiocarbon supplement*, de l'*American journal of science*, vol. 3, p. 44). Nil et G. de Beer ignoraient le texte de Grüner.
19. 1966, p. 534-540, notamment p. 537.

Site	Datations précitées au C^{14}	Datation « vraie » (rectifiée d'après Stuiver et Suess)
Aletsch 1	1230 ap. J.-C.	1230 ap. J.-C.
Aletsch 2	1150 ap. J.-C.	environ 1200 ap. J.-C.
Grindelwald	1270 ap. J.-C.	1280 ap. J.-C.

La poussée d'Aletsch est la plus pertinente, puisqu'elle est attestée par des arbres enracinés, tués *in situ* : elle est désormais datée de 1215 (soit 1200-1230). Celle de Grindelwald est de 1280. Le *terminus a quo* (fin du petit optimum de l'an mil et début d'un *little ice age* médiéval) se situerait donc vers 1215, ou même un peu plus tard. C'est à cette date que les glaciers alpins s'élancent sérieusement en direction d'un maximum momentané.

* * *

Quant à l'ensemble glacier-tourbière de Fernau-Bunte Moor, déjà évoqué, il fournit, lui, le *terminus ad quem* de cette poussée médiévale. En effet, les deux couches de sable morainique stérile, argiles et cailloux, qui correspondent aux deux avances glaciaires, d'une part de *Fernau* (1590-1850 : avance nommée *Fernau*, ou Xf dans la terminologie de Mayr), et d'autre part du Moyen Age (Xd), sont séparées par un étage de 8 à 10 cm de tourbe, qui correspond à la phase intermédiaire de retrait glaciaire (Xe). Le taux de formation de la tourbe est estimé, à cette altitude, à 3 ou 4 cm d'épaisseur par siècle [20]. Il s'est donc écoulé deux siècles et demi à trois siècles entre la phase initiale de Xf (vers 1550-1600) et la phase terminale de Xd. Compte tenu de toutes les données, la poussée glaciaire médiévale a dû commencer vers 1215. Elle s'est terminée vers 1350. Il s'agit d'un épisode violent, d'une poussée relativement brève, mais vive et très marquée : les phénomènes d'érosion, de dénudation et solifluctuation qui ont accompagné Xd ont été plus intenses qu'au début même de Xf.

* * *

Cette chronologie, du reste, s'accorde bien avec les données qu'on possède, précisément pour l'année 1300, et

20. MAYR, 1964, p. 277 et *passim*.

qui concernent le glacier d'Allalin (Suisse : vallée de la
Saaser Visp [21]). Il s'agit d'un texte daté du 13 avril 1300 et
signé par deux éleveurs, locataires de l'alpage de Distelalp
situé dans la haute vallée de la Visp, en amont du glacier
d'Allalin. Les deux hommes passent un accord avec Jocelin de Blandrate, maire de Visp : « Nous vous demandons (écrivent-ils en substance à Jocelin) de nous accorder
la jouissance de l'alpage en question, à partir du glacier
en remontant (*a glacerio superius*), selon la coutume des
hommes de la vallée de la Saaser Visp ; de façon à ce que
ceux-ci n'empêchent pas notre bétail d'aller paître jusqu'au
glacier [22]. »

De ce texte, il s'ensuit assez clairement qu'en 1300, le
glacier d'Allalin (et peut-être aussi celui de Schwarzenberg,
situé plus en amont) *barre* la haute vallée de la Visp ; du
même coup les alpages supérieurs, dits de Distelalp, qui
bordent celle-ci sur la rive droite, sont barrés eux aussi par ce
même glacier. On semble donc être en 1300 dans une situation typique de *little ice age*, analogue à celle qui sera réalisée
lors de la grande poussée du glacier d'Allalin (1589-1850).
Une situation qu'illustrera par exemple l'aquarelle de Maximilien de Meuron, intitulée « Distelalp et Allalin, en
1822 [23] ». De nos jours, au contraire, le front du glacier
d'Allalin s'est retiré du lit de la vallée de la Visp ; ce front se
borne simplement à *surplomber* d'assez haut, sur des pentes
très raides, la rive *gauche* de cette vallée. D'épaisses moraines
intermédiaires, qui jalonnent le retrait des cent dernières
années, s'interposent du reste entre ce front glaciaire en
débandade et le thalweg de la Visp. Du fait de sa régression,
le glacier d'Allalin, à plus forte raison celui de Schwarzenberg, cesse aujourd'hui de constituer la clôture naturelle qui
sépare le haut alpage de Distelalp des basses prairies de la
Visp situées plus en aval. Or cette « clôture » glaciaire était au
contraire en pleine vigueur dans l'année 1300. Un autre signe
concordant de poussée glaciaire, à la fin du XIIIᵉ siècle et au
début du XIVᵉ, pourrait bien dériver du joli texte signalé par
Christillin, et qui propose un état de crue du glacier de

21. LUTSCHG, 1926, p. 77 et p. 384.

22. « *Item rogamus vos ut debeatis nobis censare dictam alpem a glacerio superius, secundum consuetudinem ab hominibus de valle Soxa, ut ipsi non constringant bestie nostre ut non vadant ad pasculendum usque ad glacerium.* » J'ai tiré l'original latin de ce texte de GRÉMAUD, vol. III, p. 14-15, texte n° 1156. Traduction allemande et discussion topographique dans LUTSCHG, *ibid*.

23. Cette aquarelle est reproduite dans LUTSCHG, 1926, en tête de l'ouvrage.

Ruitor (val d'Aoste) en 1284. Mais que vaut ce texte [24]?

Quoi qu'il en soit, on dispose maintenant d'une quantité de données suffisantes, basées sur le C 14 et sur les archives, pour affirmer qu'une poussée glaciaire a bien eu lieu dans les Alpes pendant une période substantielle, sise entre 1215 et 1350.

Cette poussée médiévale a-t-elle (tout comme Xf à la fin du XVIIe siècle) son équivalent en Scandinavie? Il faudrait reprendre tout le dossier de la colonisation viking au Groenland, réinterpréter les conclusions qu'on a tirées des fouilles de P. Norlund [25]; revoir les données établies par T. Longstaff [26], sur la position des fermes normandes du XIe siècle au Groenland : ces positions devenues par la suite presque inaccessibles en raison des glaces qui barrent les fjords en aval. Le texte célèbre d'Ivar Baardson, malheureusement unique (et peut-être un peu tardif par rapport à notre chronologie alpine), demeure l'un des repères les plus suggestifs [27]. Ivar Baardson, prêtre norvégien, vécut au Groenland entre 1341 et 1364 en qualité d'intendant de l'évêque de Gardar. Il écrit : « De Snelfelness d'Islande, jusqu'au Groenland, l'itinéraire le plus court : deux jours et trois nuits. Navigation directement à l'Ouest. Au milieu de la mer [en fait sur la côte du Groenland], il y a des récifs qui s'appellent *Gunbiernershier*. C'était l'ancienne navigation, mais maintenant la glace est venue *(en nu er kommen is)*, du côté du Nord, si près de ces récifs que personne ne peut naviguer par le vieil itinéraire sans risquer de perdre la vie. »

Les corrélations géographiques s'étendraient-elles plus loin encore que le Groenland, tout comme pour l'ultime poussée Xf? C'est parfaitement plausible : en Alaska en tout cas, à Glacier Bay, l'échantillon de bois fossile daté au carbone 14 et répertorié Y 7-1955, indiquerait, selon Franz Mayr [28], une avance glaciaire contemporaine de la poussée médiévale alpine.

---

24. Cf. *infra*, début de l'annexe 13; voir aussi, à cette annexe, l'indication (très hypothétique!) d'une crue du glacier de Vernagt (Otztal) en 1315.

25. NORLUND, 1924, p. 228-259 et 1936.

26. LONGSTAFF, 1928, p. 61-68.

27. Texte publié dans *Meddelelser om Gronland*, 1899, XX, p. 322. Sur ce texte, cf. commentaires de P. NORLUND, 1924, p. 223 *sq.* Voir aussi des faits qui suggèrent une chronologie de même type pour les côtes septentrionales de la Scandinavie dans LAMB, 1966, p. 149.

28. 1964, p. 279; cf. aussi dans MERCER, 1965, p. 410, les données qui concernent Yakutat Bay (Alaska) et Adela (Patagonie) : poussées glaciaires vers 1100 ap. J.-C. dans l'hémisphère occidental.

* * *

Répétons-le : cette poussée glaciaire médiévale, dans les Alpes au moins, semble avoir été d'assez courte durée ; soit guère plus d'un siècle ou d'un siècle et demi, certainement pas plus de deux siècles ; c'est le plus bref des longs épisodes glaciaires des trois derniers millénaires. Ces épisodes, en effet, ont duré généralement deux ou trois siècles ; parfois davantage.

* * *

Avant l'offensive glaciaire du XIIIe siècle : le « petit optimum »

Est-il possible d'apprécier l'ampleur des phases de retrait qui ont d'abord *précédé*, puis *suivi* cette crue médiévale ? Les données d'Aletsch et de Grindelwald fournissent, à ce propos, quelques indications : la décrue du haut Moyen Age (IXe-XIe siècles) semble avoir été, dans l'ensemble, un peu plus accentuée que celle du XXe siècle, du moins telle que celle-ci s'est manifestée jusqu'à présent : les arbres « préglaciaires », finalement détruits par l'offensive de 1200, poussaient en effet en des sites où la forêt, de nos jours, n'a pas encore trouvé le temps suffisant ou les conditions nécessaires pour s'implanter à nouveau. Et à Aletsch, le point de départ de *l'Oberriederin* n'est pas encore dégagé par le recul du glacier.

Cela étant, la période de retrait glaciaire accentué, qui se manifeste de 750 à 1200-1230 de notre ère mérite-t-elle le nom qu'on lui donne souvent de « petit optimum climatique [29] » ? Oui, sans doute, dans la mesure où l'adjectif « petit » connote certains caractères originaux, qui différencient cet épisode du « grand » optimum de la préhistoire. Question de durée d'abord : la « *petite* » phase tiède du haut Moyen Age n'a persévéré que pendant quelques siècles, alors que la *Wärmezeit* du néolithique s'est étendue, elle, sur des milliers d'années.

Surtout, question d'écart thermique : sans doute, le climat de ces quatre siècles, des Carolingiens aux grands défrichements, semble avoir été assez doux, aussi doux qu'au

29. MANLEY, 1965, p. 373 ; LAMB, 1963, p. 125 et 1964 ; LAMB, LEWIS, WOODROFFE, 1966, p. 185.

XXᵉ siècle, ou peut-être même un peu plus; et il n'est pas déraisonnable de penser que les Vikings en ont profité (sans le savoir) pour coloniser les marges les plus septentrionales et les plus revêches de leur expansion : Islande et Groenland.

Mais il n'est guère possible d'aller au-delà de ces hypothèses prudentes. Car nous savons par les pollens que les associations floristiques qui caractérisaient le grand optimum de la préhistoire ne se sont pas rétablies autour de l'an mil. Un simple exemple, entre dix autres possibles : le noisetier n'a pas reconquis au XIᵉ siècle ses positions «optimales» vers le nord de la Scandinavie...

Donc, l'écart thermique annuel moyen entre cette période tiède et la période fraîche qui a suivi celle-ci (vers 1200 et après 1200), est vraisemblablement du même ordre de grandeur (avec peut-être quelques dixièmes de degré centigrade en plus) que celui qui sépare, à l'inverse, la période fraîche 1800-1850, de la période douce 1900-1950 : soit environ 1 °C[30], ou même moins que cela. Un écart thermique nettement supérieur et comparable à celui qu'on a quelquefois proposé pour le grand optimum «atlantique» de la préhistoire (2 °C ou davantage) n'est pas nécessaire pour expliquer les caractères originaux de la période tiède de l'an mil : nous n'avons pas besoin d'une telle hypothèse.

*
* *

En termes de chronologie plus précise, les séries d'événements météorologiques[31] tirées des documents médiévaux fixent la période la plus favorable de ce petit optimum (caractérisé par la douceur des hivers, et par la sécheresse des étés) aux années 1080-1180 de notre ère. Du moins pour ce qui concerne l'Occident européen (Angleterre, France, Allemagne). Voilà qui ne contredit nullement, c'est le moins qu'on puisse dire, les autres témoignages dont nous disposons pour ce beau XIIᵉ siècle : témoignages des glaciers alpins, fort rétrécis durant cette période; carottages des foraminifères, gisant au fond de l'Océan atlantique, qui dénoncent eux aussi[32] une poussée chaude culminant vers 1200 : courbe de l'englacement des côtes islandaises, lequel est pro-

30. Cf. à ce propos les chiffres proposés par LAMB, 1965, p. 13-37.

31. LAMB, 1966, p. 96 (indication des sources); p. 182 (diagrammes, qui visualisent la chronologie); p. 217-221 (tableaux statistiques).

32. WISEMAN, 1966, section 3 du graphique de la fig. 23, p. 92.

bablement minimal [33] entre 1020 et 1200 de notre ère.

Il semble, par ailleurs, que cette «période douce» haut-médiévale de retrait glaciaire se caractérise, en Europe occidentale, par d'assez fortes sécheresses; celles-ci étant le double résultat d'une pluviosité défaillante et d'une vigoureuse évaporation.

Les tourbières, en effet, enregistrent les épisodes humides par l'apparition, dans la stratigraphie, de niveaux caractéristiques, ou «surfaces de récurrence»: ces niveaux correspondent à une recrudescence de la poussée des *sphaignes,* ou mousses hygrophiles. L'interprétation de ces niveaux est délicate, puisqu'ils peuvent correspondre à un fait d'inondation conjoncturel et violent de la tourbière, ou bien, réellement, à une phase de pluviosité plus accentuée.

De nombreuses datations au C 14 ont permis à Overbeck de définir les «fourchettes» chronologiques, à l'intérieur desquelles se rencontrent les surfaces de récurrence, toutes désignées par les initiales «Ry».

Conclusions d'Overbeck, pour les tourbières allemandes: après le début de notre ère, les surfaces de récurrence se présentent entre 400 et 700 (Ry II), et en 1200 (Ry I). Les IX-XIIe siècles en sont tout à fait exempts: cette dernière époque, «douce», semble être aussi une période sèche [34].

Intéressant, quant à cette période sèche, est un texte malheureusement tardif de Boulainvilliers, tiré des enquêtes des intendants à la fin du règne de Louis XIV [35]: il concerne la Sarthe, cette rivière typique, toujours en eau, d'un pays très humide. Or elle aurait *séché,* comme un vulgaire oued méditerranéen, trois fois dans l'histoire: la première fois en une année indéterminée du règne de Charlemagne; la seconde fois de même sous Louis le Débonnaire (814-840); la troisième fois en juin 1168, pendant une courte demi-heure. Ces trois épisodes extrêmes seraient-ils caractéristiques de la période sèche, ou relativement sèche, des IX-XIIe siècles?

Quoi qu'il en soit, le petit optimum médiéval a déversé sur

33. Courbe proposée par KOCH, LAMB et JOHNSON, et reproduite par von RUDLOFF, 1967, p. 90. Si l'on se fie aux données tirées des carottes glaciaires (*ice cores*) du Groenland, récemment mises à jour (*infra,* p. 48), la culmination ultime de l'optimum médiéval se situe autour de 1100 ap. J.-C.

34. Exposé général, quant aux surfaces de récurrence (Ry), dans CONWAY, 1948, p. 220-238; STEENSBERG, 1951, p. 672-674; OVERBECK et GRIEZ, 1954; mise au point pour le carbone 14 et «fourchette» chronologique dans OVERBECK (F.), MUNNICH (K.), ALETSEE (L.), AVERDIECK (F.)., 1957, notamment p. 66.

35. BOULAINVILLIERS, éd. 1752, VI, p. 136 (description de la Normandie et du Maine).

l'Europe des bouffées de chaleur, parfois torrides : à l'actif de celles-ci, faut-il mettre aussi les invasions de sauterelles qui peuvent s'étendre en ce temps-là (IXᵉ-XIIᵉ siècles) sur de vastes régions [36], déjà fort septentrionales (depuis l'Allemagne jusqu'à l'Espagne, en 873 de notre ère, lors d'une grande famine ; et jusqu'en Hongrie et en Autriche, pendant l'automne de 1195 de notre ère)...

* *
*

Chaud et probablement sec, le petit optimum qui s'étend autour de l'an mil, et qui s'efface au XIIIᵉ siècle, semble avoir affecté d'assez vastes régions de l'ancien et du nouveau continent. On en retrouve les traces dans de nombreux sites d'Europe occidentale et centrale [37] ; dans les carottages des fonds de l'Océan atlantique, déjà mentionnés... et jusqu'au Grand Nord canadien. Il y a quelques années, en effet, Reid A. Bryson, prospectant à l'ouest de la baie d'Hudson, découvrait, sur les rives des lacs Ennadai et Dimma, les restes d'une forêt fossile, situés à 25, 40 ou même 100 km au nord de la limite forestière contemporaine. Quatre datations au C 14 en différents sites indiquaient que cette forêt avait temporairement vécu aux environs de 870, 880, 1090 et 1140 de notre ère. En coïncidence rigoureuse avec le petit optimum médiéval qui, au Canada, comme en Europe, déplaça temporairement vers le nord le front polaire arctique, et la limite septentrionale des forêts : celles-ci, pendant cet intervalle, étant stimulées dans leur pousse par des températures momentanément plus élevées [38].

Ainsi des signes concordants se manifestent de divers côtés : ils proposent, quant au climat du dernier millénaire, une chronologie en trois mouvements : 1. petit optimum de l'an mil ; 2. poussées glaciaires du *little ice age* culminant une première fois vers 1200-1300, et une seconde fois vers 1580-1850 ; 3. réchauffement contemporain, pour finir.

Déjà solidement vérifiée, cette chronologie vient de recevoir de nouvelles et superbes confirmations [39] : celles-ci nous viennent du Groenland, ce pays qui, les Vikings aidant, a déjà fourni tant d'informations précieuses sur les fluctuations du climat depuis le Moyen Age.

36. LE GOFF, 1964, p. 296 et 488.
37. FRENZEL, 1966, graphique de la page 108.
38. BRYSON, IRVING, LARSEN, 1965, p. 46-48 ; et pour une vérification par l'analyse pollinique, NICHOLS, 1967, p. 240.
39. DANSGAARD, 1969.

Les données récemment découvertes qui nous parviennent du Groenland, émanent pour l'essentiel de deux sources. L'une est à la fois fascinante et incertaine : c'est la «*Vinland Map*». L'autre est illuminante et fondamentale : c'est le grand *ice core* de Camp Century, dont la stratigraphie vient d'être publiée par des savants du Danemark et des États-Unis.

Grâce aux recherches des bibliothécaires de l'université de Yale, un document extraordinaire et controversé est venu jeter quelques lumières, peut-être fuligineuses, sur l'histoire nordique. La «carte du Vinland», puisque c'est d'elle qu'il s'agit, date, semble-t-il, du milieu du XVe siècle [40]. Condense-t-elle vraiment les informations qu'avaient amassées les marins scandinaves au cours de leurs voyages pendant la période qui va du Xe au XIIIe siècle ? Cette carte trace un contour assez exact du Groenland. Au cas où elle serait authentique, elle pourrait confirmer la chronologie déjà mentionnée d'Ivar Baardson. Celui-ci propose deux périodes [41] : d'abord la fin du Xe, et les XIe et XIIe siècles, au cours desquels la moitié sud de la côte orientale du Groenland à la latitude des Gunnbjørn's Skerries (Gunbiernershier [42]) était relativement libre de glace ; ainsi les navires qui arrivaient d'Islande naviguaient directement d'ouest en est vers le Groenland (de manière plus générale, les marins et les colons nordiques à cette époque pouvaient en effet avoir une bonne connaissance expérimentale sinon cartographique de la côte tout entière du Groenland ; on suppose, à tort ou à raison, que ces connaissances empiriques seront reflétées de façon plus ou moins lointaine par la carte du Vinland [43]). La deuxième période [44] évoquée par la chronologie de Baardson inclut les XIIIe et XIVe siècles. Pendant cette phase, la glace descendit vers le sud, rendit impraticable l'abord des Gunnbjørn's Skerries et força les navires qui arrivaient d'Islande et de Norvège à suivre une route plus méridionale vers le Groenland.

Cette périodisation a des avantages : elle s'accorde en effet avec les découvertes relatives aux fluctuations médiévales du climat du Groenland ; elles furent effectuées à partir des

40. SKELTON, 1965, p. 156 et 230.
41. *Ibid.*, p. 169-170 et 186.
42. *Ibid.*, p. 170, et *Graenlandica Saga*, 1965, p. 16.
43. *Ibid.*
44. Depuis le XIIIe siècle, selon Baardson. Depuis 1140 de notre ère selon les datations climatiques qui viennent de la carotte glaciaire de Camp Century.

carottes de glace qu'ont prélevées les chercheurs américains et danois[45].

Mais la carte du Vinland est-elle authentique ? G. R. Crone le nie catégoriquement[46] et son scepticisme devrait nous rendre prudents, dans l'attente de documents plus certains. Pour Crone, le fait même que la carte du Vinland donne une esquisse des côtes du Groenland fournit une raison supplémentaire pour ne pas faire confiance à ce document. « Une autre difficulté de la carte du Vinland, écrit Crone, c'est l'apparente exactitude de l'esquisse du contour du Groenland alors qu'en réalité l'ensemble de ces territoires ne fera pas l'objet d'une véritable circumnavigation jusqu'au XIXᵉ siècle. On admet en général que cette grande île ne pouvait pas avoir été entièrement balisée par les navires au cours d'une période si ancienne, même si le climat était un peu plus doux. En second lieu, on ne voit pas le motif qui aurait poussé les Nordiques à entreprendre un voyage de ce genre. En troisième lieu, ils n'utilisaient pas de carte. Après tout, cette fameuse carte a peut-être été reconstituée au XVᵉ siècle à partir de la tradition orale et d'une étude des sagas, mais même une hypothèse de ce genre ne pourrait pas expliquer la présence d'un contour aussi précis du Groenland. Pour le moment, nous restons dans le domaine de l'énigme[47]. »

Abandonnons donc cette énigme et voyons les données beaucoup plus solides qui nous sont venues des recherches des spécialistes, quant à l'analyse des reliques glaciaires.

En 1966, un laboratoire américain, le C.R.R.E.L. (Cold Region Research and Engineering Laboratory), a réussi à extraire une carotte glaciaire qui descendait verticalement à travers la glace à Camp Century (Groenland). L'échantillon ainsi obtenu avait 12 centimètres de diamètre et 1 390 mètres de long. Le C.R.R.E.L. est arrivé à connaître l'âge approximatif des différentes sections de cette colonne de glace au moyen d'une formule complexe : elle prenait en compte le taux d'accumulation de la glace (35 centimètres par an), et le taux de compression de celle-ci sous le poids des niveaux supérieurs ; ils se sont ajoutés successivement au cours des années et des siècles.

Plus de mille siècles de glaces accumulées graduellement

---

45. DANSGAARD, 1969.
46. CRONE, 1966, p. 75-78. M. George KISH, de l'université de Michigan, que j'ai interrogé à ce propos, considère que la carte du Groenland est authentique mais réserve son jugement sur sa portion extrême-occidentale, celle qui inclut le Vinland et le Groenland.
47. CRONE, 1969, p. 23.

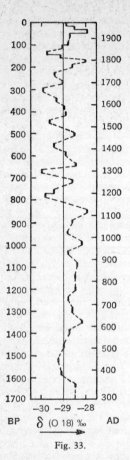

Fig. 33.

Variations du pourcentage d'O 18 dans les 470 mètres supérieurs de la
carotte de glace de Camp Century, cette variation étant juxtaposée à l'âge
approximatif des glaces. Le climat au Groenland paraît avoir été plus tiède
avant 1130 de notre ère et plus froid après cette date.
(*Source* : DANSGAARD, etc., 1969, p. 378.)
BP : avant l'époque actuelle ; AD : après J.-C.

jusqu'à nos jours sont ainsi devenus disponibles pour une recherche systématique. Dansgaard et d'autres auteurs l'ont entreprise [48].

D'après les teneurs variables en isotopes d'oxygène O 18, mesurées au «sein» des glaces, il est en effet possible d'explorer les conditions thermiques qui régnèrent jadis : dans le principe, la concentration d'O 18 parmi les précipitations de pluie ou de neige qui seront conservées ensuite sous forme de glaces fossiles est principalement déterminée par la température qui sévit au moment où cette précipitation se condense en pluie ou en neige. « Une température en baisse au moment de la formation de pluie ou de neige amène à un déclin de la teneur en O 18 dans cette pluie ou cette neige. » Et vice versa.

Les couches les plus élevées et donc les plus récentes qu'on a recensées dans les sommets de la carotte glaciaire de Camp Century indiquent de fortes concentrations en O 18. Elles correspondent à l'optimum climatique bien caractérisé des années 1920-1930. Naturellement, il faut rappeler ici que les fluctuations climatiques au Groenland ne correspondent pas exactement, quant à l'amplitude et à la chronologie, avec les fluctuations contemporaines en Europe. Mais les *trends* séculaires désignent une convergence approximative confirmée par les recherches du C.R.R.E.L.[49].

Sous les niveaux qui correspondent aux années « tièdes » et récentes (1900-1950), la carotte offre des couches inférieures qui correspondent à l'époque du petit âge glaciaire et sont typiquement pauvres en O 18. Le petit âge glaciaire couvre grosso modo, au Groenland, la phase qui va du XIIIe au XIXe siècle ; il se décompose en trois étapes essentielles. La première intervient entre 1160 et 1300 ; elle est suivie d'une rémission, discontinue et modérée (1310-1480). La reprise du froid, non sans quelques pressentiments préalables au XVIe siècle, se produit comme il se doit au XVIIe siècle, puis de nouveau vers 1820-1850. Par contraste, le XVIIIe siècle (1730-1800) semble coïncider avec une époque temporaire mais nette de réchauffement [50].

---

48. DANSGAARD, JOHNSEN, MOLLER, LANGWAY, 1969 a ; voyez aussi DANSGAARD et JOHNSEN, 1969.

49. Les recherches sur la carotte glaciaire de Camp Century ont été conduites en commun par des chercheurs américains et danois.

50. Ces épisodes de réchauffement temporaire qui semblent caractériser certaines périodes des XIVe, XVe et XVIIIe siècles se sont donc produits au Groenland pendant les premières phases de colonisation médiévale et aussi au cours du petit âge glaciaire qui s'étend du XVIe au XIXe siècle. Au cours de ces épisodes de réchauffement qui parfois duraient peu, la végétation pouvait momentanément revivre dans une terre qui, à d'autres moments, était généra-

Cette périodisation n'est ni définitive ni incontestable. D'autres carottes de glace pourraient rectifier ou détailler cette chronologie. L'essentiel demeure : par-delà des fluctuations séculaires qui matérialisent approximativement un «cycle» de 120 années, les périodes essentielles de froid qu'avaient indiquées les avances glaciaires des Alpes aux XIIIᵉ, XVIIᵉ et XIXᵉ siècles sont retrouvées avec précision au Groenland ; des différences demeurent, certes ; elles tiennent aux distances qui séparent géographiquement le continent européen et le sub-continent groenlandais.

Plus bas, au fur et à mesure qu'on descend le long de la carotte de glace, le diagramme de Camp Century reflète l'agréable tiédeur du petit optimum qu'enregistra le premier Moyen Age. Brusquement, pendant les cinq siècles qui précèdent 1125 de notre ère (de 610 à 1125), la courbe de l'O 18 remonte ; elle s'accroche à une manière de plafond. La concentration en O 18 pendant toute cette période demeure plus élevée que ce ne sera le cas pendant le petit âge glaciaire (XIIIᵉ-XIXᵉ siècles). Ainsi est soulignée la durée d'un réchauffement bien marqué : il s'étale du VIIᵉ au XIᵉ siècle, un demi-millénaire en tout. Il semble donc raisonnable de penser que les Nordiques à cette occasion purent profiter des côtes groenlandaises : elles étaient alors assez libres de glace [51] ; ces hommes débarquèrent aisément sur les terres marginales qui formeront les royaumes de Thulé. Une telle amélioration climatique a pu faciliter la colonisation de l'Islande au IXᵉ siècle, elle a certainement rendu plus aisée la mainmise sur le Groenland au Xᵉ siècle. Deux maxima thermiques se détachent quant à la courbe de Camp Century, et cela par exaltation particulière dans la période globalement favorable qui va de 610 à 1125 de notre ère. Le premier maximum se manifeste au dernier tiers du Xᵉ siècle, l'autre au premier quart du XIIᵉ siècle. On ne retrouvera pas ensuite de chaleur aussi marquée jusqu'à deux périodes également douces : elles surviendront au Groenland à l'extrême fin du XVIIIᵉ siècle (1780-1800) et surtout pendant l'optimum récent (1920-1930).

Restons-en aux culminations haut-médiévales du petit optimum groenlandais : elles présentent des parallèles intéres-

lement gelée. Ainsi s'explique que les tombes et les restes funéraires des derniers survivants de la colonie nordique au Groenland (bien qu'enterrés dans une terre qui avait été généralement gelée depuis le XIIᵉ siècle) aient pu, au cours de périodes variées, être transpercés dans l'entre-temps par des racines de plantes ou de végétaux.

51. DANSGAARD, 1969 a, p. 378.

sants avec deux épisodes essentiels, quant à l'histoire du subcontinent arctique. De 978 à 986, d'abord, Snaebjørn Galti, puis Érik le Rouge profitent d'une mer relativement libre de glace ; ils font voile depuis l'ouest de l'Islande vers le Groenland oriental à la latitude des Gunnbjørn's Skerries. Ensuite Érik le Rouge descendra vers le sud du Groenland. Il y établira peu après sa grande ferme de Brattahlid [52]. Deux siècles et demi plus tard, en correspondance également avec le «bon» climat météorologique et démographique de cette époque, quant aux terres ultra-nordiques, un évêché de Groenland est fondé à Gardar en 1126 [53].

Ainsi la «carotte» de Camp Century confirme les patientes recherches des archéologues danois : depuis 1925, ils ont d'abord soupçonné puis démontré, dans certaines limites, l'existence d'un petit optimum au Groenland pendant le Moyen Age.

En remontant plus haut, le même échantillon éclaire ou confirme d'autres épisodes importants. La tourbière de Fernau (Alpes) suggérait un maximum dans nos glaciers montagnards à une date mal déterminée entre 400 et 750 de notre ère. La carotte de Camp Century suggère une équivalence éventuelle de cette phase au cours d'un épisode également froid : il se produit entre 340 et 610 de notre ère. Cet épisode, tout comme pour le petit âge glaciaire de 1580-1850, a pu avoir un caractère mondial et affecter simultanément l'Europe et l'Amérique. John Mercer, dans un important article sur les «variations glaciaires en Patagonie [54]», note d'après les datations au carbone 14 que les glaciers du continent américain (Alaska et Patagonie), après certains symptômes d'avance vers 250 de notre ère, étaient en phase maximale vers 450 de notre ère.

En remontant plus haut, avant la phase relativement tiède [55] du commencement de notre ère (50 av. J.-C./200 ap. J.-C.), la carotte de Camp Century souligne fortement l'amplitude et la violence du rafraîchissement subatlantique ; il affecta une grande partie du dernier millénaire avant notre ère (l'épisode le plus froid se situant entre 500 et 100 av. J.-C.). L'excellente démonstration de Mercer permet d'élargir encore ces conclusions : l'ensemble des glaciers, dans de vastes parties du monde, réagit par un maximum puissant

52. *Graenlandica Saga*, p. 17-18 et 50.
53. *Ibid.*, p. 21 et 52.
54. MERCER, 1965.
55. DANSGAARD, etc., 1965 a, fig. 4.

aux sommets du froid subatlantique entre 500 et 300 av. J.-C.
Non seulement les glaciers du Groenland, mais aussi ceux des
Alpes, d'Islande, de Suède, de Nouvelle-Zélande et de Pata-
gonie (ceux-ci magnifiquement datés [56]).

Enfin, «*last but not least*», la carotte de glace de Camp
Century confirmerait définitivement (s'il en était besoin!)
l'existence de l'optimum climatique de la préhistoire. Cette
phase atteignit son maximum au Groenland entre 5200 av.
J.-C. et 2200 av. J.-C., plus exactement entre − 4000 et
− 2300. Ainsi le quatrième millénaire avant notre ère (de
− 4000 à − 3000) fut en Europe comme au Groenland le
«millénaire ensoleillé», tel que l'ont suggéré en effet les
diagrammes polliniques des pays scandinaves.

Grâce à O 18, l'inlandsis du Groenland «se souvient» des
fluctuations climatiques qui nous viennent des grands âges
glaciaires; elles nous conduisent jusqu'au réchauffement récent du XXᵉ siècle [57].

*
* *

*Après la poussée glaciaire du XIIIᵉ siècle : les incertitudes cli-
matiques du Moyen Age finissant*

La première partie de notre chronologie médiévale (petit
optimum du haut Moyen Age, puis refroidissement assez
général, et poussées glaciaires alpines, aux XIIᵉ-XIIIᵉ siècles)
paraît donc désormais reposer sur des bases nombreuses, et
corroboratives les unes des autres. Il reste maintenant à
envisager le délicat problème des fluctuations climatiques du
Moyen Age finissant : autrement dit, qu'en est-il de cette
période plausible de retrait glaciaire (certes fort modéré!) qui
a *suivi* la crue des glaciers alpins au XIIIᵉ siècle et qui s'étend,
hypothétiquement, entre 1350 et 1500 environ? La régression des glaciers semble avoir été, en cette fin du Moyen Age,
assez modérée, moins marquée qu'aux IXᵉ-XIᵉ siècles; leurs
langues terminales ont dû osciller, pendant cette période,
dans des limites assez comparables à celles qui caractérisent

---

56. DANSGAARD, *ibid.* ; MERCER, *ibid.*, p. 410-412.
57. La carotte de glace de Camp Century, dont la partie inférieure a plus de
100 000 ans, corrobore également, avec une exactitude extraordinaire, la chronologie des grands âges glaciaires du quaternaire.

la période 1900-1950 — ou plus probablement dans des limites un peu moins étendues que celles-ci. C'est du moins ce qu'on peut suggérer, avec les réserves d'usage, à partir de certains indices.

Premier indice : pendant cette période 1350-1550, le glacier d'Aletsch n'a vraisemblablement pas reculé jusqu'à ses positions de 1940. Sinon, les reliques forestières, tuées au XIIe siècle et conservées jusqu'à nos jours grâce à la présence de la glace, n'auraient pas résisté bien longtemps aux intempéries de l'air libre ; et elles auraient purement et simplement disparu : ce n'est pas le cas.

De même, la forêt fossile de Grindelwald, tuée au XIIIe siècle, ne paraît pas avoir repoussé au XVe...

On n'est donc pas revenu, semble-t-il, aux douceurs de l'an mil. Mais, cependant, il y a bien eu retrait ; ou, si l'on préfère, autre façon d'exprimer la même idée, il n'y a pas eu, entre 1350 et 1550, de poussée glaciaire comparable à celle de 1150-1300 ; à plus forte raison, comparable à celle de 1600-1850. Sinon, comment expliquerait-on qu'une couche de tourbe (Xe) ait pu tranquillement se reformer en cette époque au Bunte Moor de Fernau, entre les strates morainiques Xd et Xf [58] ? Et comment expliquerait-on aussi que les habitats du Châtelard et de Bonanay à Chamonix, que la chapelle de Sainte-Pétronille à Grindelwald, qui seront écrasés ou supplantés par les glaciers voisins en 1600-1610, aient au contraire prospéré «sans histoire» entre 1380 et 1600 [59] ?

* *
*

Même les données groenlandaises ne sont pas nécessairement en contradiction avec un tel point de vue. Les sépultures normandes d'Herfoljness ont été mises au jour lors des fouilles de 1921 dans un sol encore gelé en profondeur toute l'année, malgré le réchauffement déjà sensible, au Groenland comme ailleurs, ces années-là. Le très bon état de conservation des étoffes et des objets en bois découverts auprès des morts ne peut s'expliquer que par ce gel perpétuel et fort ancien. Il n'en était pourtant peut-être pas ainsi au moment des inhumations — dont les dernières, d'après les modes vestimentaires, se situent autour de 1450 — puisque les racines d'arbrisseaux eurent le temps de vriller bières et squelet-

---

58. MAYR, 1964.
59. *Supra*, t. I, p. 184 *sq.* et 207-208.

tes, de percer et d'enchevêtrer les étoffes [60]. La colonie normande, qui achevait de s'éteindre au XVe siècle, se trouvait-
elle à ce moment dans une phase de climat légèrement moins
rude qu'à l'époque «moderne» (XVIIe siècle et périodes suivantes)? Je me borne à poser ce problème [61].

* *

Voilà donc exposé à grands traits ce qu'on peut savoir, avec
bien moins de détails qu'à l'âge moderne, de l'histoire glaciaire et climatique des Alpes, au Moyen Age et jusqu'au
XVIe siècle. Cette histoire implique certaines révisions; elle
comporte aussi d'évidentes insuffisances. J'énumérerai les
unes et les autres, ou du moins quelques-unes d'entre elles.

* *

Révisions d'abord : sous l'influence de l'école scandinave,
frappée à juste titre par la disparition du peuplement groenlandais au XVe siècle, sous l'influence aussi des catastrophes
européennes de 1348-1450, identifiées sans preuves suffisantes avec un épisode de refroidissement, certains historiens
du climat, et parmi les meilleurs (Utterström, Flohn,
Lamb [62]), ont intégré les XIVe et XVe siècles à la phase interséculaire de crue des glaciers, baptisée par eux «petit âge
glaciaire». Or, dans l'état actuel de la documentation, qu'elle
soit historique, botanique ou géomorphologique, je pense
que cette conclusion, qu'on peut considérer en gros comme
valable, mérite cependant d'être précisée. Les glaciers alpins
du XVe siècle [63] étaient en effet, c'est fort probable, plus
développés qu'au XIe ou qu'au XXe siècle (ces deux époques
coïncidant avec deux phases optimales de la période historique). En cette extrême fin du Moyen Age, ils étaient pourtant un peu moins gros qu'ils ne seront au XVIIe siècle,
puisqu'ils respectaient encore les localités qu'au contraire ils
détruiront un peu partout aux environs de l'année 1600.
    Il y a eu, bien sûr, des épisodes froids au XVe siècle. Et

---

60. HOVGAARD, 1925, p. 615-616. Sur le destin de la colonie normande du
Groenland, cf. MUSSET, 1951, p. 218-224. Cf. aussi le point de vue très
critique de VEBAEK, 1962.
    61. Cf. *supra*, p. 47-48, note 50.
    62. Respectivement en 1955, 1950, 1963.
    63. Voir pour une période à peine postérieure (1546), les dimensions déjà
impressionnantes, et bien plus étendues qu'aujourd'hui, qui sont celles du
Glacier du Rhône (*supra*, t. I, p. 158-161).

Pierre Pédelaborde a évoqué les plus pittoresques d'entre eux, à l'aide de la documentation hivernale. En 1468, note-t-il, on débitait le vin à la hache, et les gens le transportaient en glaçons dans leurs chapeaux [64]...

Mais ces épisodes froids du bas Moyen Age, si vifs qu'ils soient, ne revêtent pas un caractère assez durable, assez général, et affectant toutes les saisons (y compris la belle saison, et ses mois pilotes d'ablation glaciaire), pour déterminer une poussée *maximale* des glaciers alpins. Cette poussée n'interviendra que bien plus tard, à partir de 1590-1600, quand surgiront brutalement les textes symptomatiques d'apogée glaciaire.

Quant aux catastrophes humaines du Moyen Age finissant (1348-1450), elles n'ont pas grand-chose à voir avec la rigueur du climat. Elles sont filles, entre autres facteurs, de ce devenir tragique que symbolisent communément peste noire et guerres anglaises. Elles soulignent le dénouement d'un grand cycle agraire.

*
* *

Faut-il indiquer, après cette révision nécessaire, quelques insuffisances et quelques lacunes? Les principales, parmi celles-ci, concernent les textes. Aux XVIIe-XVIIIe siècles, les «écrits» glaciaires sont nombreux et précis. Il n'en va pas de même au Moyen Age. L'épisode de crue médiévale (1215-1350) n'est signalé que par quelques textes... dont la plupart sont vagues et douteux. Les preuves décisives sont géomorphologiques et botaniques. De là vient l'élasticité, à cinquante ans près, de la chronologie médiévale de crue. Chronologie bien suffisante pour un glaciologue ou un botaniste, content de mettre en place les *trends* et les longues durées : elle ne saurait satisfaire l'historien qui, par métier, demeure l'homme du temps précis.

J'ai déjà évoqué quelques-uns de ces textes médiévaux, les moins mauvais. En voici d'autres, parfois suggestifs, souvent fragiles [65].

En 1284, une débâcle du lac de Ruitor — significative d'une crue du glacier de ce nom — est signalée, sans autres détails. Ce texte est intéressant, puisqu'il coïncide pleinement avec la datation au C 14 des poussées glaciaires d'Aletsch

---

64. PÉDELABORDE, 1957, p. 406.
65. Sur tous ces textes glaciaires cités ci-après, cf. annexe 13.

et de Grindelwald. Mais en dépit de mes efforts pour traquer sa référence originelle, je n'ai pu parvenir à découvrir celle-ci dans les archives et bibliothèques valdotaines. Autant dire qu'il faut l'accueillir avec suspicion.

D'autres textes, cités par Stolz et par Du Tillier, impliqueraient une poussée possible du Vernagt et du Ruitor, respectivement en 1315 et entre 1391 et 1430 : mais ces textes sont tardifs, hypothétiques, purement déductifs, et leur chronologie n'est nullement certaine. Même remarque à propos des textes de 1513 et de 1531 sur un état de crue commençante, mal déterminée, des glaciers du Tyrol ; et à propos d'un texte de 1540 sur la vive décrue du glacier de Grindelwald : cette décrue est probable ; elle n'est pas clairement attestée.

Quant aux textes glaciaires découverts et cités par Allix dans son petit livre sur l'*Oisans au Moyen Age*, ils sont à l'abri de toute critique... mais leur imprécision topographique est totale ! On n'en saurait tirer autre chose que de vagues présomptions sur la crue ou la décrue des glaciers.

En fait, les textes médiévaux sur les glaciers, pour la plupart, sont encore à découvrir et à interpréter. Les archives de Chamonix, si fournies aux XIVe et XVe siècles, réservent des surprises. Je n'ai pu en dépouiller qu'une faible partie : les dossiers inédits, une fois mis en œuvre, devraient apporter, sur les positions anciennes des grands glaciers chamoniards, des précisions capitales.

*
* *

Carence médiévale, donc, des textes glaciaires. Carence aussi, mais toute provisoire, des textes médiévaux proprement climatologiques.

D'abord, les dates de vendanges font défaut avant 1400-1500 (mais on en découvrira peut-être quelques séries en Italie [66]).

Quant aux textes événementiels, ils ne manquent pas : un certain nombre d'entre eux sont même rassemblés dans les vieux recueils *ad hoc* du XIXe siècle, compilations estimables mais dépassées [67].

Il faut aller au-delà de ces publications archaïques. Il faut faire du neuf, et du systématique.

Du neuf : les textes inédits abondent, qui décrivent (pour

---

66. Cf. la série d'Orvieto signalée par E. CARPENTIER, 1962 ; et celle de Pise, inédite, d'après D. HERLIHY (communication personnelle).
67. Par exemple BAKER, 1883.

telle et telle année du XIVᵉ ou du XVᵉ siècle) hivers, étés, rigueurs, sécheresses, inondations, etc. Ces textes surgissent à chaque instant des archives, manoriales ou notariales, ecclésiastiques ou administratives.

D'où la seconde exigence, en ce domaine : faire du systématique. Établir des séries valables de ces textes, par région, par année, par saison ou même par mois, par phénomène climatique (froid, chaleur, sécheresse, humidité, etc.), et par intensité du phénomène en question. Et utiliser, pour cela, les techniques de classement rapide et de corrélations multiples qu'autorisent la mécanographie et les méthodes manuelles ou automatiques des cartes perforées et des ordinateurs. Soit, par exemple, un texte isolé, tel que celui qu'a publié John Titow dans son article [68] sur les comptes manoriaux de l'évêché de Winchester : « La provision de foin a manqué cette année (1292), parce qu'on l'a donnée aux moutons du seigneur en raison d'un très grand hiver (*propter maximam hiemem*). » Ce texte n'ajoute pas grand-chose, par lui-même, à nos connaissances. Mais il prend tout son sens si on le verse, comme l'a fait Titow, à l'immense *Corpus* des textes analogues, découverts ou à découvrir. Ainsi rassemblés, puis de nouveau éclatés, décomposés en leurs éléments principaux (indication d'intempérie, de saison, de temps et de lieu), ces textes permettent de dresser les séries fines, locales, précises et longues, qu'on pourra mettre en parallèle avec les indications décisives, mais frustes, que donnent par ailleurs les glaciers [69].

C'est un essai de ce genre que les historiens réunis au colloque d'Aspen en 1962 ont tenté, pour les XIᵉ et XVIᵉ siècles. J'évoquerai, en quelques lignes, cette expérience collective, en ce qui concerne la fin du Moyen Age..., autrement dit le XVIᵉ siècle.

---

68. TITOW, 1960, p. 379.

69. Ce livre était sous presse quand j'ai pris connaissance, *in situ*, du bel épisode associé traditionnellement à la fondation de la basilique Sainte-Marie-Majeure, à Rome : le 4 août 352, la Vierge Marie, apparue en songe au pape Libère Iᵉʳ, lui ordonna d'élever une église sur l'Esquilin, au lieu même où se trouverait le lendemain 5 août une couche de neige fraîche, tombée pendant la nuit au cœur de l'été romain. Ainsi fut fait : le pontife put même tracer, sur cette neige, les plans du sanctuaire.

Cet épisode estival froid, s'il est authentique, fait-il partie de la série séculaire d'étés très frais, inhibiteurs d'ablation, qui précédèrent et provoquèrent la longue poussée glaciaire alpine, enregistrée à partir de 400 après Jésus-Christ (date large) ? Cette poussée a été cataloguée Xb par MAYR, 1964 (cf. *supra*, en ce chapitre, p. 29 et figure 32).

XVII. LA MER DE GLACE,
VUE DES ABORDS DE CHAMONIX, VERS 1840

Gravure anonyme (probablement d'Anton Winterlin, 1805-1894), elle est d'âge romantique (reproduite avec l'autorisation de M. Snell, antiquaire à Chamonix; photo par M. L.R.L.). Au premier plan, l'église du prieuré (bourg actuel de Chamonix). Le glacier des Bois (aujourd'hui entièrement disparu du panorama) s'étale largement vers le village des Bois et déborde vers la gauche par-dessus la côte du Piget. On distingue, en aval du glacier, les vallées de l'Arve et de l'Arveyron. Tout au fond, entre les arbres, on devine un petit clocher.

Sur cette gravure, la mer de Glace a les dimensions caractéristiques du *little ice Age* (cf. dans le même ordre de grandeur, toutes les reproductions de MOUGIN [1912] pour la période 1770-1880).

(*Photo: M. L.R.L., 1960.*)

XVIII. PREMIÈRE CARTE SCIENTIFIQUE
DE LA MER DE GLACE (1842)

Carte tirée de FORBES, 1843.

XVII

XVIII

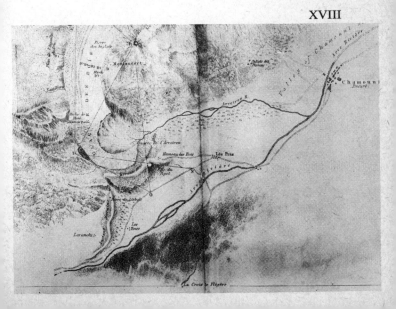

XIX. LE GLACIER D'ARGENTIÈRE EN 1780

Sur cette gravure admirablement précise de Hackert (reproduite d'après *Bibl. Nat.*, cabinet des Estampes, États sardes et Savoie, dossier V b 1), le glacier d'Argentière est tout proche de l'église de ce nom ; il est à 1 005 m en avant de sa position du 26 octobre 1911, mesurée par Mougin au tachéomètre Sauguet (MOUGIN, 1912, p. 154), et il est plus avancé encore par rapport aux positions frontales, tellement reculées, qu'il occupera de nos jours.

(Photo : Éd. Flammarion.)

XX. MÊME PERSPECTIVE EN 1966

Deux siècles après, les montagnes et l'église sont toujours là ; forêt et buildings ont envahi le site peint par Hackert. Mais le glacier, quant à lui, s'est retiré très loin, très à gauche, et il a disparu du paysage.

(Photo : M. L.R.L., juillet 1966.)

XIX

XX

XXI. LE GLACIER D'ARGENTIÈRE VERS 1850-1860

Cette gravure, d'un auteur suisse ou allemand, porte les mentions suivantes :
«*Nach Photographie arrangirt von L. Rohdock; G.M. Kurz sculps;* Druck und
Verlag von G.G. Lange.» Le glacier d'Argentière amorce à peine son retrait; il
forme encore le *zigzag* caractéristique dont parlait Saussure vers 1770; son
front est proche de la plaine et du village.

(*Photo : Éd. Flammarion.*)

XXII. LE GLACIER D'ARGENTIÈRE EN 1966

Sur cette photo, prise du même point de vue que la précédente, le recul
séculaire apparaît intense; toute la branche inférieure du *zigzag glaciaire* est
liquidée, laissant apparaître d'énormes roches ci-devant raclées par les glaces.
Les moraines se sont couvertes de mélèzes. Quant au village, il a un peu
grandi, mais l'église et certaines maisons sont aisément reconnaissables.

(*Photo : M. L.R.L., 1966.*)

XXI

XXII

XXIII et XXIV. LE GLACIER DES BOSSONS
(XIXe-XXe siècles)

L'iconographie ancienne des Bossons est moins riche que celle des glaciers déjà cités, chamoniards ou suisses.

La gravure 23 est l'œuvre de Winterlin (elle fut exécutée vers 1830-1850); l'artiste observait d'un site placé en rive droite de l'Arve. Ce site précis, malheureusement, n'est plus guère praticable pour une photographie de comparaison, à cause des forêts et des immeubles. Néanmoins, une vue prise en 1966, d'un site un peu plus rapproché, montre le recul du glacier. Le curieux donjon de séracs, très net sur la gravure 23 en avant de la langue glaciaire, disparaît au XXe siècle en gravure 24, et la forêt gagne sur les moraines et sur les emplacements désaffectés par les glaces. A droite, on devine le glacier de Tacconaz.

(Collection particulière, et photo de M. L.R.L.)

XXIII

XXIV

XXV et XXVI. LE GLACIER DE LA BRENVA (1767 et 1966)

Le dessin de Jalabert (1767) a été fait sur place, lors d'un voyage avec Saussure ; il a été publié en gravure par SAUSSURE, 1786, tome IV, p. 27, planche III. C'est à ma connaissance la plus belle et la plus précise des représentations très anciennes, relatives aux glaciers du Mont-Blanc. Noter en bas, à droite, «les cabanes des laboureurs qui cultivent les champs voisins des glaciers» (SAUSSURE, p. 27).

L'image 26 (photo de M. L.R.L., 1966) prouve, du reste, par comparaison, l'exactitude de Jalabert, merveilleux peintre des arêtes et des roches ; elle montre aussi, quant au glacier lui-même, l'ampleur du recul contemporain : tout le «piedmont» glaciaire du XVIIIᵉ siècle est liquidé à notre époque, remplacé par une vaste moraine.

Le recul est de l'ordre de 750 m (d'après la carte I.G.N., 1958, au 1/20 000ᵉ, feuilles Mont-Blanc, 1-2, levés aériens et topographiques de 1947-1949).

C'est dans les moraines de gauche, au pied des pentes qui descendent de l'Aiguille Noire et du Mont Noir de Peuterey, que la tradition locale place le site hypothétique de Saint-Jean-de-Perthuis, village tué par une avance glaciaire. (D'après KINZL, 1932, et d'après une communication verbale de Mme Zanotti, hôtelière, d'une vieille famille d'Entrèves.)

XXV

XXVI

XXVII et XXVIII. GLACIER DE L'ALLÉE BLANCHE
ET LAC DE COMBAL (Région de Courmayeur)

En 1861 (hors-texte XXVII), comme en l'an VII de la République (fig. 25 et hors-texte XXIX), le glacier de l'Allée Blanche, ou de la Lex Blanche, baigne directement les eaux du lac de Combal. (Dessin et gravure d'E. Aubert, tirés de AUBERT, 1861.)

La photo (M. L.R.L., 1966), en hors-texte XXVIII, a été prise à partir du point exact où Aubert s'était placé pour effectuer son dessin : le rocher trapézoïdal et surplombant, en bas et à droite des deux images, en fait foi. Sur cette photo, le glacier s'est retiré, et il apparaît désormais à peine, dépassant tout juste derrière la grande pente rocheuse et sombre de droite qui descend de l'aiguille de Combal. Le recul est au minimum de 500 mètres.

Le lac lui-même est en partie asséché vers l'amont et il s'est couvert de végétation. Une étude sédimentaire de ce lac est du reste à souhaiter ; elle renseignerait sur les phases longues d'assèchement ou de mise en eau du plan lacustre, phases qui sont peut-être en rapport (ces documents l'attestent) avec le volume croissant ou décroissant du glacier, lui-même responsable de l'alimentation de la nappe aquatique. (Mais il faudrait tenir compte aussi de la digue artificielle qui relève le niveau du lac depuis une date indéterminée, mais antérieure à 1691 ; cf. VACCARONE, 1881, p. 183.)

XXVII

XXVIII

XXIX. LE LAC DE COMBAL EN L'AN VII (1798)

Dessiné dans les années révolutionnaires (où les documents graphiques sur les glaciers sont assez rares), ce plan du citoyen Bourcet constitue probablement l'une des premières cartes du lac de Combal (à gauche de l'image).

Le lac, en l'an VII, apparaît complètement développé et directement baigné par le glacier qui l'alimente. Ce fait correspond à une glaciation relativement forte, comparable à celle de 1861 et radicalement différente de la configuration contemporaine (cf. *supra*, commentaire des hors-texte XXVII et XXVIII). Cependant, Bourcet, qui a correctement placé les glaciers, s'est trompé dans les appellations : il a baptisé « Talèfre » le glacier de l'Allée Blanche et « Allée Blanche » le petit glacier adjacent (à gauche) qui s'appelle en réalité glacier de l'Estellette. (Le véritable glacier de Talèfre n'a rien à voir avec cette région ; il est situé à 20 km au nord-est, au-delà de la mer de Glace.)

(Source : cf. hors-texte XIII.)

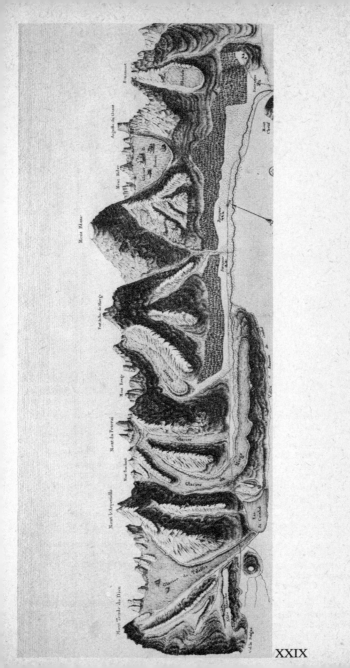

XXIX

XXX et XXXI. AU MONTENVERS

L'iconographie ancienne (XVIIIe siècle) concerne essentiellement (quand elle a valeur de comparaison avec l'actuelle) les *fronts* glaciaires.

Il est rare qu'on ait des données sur l'épaisseur du glacier lui-même, en amont de la langue terminale.

La belle gravure d'Hackert (*Photo Éd. Flammarion*), exécutée du Montenvers en août 1781, permet cependant une confrontation de ce genre avec la situation *contemporaine* (*Photo M. L.R.L.*, août 1966) : la banquette rocheuse, située au milieu, du côté gauche, des deux documents, et dont la partie supérieure (premier gradin) est couverte de végétation, est aujourd'hui beaucoup plus dégagée des glaces qu'elle ne l'était au XVIIIe siècle. Sa hauteur apparente égalait seulement sa largeur. Aujourd'hui, cette hauteur, augmentée par l'abaissement du glacier, semble bien faire le double, ou peu s'en faut, de la largeur qui, elle, n'a évidemment pas varié.

De même, le premier éperon rocheux, à droite, et qui s'avance jusqu'au milieu des deux images, est aujourd'hui beaucoup plus dégagé qu'autrefois : il plongeait jadis à vif dans la glace ; il en est maintenant séparé par une petite moraine qui le ceinture.

(Source : Collection particulière.)

Cette gravure de Hackert est souvent reproduite, notamment dans MOU-GIN, 1912, et dans ENGEL, 1961 ; un exemplaire se trouve dans les dossiers du cabinet des Estampes, cités *supra* au commentaire du hors-texte XIII.

XXX

XXXI

*Le climat du XVIe siècle et les diagrammes d'Aspen**

Ces dernières années, diverses réunions scientifiques ont pris pour thème de leurs discussions les fluctuations climatiques récentes : ainsi, une conférence, convoquée à New York en 1961, sous les auspices de la société météorologique américaine, a étudié les changements climatiques et les phénomènes géographiques s'y rapportant [70]. Le colloque international d'Obergürgler (septembre 1962) s'est consacré aux «variations des glaciers existants» et aux causes qui déterminent ces variations [71]. Quant à la conférence d'Aspen (Colorado, juin 1962), organisée par le Comité de paléoclimatologie de l'Académie des sciences des États-Unis, elle se situe dans le même courant de recherche fondamentale : son objet, c'est, en effet, «le climat des XIe et XVIe siècles [72]».

Ce congrès d'Aspen a présenté, pourtant, certains traits originaux : il a centré l'enquête sur deux siècles particuliers : une telle focalisation des recherches devait permettre, dans l'intention des promoteurs, de dépasser les généralités, et d'atteindre, à force de monographies, à des réalités concrètes, historiquement situées. D'autre part, les spécialistes des sciences de la nature (géologues, glaciologues, météorologistes, «dendrologistes») n'ont pas été seuls à participer au congrès [73]; on a fait appel, pour la première fois sans doute dans une réunion de cette sorte, à des historiens professionnels. Invitation normale; en chronologie «courte», bornée à un siècle — XIe ou XVIe —, les méthodes habituelles de la paléoclimatologie, fondées sur la très longue durée, voire même sur le temps géologique, s'avèrent insuffisantes. Pour bien connaître un siècle donné, il faut recourir à des observations fines, et réunir des séries annuelles. Or celles-ci, dans la majorité des cas, sont fondées sur l'exploitation des docu-

---

* Voir les diagrammes en annexe dans ce livre. Les notes explicatives se trouvent ci-après, à l'annexe 15.

70. Les communications faites à cette conférence, et dont beaucoup traitaient de l'époque historique, ont été publiées dans *Annals of the New York Academy of Sciences*, vol. 95, art. 1, p. 1-740, oct. 1961.

71. La publication n° 58 (1962) de l'*Association internationale d'hydrologie scientifique* est entièrement réservée aux travaux de ce colloque.

72. Sur cette conférence, voir «Proceedings...», 1962. Voir aussi *Annales*, juillet-août 1963, p. 764 *sq.*

73. La conférence, présidée par R.-A. Bryson, était divisée en six sections : anthropologie, biologie, glaciologie et géographie, géologie, histoire, météorologie.

ments d'archives, c'est-à-dire sur le «métier d'historien».

Cet appel à l'histoire, formulé par des climatologistes, n'est pas resté sans écho. Plus de cinquante séries annuelles — ou pour le moins décennales — ont été présentées par les historiens réunis à Aspen, et par leurs collègues d'autres disciplines, qui s'étaient joints, dans un esprit de coopération, aux travaux de la commission historique du congrès[74]. Et très vite, en présence de ces apports multiples, des problèmes de mise en œuvre se sont posés. Suffirait-il en effet de considérer, l'une après l'autre, chacune des séries, pour les discuter, critiquer, interpréter isolément? En fait, ce premier stade, analytique et monographique, devait être assez tôt dépassé. Au terme des premiers débats de la conférence, et des séances initiales de commission, est apparue la nécessité d'une mise en commun des matériaux, et d'un inventaire synthétique.

Pourquoi cette synthèse? D'abord pour tester les séries par épreuve de concordance et différence; ensuite pour faire exprimer à celles-ci tout leur contenu (qui peut au contraire demeurer latent, si l'on se borne à observer chaque séquence dans sa particularité); enfin pour dégager les premiers éléments, même provisoires, d'un tableau d'ensemble.

La commission historique du Congrès d'Aspen a donc procédé à l'assemblage des séries et diagrammes, fournis par ses participants. Deux tableaux chronologiques ont été constitués: ils intéressent respectivement le XIᵉ et le XVIᵉ siècle. Jacques Bertin et Janine Recurat, du laboratoire de cartographie de l'École des Hautes Études, se sont chargés, en 1962-1963, de la mise au point graphique de ces «montages»: les tableaux définitifs, ainsi élaborés, sont publiés en annexe, avec des éclaircissements, des notes et légendes explicatives.

Le présent chapitre vise simplement à commenter ces deux tableaux, à en dégager les sources, la méthodologie générale,

---

74. Celle-ci comprenait: W. B. Watson, président (Massachusetts Institute of technology), E. Giralt Raventos (Université de Barcelone), K. Helleiner (Université de Toronto), D. Herlihy (Bryn Mawr College), E. Le Roy Ladurie (École des Hautes Études), J. Titow (Université de Nottingham), G. Utterström (Université de Stockholm). D'autres chercheurs ont également participé aux travaux de la commission historique; parmi eux, H. Arakawa (Institut de recherche météorologique, Tokyo), P. Bergthorsson (Weather bureau, Islande), H. Lamb (Meteorological Office, Londres), G. Manley (Bedford College, Université de Londres). Sur les travaux de cette commission, voir dans les *Proceedings*, 1962, W. B. Watson: «*Summary report of the history Section*» (p. 37-43), «*Census of data*» (p. 44-49) et «*Bibliography*» (p. 50-58). C'est W. B. WATSON qui a préparé, avant la conférence, toute l'organisation de la commission d'histoire et qui, ensuite, en a dirigé ou coordonné les travaux.

les principes de classement ; pour conclure, un essai d'interprétation sera proposé.

Il va de soi qu'une telle réflexion restera partielle : en un simple exposé il n'est pas possible d'expliciter, ni de justifier, de façon exhaustive, chacun des cinquante diagrammes assemblés. Des contenus et méthodes qui sont à la base de chaque série, on ne donnera ici qu'un aperçu assez bref ; et on se référera, pour une information plus détaillée, soit aux publications des différents auteurs individuellement responsables des divers graphiques ; soit, dans certains cas, aux sources encore inédites utilisées par ces auteurs[75].

Toujours partiel, en dépit de son intention synthétique, l'exposé qui va suivre risque aussi, dans certains cas, d'être partial. Sans doute s'efforce-t-il toujours de se conformer aux conclusions collectives des participants d'Aspen. Malgré cette fidélité, il exprime nécessairement le point de vue individuel de son auteur. Ce point de vue n'engage pas en nécessité, sur chaque point, tous les historiens et chercheurs qui ont élaboré et contresigné les tableaux. Les interprétations proposées ici, dans un domaine neuf, gardent souvent, comme on verra, le caractère d'hypothèses : si elles parviennent à stimuler la discussion, à vivifier la recherche, elles auront atteint l'un de leurs principaux objectifs.

1. Sources et méthodes

Les diagrammes mis en œuvre proviennent de sources diverses, qui peuvent se diviser en deux groupes : sources primaires, qui renseignent sur le climat lui-même (exemple : dates des récoltes, précoces ou tardives) ; et sources secondaires, qui intéressent telle ou telle conséquence des phénomènes climatiques sur l'activité humaine (exemple : volume des récoltes, abondantes ou déficitaires).

Parmi les sources primaires, les données «phénologiques» viennent au premier plan. L'une des plus typiques est celle de Kyoto, présentée par Arakawa (diagramme XVI-7). L'auteur japonais s'appuie sur un fait d'écologie bien démontré[76] : la corrélation étroite entre les températures prin-

---

75. On trouvera toutes ces références aux notes infra-paginales de ce chapitre ; ou bien, dans la plupart des cas, plus loin, à l'annexe 15.

76. LINDZEY et NEWMAN, 1956.

tanières et les dates de floraison des végétaux, celles-ci intégrant celles-là. Douceur et chaleur du printemps, c'est précocité des fleurs ; réciproquement, une tendance froide induit des floraisons tardives. Dans cet ordre de recherches, les archives phénologiques les plus anciennes intéressent au Japon la variété locale du cerisier *(prunus yedoensis)* : chaque année, à Kyoto, dès que cet arbre était en fleur, l'empereur ou le gouverneur donnait dans les vergers une sorte de garden-party ; et les annalistes notaient la date de ces floralies. T. Taguchi en a publié une première chronologie (1939). H. Arakawa a repris toutes les dates ; il les a critiquées, puis «graphiquées» ; le diagramme XVI-15 donne un fragment de la courbe totale qu'il a constituée, et qui s'étend — avec des lacunes — du IXe au XIXe siècle [77].

Après les fleurs, les fruits. La maturité du raisin constitue — on le sait depuis Angot [78] — un document climatique de premier ordre. Et les travaux récents des spécialistes de la viticulture permettent, en ce domaine, de faire le point. Pierre Branas a montré, chiffres en main, le rôle décisif du «complexe héliothermique» dans la durée du mûrissement des grappes : plus la belle saison est lumineuse et chaude, pour une année donnée, plus rapide est la croissance du raisin et vice versa. Georges Montarlot a étudié dans le même esprit le comportement d'un cépage commun, l'Aramon, au cours d'une année froide et tardive (1932) : de février à septembre, un déficit thermique prolongé a d'abord retardé l'entrée en végétation, puis la floraison, enfin, la vendange, le retard se répercutant et s'aggravant au fur et à mesure qu'avançait le *growing season*. De même en 1957 : les gelées printanières, le refroidissement qui persiste au printemps et à l'été, tout cela décale vers le tard la récolte, et l'ouverture des caves coopératives viticoles dans le Midi français : d'une façon plus générale, les travaux de Godard et Nigond indiquent qu'une relation linéaire unit les températures estivales à la date de vendange [79].

Reportons-nous maintenant au XVIe siècle. La documentation offre, pour cette époque, un certain nombre de séquences régionales de vendanges. Elles intéressent les vignobles du Nord ou du Centre-Est (Dijon, Salins, Bourges, Lausanne, Aubonne, Lavaux) : ou bien ceux du Midi (Com-

77. ARAKAWA, 1955, 1956, 1957.
78. ANGOT, 1883.
79. J. BRANAS, 1946, p. 56-71 ; G. MONTARLOT, s. d. ; M. GODARD et J. NIGOND : cf. notamment le graphique 1 de ces deux auteurs.

tat, Quercy, Languedoc, Gironde et Vieille-Castille [80]). Ces
courbes locales — dans la construction desquelles il faut tenir
compte de la correction grégorienne, depuis 1582 — affir-
ment une concordance mutuelle, significative de réactions
communes aux tendances saisonnières, d'une année à l'autre.
Une telle convergence justifie l'unification de toutes les séries : le calcul des moyennes permet d'élaborer un diagramme
unique (XVI-16). Pour chaque année du XVIe siècle, ce diagramme donne, en jours, l'écart français moyen [81], à la
moyenne séculaire des dates de vendanges. Ainsi, en 1545,
dans les vignobles connus, la récolte est en avance moyenne
de quinze jours sur la date normale des vendanges du siècle,
calculée pour chacune de ces localités. En 1600, au contraire,
elle est en retard de huit jours. Le diagramme XVI-16 visualise cette collection séculaire d'écarts annuels : et ses «créneaux», blancs ou noirs [82], sont fonction, pour une part
décisive, des fluctuations positives ou négatives, de la température moyenne, printanière-estivale, d'une année à l'autre.

L'emploi d'une moyenne mobile de trois ans (XVI-16 *bis*)
permet, en un second moment de l'enquête, d'adoucir le
diagramme annuel [83]; l'allure générale de la courbe est res-
pectée par ce procédé. Mais les pointes les plus vives de
celle-ci sont écrêtées; les fluctuations d'allure cyclique en
sont rendues plus lisibles : les groupes d'années, précoces ou
tardives, se détachent ainsi nettement sur le diagramme XVI-
16 *bis*.

Un essai analogue a été tenté pour les dates de moissons [84],
telles qu'on les connaît, en France méridionale, par certaines
comptabilités ecclésiastiques. Trop brève, approximative,
parfois lacunaire, cette série, en outre, est d'un maniement
moins sûr que celle des vendanges. Sans doute, la date de
coupe des grains sert-elle effectivement d'intégrateur climatique : en Provence, Languedoc et Catalogne, où la récolte
intervient dès juin, une moisson tardive révèle un printemps

---

80. Séries septentrionales et centrales d'après ANGOT, *art. cit.* ; séries méridionales d'après E. Le Roy Ladurie (Midi français), Hyacinthe Chobaut
(Comtat), et B. Bennassar (Vieille-Castille) : cf. annexe 12, et L.R.L., 1966,
vol. II, ann. 1 et graph. 1.

81. Expression simplificatrice : puisque cette moyenne inclut trois séries
helvétiques (Aubonne, Lausanne, Lavaux) et une série de Vieille-Castille
(Valladolid).

82. Pour des raisons techniques, les créneaux ou rectangles, prévus primitivement comme *blancs*, avaient été réalisés sur les diagrammes en *grisé*, dans
mon article de 1965. Ici, le blanc a pu être utilisé.

83. Cf. annexe 15, XVI-16 *bis*.

84. Diag. XVI-12 et annexe 15, XVI-12.

froid, et vice versa. Mais si la température printanière joue le rôle de déterminant principal, la date de coupe des blés est influencée d'autre part, de façon secondaire, par l'époque, précoce ou tardive, des semailles qui l'ont précédée : celles-ci étant fixées par les laboureurs en fonction de divers facteurs (pluies d'automne, état du sol, labours préliminaires, etc.). La date des moissons est donc un phénomène plus complexe, dans ses motivations profondes, que celle des vendanges. Et sa signification climatique n'est pas toujours une.

Enfin, parmi les sources phénologiques, certaines se situent à part ; elles ne mettent pas en cause l'apparition d'une fleur, la maturité des grappes ou des épis ; mais elles recensent la date significative d'un gel, d'un embâcle (ou débâcle) glaciaire, qui marque le début ou la fin de la saison froide.

Japon central : la série du lac Suwa intéresse de façon quasi continue la période 1444-1954. Les prêtres d'un temple proche observaient le lac, notaient le jour où il était pris en entier par les glaces. L'absence de gel, significative d'hivers doux, était généralement signalée dans leurs archives. Prenant la suite des travaux de S. Fujiwara, H. Arakawa s'est chargé de mettre en forme cette chronologie «lacustre» cinq fois séculaire. Le diagramme XVI-17 donne un extrait, pour la période qui nous concerne, de l'ensemble sériel qu'il a construit [85].

A Riga, c'est la débâcle, à la veille du printemps, qui fait l'objet de notations très anciennes. La date d'ouverture du port, enfin libre de glaces, est en effet consignée chaque année dans les papiers de la ville. Et V. Betin a pu restituer à partir de ces données une série prolongée du XVIe siècle à nos jours [86] : celle-ci, testée, réagit favorablement aux épreuves de concordance : il suffit de la comparer aux données parallèles, en provenance de la Néva, et du lac Kavalési en Finlande [87] — données qui sont significatives, elles aussi, du climat de l'aire baltique. On constate, en fin de courbe, et dans les trois séquences — Riga, Néva, Kavalési — une même tendance aux dégels précoces, qui intervient par suite d'un certain réchauffement, dans la période 1880-1950.

Ainsi confirmée, la série de Riga est présentée dans le diagramme XVI-6 : celui-ci en reproduit le fragment initial (1530-1610), comportant quelques lacunes.

Après la phénologie, vient au nombre des sources primaires la dendrologie, étude des arbres anciens et des *tree-rings*.

---

85. Cf. aussi ARAKAWA, 1954.
86. Diag. XVI-6 et annexe 15, XI-6 et XVI-6 ; cf. aussi BETIN, 1957.
87. Publiées par A. SOKOLOV, 1955, p. 96-98.

H. Fritts, J. L. Giddings, G. Siren ont inscrit dans nos tableaux trois groupes de diagrammes, qui mettent en cause le sud-ouest des U.S.A., l'Alaska, la Laponie finnoise. La première série, celle des Rocheuses, est sans conteste la plus riche. Elle bénéficie des «archives forestières» accumulées depuis plus d'un demi-siècle au *Tree-ring laboratory* de Tucson (Arizona); et elle projette sur deux graphiques (XI-18 et XVI-28), année par année, l'indice moyen de croissance de cinq groupes d'arbres — sapin Douglas ou pin Ponderosa — respectivement localisés, pour deux groupes, en Arizona et, pour les trois autres, en Montana, Colorado, Californie. Les sites où poussent ces arbres sont extrêmement secs; et les variétés choisies sont sensibles à l'aridité. La croissance des *tree-rings* est donc, dans ce cas, en corrélation avec la pluviosité, et en relation inverse avec l'indice d'aridité (lequel tient compte à la fois des pluies et de l'évaporation).

La série dendrologique d'Alaska (XI-8 et XVI-19) est construite à partir de vieux arbres (*Picea canadensis* Mill, *Larix Alaskensis* Wight), et de poutres archéologiques indiennes : tous ces échantillons proviennent de sites placés immédiatement au nord du cercle polaire.

Quant à la série de Laponie finnoise, elle est l'œuvre d'un forestier, Gustaf Siren : intéressant toute la période 1181-1960, elle donne l'indice de croissance de plus de deux cents arbres anciens — pins d'Écosse ou pins sylvestres — qui poussent à l'extrême nord de la Finlande, aux marges septentrionales de la forêt. Le diagramme XVI-18 présente, pour la période 1490-1610, un extrait de cette courbe huit fois séculaire.

Alaska et Laponie finnoise ont pour trait commun certaines conditions écologiques. La température estivale constitue en effet dans ces deux régions le facteur critique, «marginal» : l'été, tiède ou froid, y est décisif pour stimuler ou paralyser la croissance de l'arbre; la pluviosité n'y joue qu'un rôle insignifiant, quant à l'épaisseur des *tree-rings*.

On note également, à ces latitudes très froides, certains effets de rémanence. Un été chaud, en Laponie, peut stimuler la croissance forestière de l'année, mais aussi celle de l'année suivante; de même (pour réfréner la croissance), un été froid. Le *tree-ring* nordique est donc susceptible d'intégrer le climat de deux ans successifs; et les courbes dendrologiques en sont adoucies, comme par une moyenne mobile biennale [88].

88. Sur ces questions, références à l'annexe 15, XI-8, XVI-18 et XVI-19.

Voici maintenant une source primaire neuve, d'origine documentaire et «cérémonielle» : les Rogations pour la pluie — significatives de sécheresses. Dans l'Espagne pieuse et aride, les autorités municipales obtiennent assez souvent de l'Église, en cas d'urgence, des journées de processions. Emili Giralt Raventos présente «en nombre de jours de prières» les Rogations de Barcelone au XVIe siècle ; elles sont complètement recensées grâce à la bonne tenue des registres «de l'antique Conseil barcelonais» ; elles sont distribuées dans les tableaux par saisons ; puis cumulées, totalisées par années-récoltes [89], en vue d'instituer une comparaison avec les fluctuations céréalières [90].

Emili Giralt souligne lui-même la relativité de sa série : à côté du déficit pluviométrique, facteur principal, la ferveur religieuse, dont l'intensité varie (et augmente à la fin du siècle, avec la Contre-Réforme ?), peut contribuer à influencer les diagrammes. La série, dans l'ensemble, ne paraît vraiment dense et objectivement représentative qu'à partir de 1520.

La série Giralt, dont on pourrait peut-être constituer l'équivalent à Valence, semble jusqu'ici seule de son espèce ; à Paris par exemple, les sorties de la châsse de sainte Geneviève — pour déclencher ou conjurer la pluie — sont trop exceptionnelles pour former séquence.

Quatrième type de source primaire : les observations météorologiques, au sens littéral du terme. Bien avant l'apparition des instruments de mesure, en effet, les journaux, *diaires*, livres de raison, peuvent constituer, notamment quand ils sont quotidiens, de véritables registres de références systématiques au climat. Références frustes, mais susceptibles de dénombrements significatifs ; ainsi Wolfgang Haller, bourgeois de Zurich, note-t-il, dans son journal, scrupuleusement tenu, entre 1550 et 1576, les journées pluvieuses ou neigeuses. Analysant certaines de ses données, H. Lamb a pu en tirer un décompte statistique, dont dérivent les diagrammes XVI-11 et XVI-23 [91].

On possède aussi, pour la période historique, de véritables séries hydrologiques : celle que présente encore H. Lamb, à partir des publications du prince Omar Toussoun, donne, pour le XIe siècle, les niveaux annuels (en coudées, conver-

---

89. Graphiques XVI-9, XVI-13, XVI-20, XVI-25, XVI-30.
90. Compte tenu de l'époque des moissons catalanes, qui se produisent très souvent dès juin, l'année-récolte 1524-1525 (par exemple) comprend, au graphique XVI-30 : été-automne de 1524 plus hiver-printemps de 1525.
91. Annexe 15 et graphiques XVI-11 et XVI-23.

ties en mètres) des crues et des étiages du Nil[92] : c'est aux chroniqueurs arabes, notant les relevés des nilomètres, que nous sommes redevables, en dernière analyse, d'une telle série.

Les glaciers, intégrateurs climatiques, fournissent, à leur tour, toute une catégorie d'informations : notamment au XVIe siècle, où l'on dispose, en zone alpine, d'un certain nombre de textes et de données. J'ai évoqué précédemment[93] les épisodes les plus caractéristiques quant au XVIe siècle, schématisés par ailleurs dans le diagramme XVI-34.

Quant au XIe siècle, les textes font défaut qui donneraient la position des glaciers après l'an mil. Cependant, des datations au C 14 situent, dans une chronologie[94], certaines forêts fossiles qui avoisinent les glaciers actuels ; c'est la forêt d'Aletsch dont les restes, enracinés dans le roc, ont été dégagés, voici vingt ans, par le retrait du glacier de ce nom. C'est la forêt de Grindelwald aux troncs brisés, écorcés par la glace, et fichés dans les moraines latérales. Déjà décrite comme telle au XVIIIe siècle, elle a vécu, jadis, à une altitude et dans une zone où n'existe plus aujourd'hui aucun arbre de ce nom.

Le C 14 date ces deux forêts, de façon remarquablement concordante. Elles sont mortes, écrasées par l'avance des glaciers limitrophes en :

650 ± 150 ans avant l'époque actuelle (Grindelwald);
720 ± 100 ans avant l'époque actuelle (Aletsch);
800 ± 100 ans avant l'époque actuelle (Aletsch).

Soit vers 1215 de notre ère, date moyenne et probable[95].

Les groupes d'arbres en question, à en juger par le décompte des anneaux de croissance, et par la couche *humique* sous-jacente aux racines (à Aletsch), avaient vécu en paix au moins deux siècles, sans incursion glaciaire, avant leur «assassinat» vers 1215.

Il y a donc une possibilité non négligeable pour que le XIe siècle soit déjà inclus dans cette phase de retrait, déglaciation signalée par le C 14 : déglaciation sans doute comparable à celle du XXe siècle, ou même plus marquée encore. Inversement, le XVIe siècle, au moins dans sa seconde moitié, est déjà caractérisé par une tendance à la crue glaciaire.

---

92. Graphiques XI-16 et XI-17.
93. *Supra*, t. I, p. 158-214.
94. Sur cette chronologie, voir *supra*, p. 33-40, une démonstration plus détaillée.
95. *Supra*, p. 33-40.

Celle-ci se poursuivra au travers d'oscillations et maxima successifs jusque vers 1850 [96].

Derniers types de sources primaires, qui peuvent être exploitées pour une connaissance approchée des climats anciens : les séries événementielles. Celles-ci groupent, année par année, tel ou tel phénomène météorologique qui, par son caractère «d'écart à la normale», a frappé les contemporains : rigueur ou douceur de l'hiver, gels de grands fleuves, inondations, pluies diluviennes, sécheresses prolongées. De telles séries sont souvent constituées à partir de documents hétérogènes, et dont la valeur est inégale ; elles peuvent être insuffisantes et lacunaires. Elles n'ont pas la valeur des séquences à base phénologique ou dendrologique qui sont, elles, annuelles, continues, quantitatives, homogènes. Il serait néanmoins absurde, hypercritique, de rejeter a priori l'information événementielle. En agissant ainsi, l'historien refuserait l'évidence des textes et récuserait arbitrairement des témoins valables.

En fait, le matériel événementiel peut constituer des ensembles relativement significatifs ; mais il doit, dans cette perspective, être élaboré et contrôlé, selon quelques règles très strictes.

Première règle : N'utiliser pour l'information climatique que des textes vraiment météorologiques. Ainsi, la simple mention d'une mauvaise récolte ne constitue pas par elle-même une information directe sur le climat. Une telle mention en effet, sans autre commentaire, appelle toutes sortes d'explications possibles, qui varient selon les lieux, les années, les produits. La moisson déficitaire peut indiquer l'extrême sécheresse et l'échaudage ; ou encore l'été pourri ou l'hiver trop humide ; ou bien le gel qui tue les semences ; ou l'extrême douceur hivernale qui corrompt celles-ci dans le sol. C'est seulement si la cause de la mauvaise récolte est indiquée que le texte peut venir s'inscrire dans une série événementielle d'étude du climat.

Deuxième règle : La «ventilation» saisonnière des informations. En matière de vignes, par exemple, une gelée de printemps qui tue les bourgeons, mais respecte les ceps, n'a pas la même signification qu'un gel hivernal qui s'attaque à la plante elle-même et peut anéantir un vignoble. Ces deux phénomènes s'intègrent respectivement à deux séries saison-

96. Références sur toutes ces données glaciaires à l'annexe 15, XI-19 et XVI-34 ; *supra*, chap. IV.

nières distinctes. De même les inondations d'hiver ou de
printemps qui peuvent parfois surgir d'une débâcle des glaces, de la rivière brusquement libérée, n'ont pas le même
caractère climatique ni écologique que des pluies torrentielles
d'automne. Certes, il est légitime, aux fins de recherches, de
constituer certaines séries annuelles «cumulatives» à base
événementielle (diagramme XVI-29); dans la mesure du possible, cette recherche annuelle ne doit intervenir qu'au terme
de monographies saisonnières.

Ces séries saisonnières elles-mêmes requièrent une chronologie précise. L'année météorologique commence en décembre : et les gelées de décembre 1564, par exemple, doivent être rapportées à l'hiver de 1565 (décembre 1564, janvier-février 1565). Précaution indispensable : sous peine de
dédoubler indûment certains hivers, et d'en «télescoper»
quelques autres.

Les bonnes séries événementielles ou les moins mauvaises
sont ainsi constituées de matériaux choisis, correctement
classés; elles doivent ensuite être testées; sinon, le caractère
aléatoire de la documentation de base peut créer, en ce qui les
concerne, des effets trompeurs de perspective. Exemple : les
hivers rudes semblent plus nombreux après 1540-1550 [97];
mais n'est-ce pas tout simplement parce que les documents
sur les hivers rudes sont désormais attestés en plus grand
nombre, dans les archives plus largement conservées au fur et
à mesure qu'avance le XVIe siècle? D'une telle suspicion,
légitime, on ne peut triompher que par une épreuve-test,
celle des contradictoires. Admettons, en effet, que la densité
croissante des hivers rudes corresponde à un phénomène
réel : dans ce cas, on devrait noter simultanément une raré-
faction des hivers doux. Si au contraire ces notations plus
nombreuses proviennent d'une simple illusion, d'un effet de
mirage documentaire, l'accumulation des documents multi-
plierait aussi les hivers doux, en même temps que les rudes,
et la supercherie des archives serait ainsi facilement dénon-
cée. En fait, les diagrammes résistent victorieusement à ce
test des contradictoires. Après 1545, malgré les documents
toujours plus nombreux, les hivers doux sont nettement plus
rares qu'auparavant.

Second test, classique : concordance et discordance. La
suite d'hivers doux, qui intervient autour de 1530, peut ici
servir d'illustration. Cette «suite» a vivement frappé les

---

97. Sur tout ce paragraphe, cf. diagrammes de XVI-1 à XVI-6 et annexe 15,
aux mêmes cotes.

chroniqueurs ou les historiens de l'ancien régime[98]. Or, toutes les séries de diagrammes la confirment, et proposent une concordance exemplaire. Entre autres exemples : Weikinn a collectionné soigneusement les gels des fleuves au XVIe siècle ; il ne rencontre pas un cas d'embâcle fluvial pendant cette période très douce (1528-1532[99]).

Autre cas de concordance rassurante : parmi les sécheresses d'été barcelonaises (diagramme XVI-20), pas une seule ne tombe dans une année d'inondation française d'été. Des dix-sept sécheresses d'été belges, deux seulement tombent dans une année d'inondation française d'été (XVI-21 et 22). De même, dans les séries automnales de précipitations (XVI-26 et 27), on note une bonne convergence France-Belgique. Les sécheresses belges «s'emboîtent» dans les inondations françaises. Dans la série «précipitations-printemps XVIe siècle», cet emboîtement est si bien réalisé qu'on a purement et simplement fusionné les deux en une seule : «France-Belgique» (diagramme XVI-14).

Ailleurs, cependant, de multiples discordances apparaissent : ainsi entre la France et la Catalogne pour l'automne et le printemps (XVI-9 et 10 ; XVI-25 et 26). Ces discordances peuvent tenir à une différence géographique des régimes des pluies, ou bien aux insuffisances de la documentation.

Il va de soi que les concordances elles-mêmes ne sauraient déborder un cadre spatial relativement restreint. Les hivers russes ou japonais, par exemple, n'offrent pas nécessairement (bien loin de là !) une conformité annuelle avec les hivers occidentaux. Car les conditions météorologiques, la répartition et l'influence des masses d'air peuvent produire, dans une même période, des effets divers et même opposés, selon les longitudes.

Cela posé, quand les discordances interviennent en des régions voisines les unes des autres, elles doivent inciter à la réserve, et mettre en garde sur la validité de quelques séquences, notamment sur celles du XIe siècle. Car les imprécisions de certains textes médiévaux rendent souvent «flottante», à une année près, la chronologie des hivers[100] ; et elles confèrent à ces séries les plus anciennes un caractère aléatoire, de l'avis même des historiens qui les ont élaborées.

---

98. Cf. les nombreux textes, flamands et français, groupés dans le recueil d'EASTON, 1928, p. 90-91.

99. Sur cette question, diagrammes XVI-5 et de XVI-1 à XVI-4.

100. Il n'est pas toujours possible en effet d'y opérer la distinction indispensable entre les froids de janvier-février et ceux de décembre, qui devraient normalement être mis au compte de l'année suivante.

Dans certains cas enfin (Russie, diagramme XI-5), on ne possède qu'une seule série événementielle. Les tests de concordance sont alors inapplicables et la série ainsi constituée n'a qu'une valeur d'attente. Elle invite à l'information neuve, et d'abord à la prudence critique.

Dernière difficulté : la notion quantitative de l'événementiel. Dans la mesure du possible, en effet, il faut tenter de dégager, même fruste, une certaine hiérarchie [101]. Quant aux hivers, par exemple, un simple épisode froid, pendant quelques jours, voire quelques semaines, ne peut être mis sur le même pied qu'une véritable saison glaciaire, qui pétrifie les fleuves et gèle à mort les oliviers. A titre d'exemple, voici pour l'une des séries (hivers, Midi français : XVI-4), le système de notation adopté, à propos des rigueurs hivernales. C'est un système à trois étages : petits rectangles blancs, les simples épisodes froids, qui peuvent être assez peu significatifs (chutes de neige, gelées brèves). Rectangles moyens : les fortes rigueurs qui tuent les oliviers, les ceps de vigne (par exemple : 1591, 1600). Rectangles longs enfin, les grands hivers, où le Rhône est pris par les glaces jusqu'en Arles ou Avignon, à porter patineurs, canons ou charrettes ; phénomène rarissime au XXe siècle entre 1900 et 1960 ; assez fréquent au contraire dans la deuxième moitié du XVIe siècle ; Hyacinthe Chobaut l'a constaté, d'après des livres de raison, établis au jour le jour par les notaires comtadins [102].

C. Easton, dans sa grande enquête sur les hivers d'Europe occidentale, a adopté, selon des critères assez analogues, un système un peu plus complexe [103]. Gordon Manley s'en est inspiré pour sa propre enquête sur les hivers anglais au XVIe siècle (XVI-3). De telles notations présentent une certaine base objective (le gel total d'un grand fleuve méditerranéen implique bien le franchissement d'un seuil thermique très bas, significatif d'un grand hiver) ; mais une part de subjectivité se glisse, inévitablement, dans des jugements de valeur de ce type.

Peut-on prolonger encore l'enquête, et donner aux séries événementielles une forme décennale, qui permette un coup d'œil sur la longue durée ? H. Lamb l'a tenté par une

---

101. Une telle hiérarchie n'a pas été retenue par nous pour le XIe siècle, mais seulement pour le XVIe siècle, quand les textes sont assez nets, circonstanciés, précis, et aussi assez nombreux pour autoriser, la même année, dans la même région, certains recoupements.

102. MSS. CHOBAUT, conservés au musée Calvet d'Avignon : dossiers concernant les épisodes météorologiques.

103. EASTON, 1928, p. 200, note 1.

méthode simple [104] : il a déterminé, pour chaque décennie, à partir des sources événementielles, l'excédent des hivers considérés comme doux, sur les hivers rudes; ou inversement, l'excédent des hivers rudes sur les hivers doux. Les graphiques en forme d'histogrammes décennaux qu'il a ainsi constitués s'étendent sur plusieurs siècles, et donnent un aperçu rapide sur la durée multiséculaire. On trouvera ici même des reproductions de ses travaux pour les XIe et XVIe siècles : graphiques de température hivernale; et, aussi, graphiques de précipitations, construits selon une méthode analogue (XI-6 et XI-15; XVI-8, XVI-24, XVI-33). Ses diagrammes intéressent, selon le cas, l'Europe occidentale, centrale ou orientale.

On a énuméré jusqu'ici, en allant du quantitatif au qualitatif, et du sériel à l'événementiel, les diverses sources possibles d'étude du climat. Toutes ces sources, de nature et de valeur variable, ont entre elles un point commun : elles renseignent directement sur tel ou tel aspect des phénomènes climatiques. A ces données, qu'on peut qualifier de primaires, s'opposent les séries secondaires ou dérivées. Celles-ci informent, non plus sur le climat lui-même, mais sur les effets qu'il exerce : effets agricoles, notamment, qui intéressent plus spécialement les historiens de l'économie. A ces séries secondaires appartiennent les appréciations sur les récoltes, les mentions de disettes; et, dans une certaine mesure, les pointes cycliques des mercuriales céréalières, abstraction faite, évidemment, du mouvement long des prix. Dans cet esprit, E. Helleiner présente des listes de famines, disettes, ou chertés de grains au XVIe siècle : listes élaborées à l'aide des textes, ou des publications statistiques sur les prix (XVI-32). David Herlihy et d'autres auteurs apportent des séries de famines au XIe siècle, à partir des textes (XI-20 à XI-22) : mais par la carence des documents, ils n'ont pu rapporter ces famines médiévales à l'année de récolte. Comme toujours, les chronologies sont bien moins rigoureuses pour le XIe siècle que pour le XVIe.

Emili Giralt utilise une autre méthode, qui semble à préférer, quand elle est possible. Il donne simplement «le phénomène se produisant», et il «visualise» dans le diagramme XVI-31, année-récolte par année-récolte, le prix du froment à Barcelone, de 1499-1500 à 1599-1600. Il montre à partir de séries quantitatives de moissons, exceptionnellement conservées entre 1532 et 1548, que les fluctuations cycliques de ces

104. H. LAMB, 1961, p. 152-156.

prix barcelonais sont fonction, entre autres variables, des fluctuations concomitantes des récoltes dans la région catalane [105].

Cependant, le prix du froment au XVIe siècle est emporté, dans le temps long, par la révolution des prix, qui n'a rien à voir avec le climat. Pour restituer à la source barcelonaise sa signification écologique et climatique, il faut donc la «purger» du mouvement séculaire, et n'en conserver que les fluctuations cycliques, directement influencées par la météorologie et les récoltes. On y est parvenu (diagramme XVI-31) par l'emploi d'une moyenne mobile de neuf ans. Le diagramme XVI-31 donne pour chaque année du XVIe siècle, et pour les prix du grain catalan, l'écart annuel à cette moyenne mobile, autrement dit les fluctuations courtes. Une série ainsi élaborée est d'autant plus intéressante qu'on peut la comparer, dans les mêmes terroirs, aux Rogations catalanes; celles-ci mettent en valeur, on l'a vu, un élément fondamental de l'écologie méditerranéenne du blé : la sécheresse.

*
* *

Les séries primaires et secondaires envisagées, nous voilà au terme de l'étude des sources. Comment classer maintenant l'important matériel — 50 à 60 courbes — qui s'offre aux historiens du climat? Nous avons adopté une classification par siècle, par saison, par pays.

Par siècle, deux grands tableaux : XIe et XVIe siècles.

Par saison : pour le XIe siècle, on n'a pu ventiler les informations qu'en trois groupes : hivers, étés, informations générales — ces dernières valant pour toute l'année, prise en bloc. Pour le XVIe siècle, mieux connu, la classification est plus fine, et cinq groupes de séries sont présentés : hivers, printemps, étés, automnes, informations générales. Dans chacun de ces groupes on s'efforce de distinguer les séries qui intéressent les températures, et celles qui concernent les précipitations; et sur les divers diagrammes, la couleur blanche indique, selon le cas, soit le froid, soit l'humidité, soit la mauvaise récolte. Les rectangles noirs, au contraire, sont réservés aux écarts graphiques vers le chaud, vers le sec, ou vers l'abondance frumentaire.

Une exception à cette règle a cependant été observée pour la Catalogne. Le blé y craint davantage la sécheresse que la pluviosité. En conséquence, les chertés et disettes catalanes

---

105. Annexe 15, diagramme XVI-31.

sont affectées de rectangles noirs : l'abondance frumentaire, à l'inverse, est symbolisée par le blanc. Pourquoi ces raffinements ? Parce que les comparaisons des chertés avec les Rogations (synonymes de sécheresses, et marquées de ce fait en noir) sont facilitées par cette similitude des couleurs (XVI-30 et XVI-31).

Réglons brièvement quelques problèmes d'attributions saisonnières qui pourraient paraître, de prime abord, arbitraires ou litigieuses. Dans les séries de *tree-rings* d'abord : les diagrammes «nordiques» (Laponie-Alaska), qui intéressent les températures de la belle saison, sont versés dans les groupes «été»; les diagrammes «méridionaux» (sud-ouest aride des U.S.A.), qui intègrent les conditions pluviométriques de toute une année, sont affectés, eux, au groupe des «informations générales».

Quant au Nil, les variations des crues sont significatives des pluies d'été, plus ou moins abondantes, en Abyssinie. Au contraire, les données d'étiage mettent en cause les précipitations annuelles d'Afrique équatoriale, régularisées par le «volant» des grands lacs africains du Centre [106]. Les diagrammes XI-16 et XI-17 vont donc, respectivement, au groupe «Étés», et au groupe «Informations générales» du XIᵉ siècle.

Enfin, dans des domaines différents, les séries glaciologiques (primaires) et les séquences de famines et de chertés (secondaires) ne sont pas non plus réductibles, les unes et les autres, à telle ou telle influence saisonnière. Elles sont influencées par des éléments — températures ou précipitations — qui intéressent tous les mois de l'année. Ces séries très diverses sont donc versées, en bloc, au groupe «Informations générales», qui forme la partie inférieure des deux grands ensembles.

A l'intérieur de chaque groupe saisonnier s'imposent les bases d'une classification régionale. En principe, pour une saison donnée, les diagrammes se suivent d'Ouest en Est : Amérique, puis Europe occidentale et centrale, puis Russie; ou encore, Europe occidentale, Riga, Japon.

Ainsi se présentent nos tableaux. Ils visent à rassembler, de façon rationnelle, le maximum d'informations disponibles, quand celles-ci peuvent former série.

106. C.E.P. BROOKS, 1949, p. 328-330.

2. Éléments d'interprétation

Après les méthodes, les résultats : l'interprétation des diagrammes. Commençons par la période la mieux connue, la plus défrichée : le XVIᵉ siècle.

C'est dans la série «glaciers alpins» (XVI-34) qu'on observe, dans cet intervalle de temps, les éléments les plus suggestifs : à savoir, le *trend* d'expansion glaciaire entre 1546 et 1590 ; et puis le maximum historique des glaciers autour de 1600. Maximum qui égale, et souvent dépasse, les maxima de l'époque suivante (en 1643, 1820, 1850).

De tels phénomènes dénoncent, dans le climat de la fin du XVIᵉ siècle, certains éléments, certaines nuances qui le différencient légèrement, malgré l'analogie d'ensemble, de celui du XXᵉ siècle. Températures moyennes plus basses, tout comme vers 1850 ? C'est possible. La différence, d'après les travaux récents, peut atteindre jusqu'à un degré centigrade dans les moyennes annuelles.

Dans les faits, comme l'a montré Hoinkes au colloque d'Obergürgler, ces différences thermiques agissent sur les glaciers par l'intermédiaire de divers facteurs : ainsi des étés frais, dépourvus d'ensoleillement — et neigeux en haute montagne — contribuent à paralyser la fusion, et de ce fait, à favoriser la croissance glaciaire. Le défaut d'ablation, au cours de tels étés pourris, se traduit, avec un décalage de quatre, cinq à dix ans, par une avance marquée des langues terminales, qui défoncent les fronts morainiques et, dans des cas extrêmes, submergent des forêts, ou même certains habitats.

Nos diagrammes, à la fin du XVIᵉ siècle, ne sont pas en contradiction avec ces vues de Hoinkes. La séquence d'étés pourris apparaît nettement sur la courbe des vendanges (dont la précocité est fonction de l'indice héliothermique) : c'est la série d'étés frais 1592-1601, la plus marquée du XVIᵉ siècle ; elle est bien signalée, pour la France entière, par le diagramme XVI-16 ; et elle paraît concerner toute l'Europe occidentale puisqu'on la retrouve avec une chronologie très semblable en Angleterre, et jusqu'en Laponie finnoise. Conformément au schéma de Hoinkes, cette décennie d'étés frais, à partir de 1592, induit avec un décalage de six années environ l'apogée glaciaire qui intervient en 1598-1602 (XVI-34).

Et d'une façon plus générale, c'est la toute seconde moitié du XVIᵉ siècle qui est marquée par la moindre fréquence de

printemps-étés chauds ou brûlants [107] : une telle rareté fait
diminuer l'ablation des glaces, et favorise fortement le *trend*
alpin d'expansion glaciaire.

Le facteur hivernal doit lui aussi être évoqué à nouveau.
Les hivers prolongés, très neigeux, qui nourrissent les glaciers plus abondamment, et qui favorisent l'accumulation,
sont, selon Hoinkes, des facteurs essentiels d'impérialisme
glaciaire. Qu'en est-il de nos hivers du XVIᵉ siècle ? Prenons
les diagrammes les uns après les autres. Easton compte dix-
sept hivers considérés comme doux par leurs contemporains,
entre 1500 et 1550, et seulement six entre 1550 et 1600
(diagramme XVI-1). Pourtant, nous l'avons vu, la documentation s'accroît dans la seconde moitié du XVIᵉ siècle.

De façon analogue, on note une diminution radicale du
nombre d'hivers doux, de la première à la deuxième moitié
du siècle, en Belgique, Angleterre, France du Sud (XVI-2 à
XVI-4). Et des exemples précis suggèrent, en même temps
qu'une moindre douceur, une rigueur hivernale marquée
dans la seconde moitié du XVIᵉ siècle. Prenons, cas typique et
déjà évoqué, le gel total du Rhône, dans le Midi méditerranéen de la France : un gel à porter canons et charrettes. Il
intervient en 1556, 1565, 1569, 1571, 1573, 1590, 1595. Or,
dans la première moitié du XVIᵉ siècle, où les séries d'informations sont déjà très fournies, un tel phénomène n'est relaté
qu'une seule fois (1506).

Autre fait significatif, le gel à mort des oliviers : il implique, lui aussi, le franchissement vers le bas d'un seuil thermique très déprimé. Ce gel, en France méditerranéenne, est
bien plus fréquent dans la seconde période du XVIᵉ siècle
(1565, 1569, 1571, 1573, 1587, 1595, 1600) que dans la
première (1506, 1523), ou qu'au XXᵉ siècle (1914, 1929,
1956).

De tels hivers froids sont-ils aussi des hivers neigeux ? Il le
semble bien. Prenons le cas de la décennie 1565-1574, l'une
des plus glaciales des temps modernes, puisqu'elle est marquée, en dix années, par quatre gels prolongés du Rhône, par
quatre mortalités d'oliviers (1565, 1569, 1571, 1573). Cette
décennie rude est en même temps une décennie neigeuse. Le
Journal de Haller est formel à ce sujet. Le pourcentage des
jours de neige — par rapport au nombre total [108] des jours
d'hiver qui sont marqués par des précipitations, pluvieuses
ou nivales — se tenait régulièrement, de 1551 à 1560, au-

107. *Supra*, p. 22-24.
108. Diagramme XVI-11.

dessous de 50 %. Au contraire, de 1564 à 1577, date à laquelle se termine le Journal de Haller, ce seuil de 50 % est très largement franchi chaque année. Les hivers suisses sont alors extrêmement neigeux, pendant près de quinze années; et les névés et glaciers alpins sont probablement suralimentés pendant cette période. On tient là une explication supplémentaire du *trend*, décidément surdéterminé [109], d'expansion glaciaire qui se fait jour dans les Alpes dès 1570-1580, et qui culmine à la fin du siècle. Ces neiges abondantes nourrissent les glaciers plantureux qui, vers 1600, déferleront sur certains hameaux de Chamonix ou de Grindelwald.

Quoi qu'il en soit, cet essaim d'hivers rudes ne semble pas représenter un fait isolé, ni géographiquement, ni chronologiquement.

Géographiquement : à Riga, de 1550 à 1600, l'hiver, symbolisé par l'embâcle du port, dure en moyenne neuf jours de plus qu'au XXe siècle (1880-1950). De même au Japon [110] : de 1560 à 1680, le lac Suwa est pris tous les ans par les glaces, ce qui est bien loin d'être le cas à l'époque contemporaine. En outre, ce gel japonais est plus précoce, vers 1560-1680, qu'il ne sera dans la période 1702-1950 (XVI-6 et XVI-7).

Chronologiquement : la séquence d'hivers rudes, qui se remarque après 1550, n'est pas sans équivalent, dans l'histoire météorologique plus récente; on sait en effet que la période de douceur hivernale — si fortement mise en valeur sur toutes les séries météorologiques de la zone tempérée, entre 1900 et 1950 [111] — a été précédée sur les anciennes courbes thermiques par une période hivernale plus rude (1840-1880) : celle-ci étant associée (comme au XVIe siècle), avec des glaciers plus gros que dans notre temps. Les plus vieilles séries météorologiques révèlent aussi, à la fin du XVIIIe siècle et au début du XIXe, une rigueur hivernale beaucoup plus marquée que dans la première moitié du XXe siècle [112]. Nos hivers rigoureux de 1550-1600 appartiennent très probablement à la même famille météorologique que ces

109. Cf. *supra*, p. 14-15, 22-24.
110. Cf., à ce propos, ARAKAWA, 1957, p. 48 (partie gauche du graphique) et 1954, p. 156-161.
111. J. Murray MITCHELL, 1961; voir notamment les graphiques des figures 1, 2 et 3 de cet article et *supra*, fig. 9.
112. L'écart est de 1 °C dans les moyennes hivernales, au bénéfice du XXe siècle.

Voir notamment, parmi ces séries, celles de Hollande (janvier). Lancashire (janvier), Edimbourg (hiver), Stockholm (janvier), Leningrad (janvier), Arkhangelsk (janvier), New Haven U.S.A. (hiver). On les trouvera, sous forme de diagrammes, dans H. W. AHLMANN, 1949; H. C. WILLETT, 1950.

hivers rudes de l'époque moderne ou contemporaine ; mais ces derniers sont plus exactement connus, grâce aux séries précises d'observations thermométriques.

Nous n'avons développé jusqu'ici que certains aspects de nos séries, ceux dont l'interprétation semblait la plus claire, et relativement la plus simple : c'était le cas pour les poussées glaciaires du XVIᵉ siècle, et pour leur cortège d'antécédents climatiques. Mais il est bien d'autres phénomènes que la lecture des diagrammes suggère et qui constituent autant de problèmes, posés à l'attention des chercheurs. Ainsi les printemps frais et humides, autour de 1570, en Belgique, France du Nord et du Sud, Catalogne (XVI-12 à XVI-14) ; l'aridité marquée en pays catalan, des années 1530-1550 (XVI-30) ; et vice versa (à l'époque même de la poussée glaciaire alpine), la décroissance des sécheresses (faut-il dire l'augmentation des pluies ?), dans les années 1590, à Barcelone toujours. De tels phénomènes correspondent à certaines données documentaires, déjà évoquées par Fernand Braudel et Jean Delumeau[113]. Ils constituent, venant de nos diagrammes, autant de suggestions, qu'il conviendrait éventuellement de vérifier sans esprit préconçu.

Pour le tableau qui concerne le « XIᵉ siècle », le bilan est plus critique que vraiment positif. La chronologie glaciaire au carbone 14, si suggestive qu'elle soit, est beaucoup trop lâche pour proposer par elle-même des indications de recherches sur telle ou telle série saisonnière. Ces séries elles-mêmes, quoique très soigneusement élaborées par leurs auteurs, suscitent, de par leur nature, la discussion ; les unes, qui sont les plus valables, sont élaborées directement à partir des sources (XI-1, XI-9 et XI-20). Les autres reprennent les toujours utiles recueils de textes, souvent édités au siècle dernier (XVI-2). Il s'ensuit que les concordances entre ces séries peuvent provenir de l'utilisation pure et simple d'un même texte, de première main ici, de seconde main là. Les tests de concordance, même quand ils sont positifs, ne sont donc pas nécessairement probants.

Quant aux séries quantitatives du XIᵉ siècle (hydrologie du Nil, dendrologie américaine), les zones climatiques qu'elles mettent en cause sont trop écartées les unes des autres, et trop éloignées de l'Europe occidentale pour que des recoupements soient légitimes et possibles, et pour que les éléments d'un tableau d'ensemble apparaissent.

En somme, le XIᵉ siècle, dans nos études, reste un chantier

113. F. BRAUDEL, 1966, p. 248-249 ; J. DELUMEAU, 1959.

ouvert : les séries qui le concernent appellent confirmation ou réfutation ; mais pas de conclusion bien solide et bien arrêtée. C'est seulement pour le deuxième tableau, le plus récent (XVIᵉ siècle), que certains éléments d'une vision d'ensemble ont pu être dégagés, de façon toute provisoire.

*
* *

Un dernier point reste à élucider. Nous n'avons fait jusqu'ici que de l'histoire climatique pure, visant à établir un minimum de faits ; il faut tenter de passer maintenant des séries primaires (faits climatiques bruts) aux séries secondaires (faits d'écologie, influence du climat sur l'activité humaine).

Dans quelques cas extrêmes (zones arides), ce passage à l'humain pourrait offrir une certaine simplicité. Soit l'exemple de la dure sécheresse qui sévit vingt années durant (1570-1590 en gros) dans le sud-ouest, déjà fort sec, des États-Unis (XVI-28). Elle aboutit, dans l'espace d'une génération, à une « désertification » momentanée, le volume des pluies tombant à 20 % de son niveau du XXᵉ siècle. Elle gêne la fruste agriculture à base de maïs, contribue peut-être à faire régresser certains habitats ou abandonner des *pueblos* [114].

Dans les sociétés européennes du XVIᵉ siècle, cependant, l'effet du climat n'a pas cette brutalité simple : et il intéresse principalement le temps court, le niveau des récoltes et la production agricole.

Comparons à ce propos, pour l'ancien monde, ce qui est le plus immédiatement comparable. Les séries d'Emili Giralt, à Barcelone, donnent, d'une part, un élément décisif du climat local du blé (la sécheresse, saison par saison, puis totalisée) ; d'autre part, le mouvement d'année-récolte des cours du froment : le prix de moisson. Deux courbes à confronter, l'une écologique, l'autre économique. Sur quelles bases opérer cette confrontation ?

En climat méditerranéen, la sécheresse est néfaste au blé. Automnale, elle paralyse les labours de semailles. Printanière, elle tue l'épi futur, prive les laboureurs de récolte, et parfois de semence, pour l'année suivante. En toute saison, elle gêne les labours de jachère. Ainsi, les sécheresses qui interviennent au cours d'une année-récolte, disons 1548-1549, agissent principalement sur la moisson de juin 1549 et, accessoirement, sur celle de juin 1550.

114. *Proceedings...*, 1962, p. 18-19 (rapport de la section d'anthropologie).

En ce qui concerne les prix, l'action des sécheresses est très souvent différée, décalée d'une année-récolte vers l'aval. En effet, soit à nouveau la sécheresse d'année-récolte 1548-1549 : elle détruit en partie la moisson de juin 1549 ; et elle réduit ainsi l'offre de grains pendant les douze mois suivants (où cette offre devrait normalement dominer le marché). La sé- cheresse de 1548-1549, si elle compromet la récolte de 1549, fera logiquement bondir le prix du grain dans l'année-récolte 1549-1550. En un calendrier fondé sur l'année-récolte, la sécheresse méditerranéenne peut donc agir, soit sur le prix de l'année, soit, et c'est le cas le plus probable, sur celui de l'année suivante.

C'est bien ce qui se produit à Barcelone au XVIe siècle. Les grandes pointes cycliques du blé catalan [115], après 1525, sui- vent d'un an les fortes sécheresses. Le graphique XVI-31, où l'échelle chronologique des prix est décalée d'un an vers l'amont par rapport à celle des «Rogations» (XVI-30), met ce phénomène en évidence : les chertés, en XVI-31, répondent aux sécheresses, en XVI-30.

Ces exemples intéressent uniquement l'écologie méditer- ranéenne ou aride. Si on a pu les présenter, c'est grâce aux beaux travaux d'Emili Giralt, qui permettent, dans le cadre de l'année-récolte, et pour les mêmes terroirs, des comparai- sons précises, rigoureuses, entre climat et moisson, séche- resse et variation des prix. Dans les zones plus septentriona- les, les facteurs qui limitent le rendement du blé sont bien différents. En climat parisien ou londonien, c'est l'excès d'humidité qui constitue pour les moissons le plus grand danger. En climat baltique, c'est le froid, l'insuffisance des facteurs héliothermiques lors des «années vertes» où le grain mûrit mal, faute de chaleur ou d'éclairement. Les séries d'Aspen donnent en ce sens quelques indications (comparai- son des diagrammes XVI-16 à XVI-18 et XVI-32) ; et la décennie 1590 semble bien marquée par quelques désastres agricoles, en Europe océanique et tempérée. Mais ces séries septentrionales n'ont ni la finesse des diagrammes catalans, ni leur précision chronologique et régionale. Dans l'état pré- sent des recherches, aucune conclusion systématique n'est possible pour l'écologie des récoltes au XVIe siècle, dans les terroirs de l'Europe nord-occidentale ; et en un tel cas, les effets sur l'homme, quoique aisément présumés, restent mal

---

115. Abstraction faite, comme toujours au XVIe siècle, du mouvement sé- culaire de hausse, qui dépend des facteurs économiques, démographiques ou monétaires mis en jeu dans la révolution des prix.

connus. Il n'est pas exclu, mais il n'est pas non plus absolument prouvé, que les années froides de la fin du XVI⁰ siècle aient induit, dans le nord de l'Europe, une série plus fortement marquée de mauvaises récoltes.

*
* *

Il resterait, en fin de compte, à donner l'interprétation proprement climatologique des données de fait les mieux établies. L'historien n'a pas vocation pour la mettre au point ; et c'est un pur météorologiste, R. Shapiro, qui présente à ce propos certaines hypothèses [116]. Elles sont fondées sur les théories actuelles de la circulation atmosphérique d'ensemble, sur la répartition changeante des masses d'air et du *jet-stream* [117] ; et elles tentent de déchiffrer, au moyen d'un certain nombre de cartes synoptiques, les situations les plus contrastées et les moins mal connues ; comme celle qui s'établit, par exemple, dans la seconde moitié du XVI⁰ siècle (hivers froids et glaciers en crue, dans l'Europe de l'Ouest et du Centre ; années très sèches et « désertification » dans le sud-ouest des États-Unis actuels). Nous renvoyons donc le lecteur [118] aux cartes et au texte de Shapiro, qui complètent logiquement ce bref commentaire des diagrammes d'Aspen.

*
* *

Au total, les moyens artisanaux — au sens le plus noble de ce terme — qui furent employés dans cette entreprise collective ont abouti à des résultats significatifs, mais limités. L'expérience devrait être reprise, élargie dans le temps, mécanisée ; il faudrait mettre en fiches perforées, grouper en séries, relier entre eux par de multiples corrélations les dizaines de milliers de renseignements climatiques épars que contiennent les textes, inédits et publiés. On pourrait alors y voir plus clair : l'emploi des ordinateurs n'est pas réservé à la météorologie du XX⁰ siècle.

116. R. SHAPIRO, « *Discussion of the circulation pattern, Winter, 1550-1600* », dans les *Proceedings*, 1962, p. 59-74 et cartes, p. 91-92.
117. PÉDELABORDE, 1957, p. 75-91 et 402-424.
118. Cf. aussi *infra*, p. 106-113.

CHAPITRE VII

CONSÉQUENCES HUMAINES
ET CAUSES CLIMATOLOGIQUES
DES FLUCTUATIONS DU CLIMAT

Deux points, pour être complet, seraient encore à traiter, avec quelques détails supplémentaires. Il est vrai que le premier sort un peu du cadre de ce livre. Et que le second échappe à la compétence d'un historien actuel.

Premier point : le rapport de l'histoire climatique à l'histoire humaine. Je n'ai «effleuré» cette question qu'en passant, dans les pages qui précèdent, et je voudrais m'y arrêter à nouveau, sans prétendre à l'exhaustivité (celle-ci exigerait un ouvrage entier...).

Du climat aux hommes, c'est-à-dire, prosaïquement, des intempéries aux subsistances : le problème est de météorologie agricole.

Je l'évoquerai, saison par saison, en me limitant au domaine des grains, qui est fondamental pour l'économie traditionnelle.

Quelle est d'abord l'incidence de l'hiver sur les rendements ? Pour la France, les études de météorologie agricole sont unanimes : l'hiver froid, sauf rigueur exceptionnelle, n'est pas dangereux mais, au contraire, favorable à un bon rendement des céréales ; en Seine-et-Oise, «la normale de l'hiver étant de 3,8°, les années où la température moyenne est inférieure à 3° ont des récoltes excédentaires, celles où la température hivernale est supérieure à 5° sont déficitaires». Ces résultats d'une étude statistique de J. Sanson [1], portant sur trente années (1901-1930) sont confirmés par l'observation expérimentale [2] et par la pratique agricole [3].

En réalité, l'hiver néfaste, pour la moitié nord de la

1. SANSON (O.N.M.), p. 3.
2. GESLIN, 1954, p. 30 ; RATINEAU, 1945, p. 53-57.
3. L'exposition des semences à des basses températures permet la «vernalisation» des blés d'hiver, désormais susceptibles d'être semés au printemps.

France, n'est pas l'hiver rude, mais l'hiver pluvieux : vrai de la Seine-et-Oise, ce l'est plus encore d'un département comme la Loire-Atlantique où les pluies d'hiver exercent une influence souvent despotique sur les récoltes, qui s'annoncent bonnes quand l'hiver est sec, médiocres dans le cas contraire.

Pour en revenir aux XVIIe et XVIIIe siècles, le caractère de leurs hivers, probablement plus rigoureux qu'aujourd'hui, n'a donc pas dû nuire aux récoltes, exception faite pour des froids extrêmes comme ceux de 1709 ou de 1789. La tendance aux hivers plus froids et aux glaciers plus volumineux que plusieurs auteurs ont décelée à partir de 1540, tendance persistante entre 1600 et 1850, n'a pas été catastrophique du point de vue économique. L'explication de la longue «crise», hypothétique ou réelle, du XVIIe siècle, ne paraît toujours pas, dans l'état actuel de nos connaissances, devoir être cherchée de ce côté.

Il semble pourtant que le cas des pays nordiques doive se poser à part : le froid hivernal trop vif y constitue véritablement une gêne pour la culture des céréales, et un *trend* d'hivers rigoureux a pu y comporter des conséquences graves, alors qu'il a été pratiquement inoffensif ou même favorable en France.

Quelle est, d'autre part, l'action du printemps et de l'été — autrement dit de la période végétale de croissance, succédant à la morte saison (hiver) — sur les rendements des céréales ? Dans les pays du Nord, cette action est simple et procède essentiellement des températures : une période végétative chaude, en particulier un été chaud, est la meilleure garantie pour une bonne récolte. Cela vaut pour la Suède [4], comme pour la Finlande [5]. Inversement, le déficit thermique de la période végétative entraîne dans ces pays le déficit des céréales : à la limite, ce sont les fameuses années «vertes» où le blé ne mûrit pas, reste vert et pourrit sur pied. Années de famines en Scandinavie : 1596-1602, 1740-1742 par exemple [6].

Plus au sud, en Grande-Bretagne, en France, l'influence du climat, de mars à août, est plus complexe. Au printemps,

---

4. Étude statistique sur les rendements de trois variétés de froment d'hiver pendant vingt-sept années en Suède (1890-1917), dans WALLEN, 1920, p. 332-357 et graphiques, p. 344.
5. I. HUSTICH, 1949, p. 90-105. Le tableau statistique (corrélation des récoltes finnoises de céréales 1886-1939 et des températures de juin-juillet-août) est à la page 92.
6. OYEN, 1906 ; UTTERSTRÖM, 1955.

certes, chaleur et lumière restent les facteurs essentiels. En Seine-et-Oise, si les conditions hivernales n'ont pas été défavorables au départ, il suffit d'une insolation printanière insuffisante et d'une température moyenne inférieure à 9° C pour compromettre sérieusement les chances de la récolte [7]. Un printemps chaud et ensoleillé est au contraire de bon augure pour les céréales d'hiver comme pour celles de printemps [8] : en effet, il favorise la maturation des unes, et les semailles des autres.

Dès l'été, en revanche, dans les bassins de Paris ou de Londres, les précipitations jouent un rôle décisif dans le rendement final des grains. Non qu'il faille tellement redouter la sécheresse ou la faiblesse des précipitations, comme pourrait le laisser croire certaine tradition littéraire d'origine méditerranéenne. Bien au contraire, à ces latitudes, c'est l'excès des pluies qu'on doit craindre : en Seine-et-Oise, en Loire-Atlantique, il suffit que les pluies dépassent simplement la moyenne estivale annuelle jusqu'à la récolte — rentrée des grains comprise — pour que celle-ci, même bien préparée par des conditions hivernales et printanières favorables, devienne déficitaire. Car la pluie d'été, c'est la *verse* et la pourriture du grain. Inversement, l'été sec, nuisible à l'élevage, s'avère favorable aux céréales d'hiver comme à celles de printemps. En Angleterre, où la récolte est plus tardive qu'en France et prend souvent place en septembre, la sécheresse estivale est un facteur important de haut rendement céréalier. Elle agit non seulement sur les moissons de l'année, mais encore sur celles de l'année suivante, en permettant aux semailles de s'effectuer dans de bonnes conditions [9].

Le froment britannique, et français de la moitié Nord, exige donc un été sec et non spécialement un été chaud.

*
* *

Mais de telles données sont encore trop vagues. Il faudrait raffiner, préciser davantage... Slicher van Bath, dans un excellent article, a donné, détail après détail, le «portrait-robot» du climat idéal du blé [10]. Sa monographie vaut surtout

7. J. SANSON (O.N.M.), p. 34.
8. M. GARNIER (1956) : cet auteur étudie l'influence des conditions météorologiques sur le rendement de l'orge de printemps, d'après les rendements annuels (1935-1954) des champs d'expériences (situés dans l'Ouest et dans le Bassin de Paris) de la Société d'encouragement des orges de brasserie.
9. HOOKER, 1922.
10. SLICHER VAN BATH, 1965.

pour la Hollande et pour l'Angleterre. Telle quelle, elle montrera la complexité des corrélations climat-récoltes.

CLIMAT IDÉAL DU BLÉ
EN HOLLANDE ET EN ANGLETERRE
(Tableau tiré de Slicher van Bath, 1965, p. 9.)

1. Fin septembre	Assez humide.
2. Octobre, novembre, jusqu'au 20 décembre .	Assez sec, temps pas trop doux.
3. 21 décembre à fin février	Assez sec, un peu de neige, pas de gelée au-dessous de − 10°, pas de vent violent.
4. Mars	La gelée est dangereuse, une fois la germination commencée.
5. Avril	Régulièrement un peu de pluie, surtout pour les semences de printemps ; ensoleillement.
6. Mai au 15 juin	Chaud, mais pas de vague de chaleur ; encore assez de pluie.
7. 16 juin au 10 juillet . .	Frais, couvert, pas trop de pluie.
8. Fin juillet, août, début septembre	Sec, chaud et ensoleillé, pas de vague de chaleur.

Cette description ultra-fine est suggestive ; elle souligne aussi, à sa manière, les effets souvent favorables que produisent la sécheresse et la température, quand celle-ci est suffisamment chaude entre le 21 décembre et la moisson. Sur un point pourtant, ce modèle appelle un complément possible. Car il intéresse essentiellement les céréales *contemporaines*, aux semences prodigieusement sélectionnées. Mais nous renseigne-t-il pleinement sur les céréales d'autrefois, qui affrontaient, désarmées, le climat, avec un équipement technique et génétique bien moins développé qu'aujourd'hui ? La question peut être posée.

John Titow, à propos du XIIIᵉ siècle, a fourni les éléments d'une bonne réponse à une telle question [11]. Il a tiré ses textes climatiques des comptes annuels de l'évêché de Winchester,

11. TITOW, 1960.

qui possédait des manoirs dans tout un diocèse : 800 textes environ renseignent sur le beau temps et sur la pluie, entre 1209 et 1350, pour chaque saison. Nous savons par exemple que, dans l'été 1263, «tel pré du manoir de Pillingebere n'a pas été fauché à cause de la grande sécheresse» (*in prato de... levando et falchando nihil hoc anno propter magnam siccitatem* [12]) ; au manoir de Weregrave, dans l'hiver de 1272, «onze acres d'un champ d'avoine n'ont pas été semés, à cause de l'inondation d'eau (*propter inundacionem aque* [13])».

Titow a classé, «tabulé» par an et par saison, toutes ces données. Et il les a confrontées au rendement annuel des céréales (qui sont indiqués eux aussi par les comptes manoriaux de Winchester). Que donne cette comparaison ?

Les bonnes récoltes d'abord (récoltes supérieures de 15 % à la moyenne séculaire) ; ces riches moissons, à Winchester, font suite à la séquence saisonnière que voici :

Été et automne de l'année précédente : très secs.
Hiver : rude, ou indéterminé (moyen ?).
Été : très sec.

Quant aux mauvaises récoltes, elles surviennent après deux types différents de succession saisonnière :

Type I (humide) :
Automne de l'année précédente : humide ou très humide, et détrempant les champs pour plusieurs semaines.
Hiver : humide.
Été : humide.

Type II (sec) :
Automne précédent : humide.
Hiver indéterminé (moyen ?).
Été : sec.

Dans l'ensemble, les précipitations jouent le rôle le plus important (Titow confirme bien Slicher van Bath) ; c'est quelquefois leur déficit, c'est le classique épisode d'aridité estivale, qui induit la mauvaise récolte, au XIIIᵉ siècle anglais ; mais généralement, c'est tout le contraire : c'est leur excédent qui est à craindre. Quand les terres sont gorgées de pluie aux saisons successives, les semences sont noyées, les nitrates naturels sont lessivés, les mauvaises herbes foison-

---

12. TITOW, 1969, p. 372.
13. *Ibid.*, p. 374.

nent, l'épi verse sur pied ; la gerbe noircit, pourrit. En fin de
compte, l'excès d'humidité, dans cette Angleterre déjà tellement « aqueuse », fait tomber le rendement des grains et peut
préparer la grosse famine de type médiéval.

Quant aux températures, elles ne présentent pas de corrélations marquées avec les récoltes. L'hiver froid lui-même est
plutôt favorable aux grains (sauf excès notoire de rigueur) :
on le voit par exemple à Winchester en 1236, en 1248,
en 1328. C'est une fois de plus la même idée qu'il faut
répéter : les grandes séries d'hivers froids, tels qu'on les
signale au cours du *Fernau*, n'ont pas été nécessairement
défavorables aux subsistances.

*
* *

Élargissons le débat : les facteurs limitants du rendement
du blé varient géographiquement selon les régions mises en
cause. Les conditions climatiques d'adversité ne sont pas les
mêmes au nord de la Baltique, aux bords de la Méditerranée,
ou dans la zone intermédiaire et tempérée qui s'intercale
entre ces deux mers.

Dans l'Europe méditerranéenne, c'est principalement la
sécheresse qui fait baisser le rendement du grain.

A l'autre extrémité du continent, dans l'Europe nordique,
c'est la température qui constitue en toutes saisons le facteur
critique : une longue séquence d'années froides a pu nuire,
dans cette zone très marginale, à l'économie agricole.

Enfin, entre les deux, dans l'Europe océanique et tempérée, c'est l'hiver pluvieux, le printemps froid et mouillé, l'été
trempé, autrement dit c'est la récurrence des années humides
qui représente le principal danger.

*
* *

On peut encore évoquer d'une autre façon les rapports du
climat physique et de l'histoire humaine. Laissons un instant
les fines analyses de météorologie agricole. Prenons l'histoire
à bras-le-corps, directement par grandes questions et par
grandes tranches de Temps. Y a-t-il un lien entre telle fluctuation séculaire du climat et tel épisode majeur de l'histoire
des hommes : migration, longue phase de dépression ou
d'expansion économique, etc. ? Les douceurs de l'an mil et
des siècles environnants ont-elles stimulé les grands défrichements occidentaux ? Les rigueurs du XVIIᵉ siècle ont-elles

contribué à la soi-disant «atonie économique» de cette époque ?

Questions fascinantes, mais difficiles à résoudre, car leurs présuppositions ne sont pas claires et leur problématique n'est pas au point. Un écart thermique de moyenne séculaire, inférieur ou tout au plus égal à 1 °C, peut-il avoir une influence quelconque sur les activités, sur l'agriculture des hommes vivant en société ? La question n'est même pas tranchée pour le XXᵉ siècle, si bien connu [14]. Elle est, *a fortiori*, insoluble quand il s'agit des périodes antérieures, où les marges d'ignorance sont beaucoup plus fortes. Insoluble, du moins pour le moment.

Quant aux migrations, leur ambiguïté climatique est totale. Les Germains du premier millénaire avant J.-C. auraient quitté leurs patries originelles, chassés par la rigueur du froid [15]. Les Scandinaves d'avant l'an mil en auraient fait autant, mais pour des raisons exactement inverses ! C'est la douceur du climat qui, stimulant leur agriculture et par là même leur démographie, les aurait finalement contraints à exporter leur excédent de guerriers mâles... Que penser de telles spéculations, contradictoires et indémontrables ?

De même l'oscillation de Fernau (phase multiséculaire de crue des glaciers et de relative fraîcheur : 1590-1850), coexiste avec des phases de dépression économique (certaines portions du XVIIᵉ siècle) et avec des phases d'essor (XVIIIᵉ siècle). Dans ces conditions, comment affirmer brutalement une causalité ?

En bref, la faible ampleur thermique des fluctuations séculaires, l'ambivalence et l'autonomie des phénomènes humains qui coexistent avec elles interdisent pour le moment de poser un lien causal quelconque entre les premières et les seconds. En attendant une étude exhaustive, dont on ne sait encore si elle est possible, la suspension de jugement, laquelle n'est pas synonyme de scepticisme, est l'attitude la plus indiquée. Il me suffit d'avoir établi en ce livre certains phénomènes primaires d'histoire climatique pure ; le phénomène secondaire, autrement dit l'incidence humaine, est du domaine d'une autre enquête, qui n'est pas encore entreprise.

*
* *

Ou plus exactement, cette enquête n'a été entreprise avec un relatif succès qu'en direction d'une région marginale : le

14. *Supra*, chap. III.
15. Cf. t. I, p. 152-153.

sud-ouest aride des États-Unis : pour ce secteur géographique, R. Woodbury a proposé en 1961 d'intéressantes suggestions. Celles-ci définissent les relations plausibles, qui se
sont établies, du XIIᵉ au XVIᵉ siècle, entre les fluctuations
locales du climat et les mouvements longs de la démographie
des Indiens.

En cette région, en effet, l'archéologie donne le *trend* humain, et la dendrologie indique les oscillations de l'humidité.
Entre ces deux séries, certains rapprochements sont conce-
vables.

Archéologie d'abord : les fouilles et le carbone 14 datent
l'agriculture indienne du Nouveau-Mexique et de l'Arizona
précolombien. Elle naît peu avant notre ère ; elle s'épanouit
entre 700 et 1200 ap. J.-C. quand s'agglomèrent, en gros
villages, les fermiers de la «culture du désert» qui se nourrissent de citrouilles, de maïs et de haricots ; elle décline enfin
après cet apogée médiéval ; et ce déclin, sur lequel il faut
insister, débute peu avant la fin du XIIIᵉ siècle.

A partir de cette date, en effet, les communautés rustiques
commencent à se rétrécir. L'abandon des terres s'instaure,
irréversible. Il continue aux XIVᵉ et XVᵉ siècles. D'immenses
régions retournent au désert, dans le bassin du petit Colorado, de la Gila et du Rio Grande, dans l'Arizona est-central,
dans le sud et dans l'ouest du Nouveau-Mexique. En moins
de trois siècles (XIIIᵉ-XVIᵉ siècles), près des deux tiers de la
surface cultivée sont laissés pour compte : la peau de chagrin
des terroirs n'occupe plus que 85 000 milles carrés vers 1500,
au lieu de 230 000 milles carrés vers 1250... Prodigieuse désertion sans équivalent dans notre Europe. Christophe Colomb, Cortès et ses conquistadors, leurs massacres et leurs
contagions, leurs varioles et leurs rougeoles dévastatrices ne
sont pour rien dans ces catastrophes qui sont antérieures à
leur irruption. Tout s'est passé avant l'arrivée des Espagnols.
Celle-ci ne fera que confirmer la décadence du Sud-Ouest,
laquelle restera sans remède jusqu'au XXᵉ siècle, malgré les
supplications des Indiens, tout entières tournées vers les
dieux magiques de la pluie [16].

A quoi imputer, dans de telles conditions, les facteurs
initiaux de cette retombée démographique indigène ? Il faut
mettre en cause, sans doute, toute une constellation de variables, humaines et physiques. Et parmi celles-ci se détache
un épisode de caractère climatique, qui serait, si l'on en
croit Woodbury, hautement explicatif en l'occurrence ;

16. SIMMONS, 1959.

cet épisode, c'est la grande sécheresse, si générale dans tout le sud-ouest des U.S.A. actuels, au cours de la seconde moitié du XIIIᵉ siècle. Les arbres sont des dénonciateurs irréfutables : entre 1246 et 1305, huit stations à sapin Douglas, pin Ponderosa et pin Bristlecone [17] sont mises en cause dans les tabulations d'Harold C. Fritts, qui s'étendent sur plus de quinze siècles. Or, les sécheresses du Sud-Ouest n'ont jamais été aussi générales, aussi continues que pendant ces soixante années (1246-1305) et notamment de 1276 à 1299.

Les Indiens de cette région avaient pourtant cherché à se prémunir contre le manque d'eau. Entre 900 et 1100 de notre ère, au temps de leur plus grande splendeur, ces fermiers ingénieux avaient inventé, puis généralisé l'irrigation et le découpage en terrasses des vallées abruptes, afin de régulariser l'écoulement d'eau. Mais l'épisode aride de 1250-1300, selon Woodbury, a déjoué ces maigres défenses. Il a séché les terroirs. Tombant comme la foudre, sur une population maximale en sursaturation latente, il a compromis les récoltes et décimé les peuplements. Il a renversé la tendance démographique.

On aurait tort, pourtant, d'aller aux extrêmes et de mettre en scène une causalité uniquement météorologique. Le monisme est toujours dangereux ; et dans cette affaire, le climat n'est pas seul à jouer un rôle, puisque le déracinement des peuples d'Arizona-Colorado se poursuit bien après 1305, bien après le retour des pluies, et tout au long du XIVᵉ siècle humide : le renversement de tendance démographique survit à l'épisode sec. Le climat, très tôt, a donc «perdu le contrôle» d'un événement qu'il avait simplement contribué à déclencher. Il a déchaîné une causalité purement humaine et qui s'est poursuivie en une disparition inexorable des paysanneries. Très vite, l'histoire non climatique a repris ses droits [18]...

* * *

Telle est, brièvement résumée, en sa subtilité, l'argumentation historico-climatique de Woodbury. Elle est loin pourtant de faire l'unanimité des érudits : récemment, en effet, un

---

17. L'archéologue J. Dean, dans sa discussion de ce problème, insiste surtout sur la phase la plue aiguë de la grande sécheresse, phase qui se situe entre 1276 et 1299 (DEAN, 1967).

18. Sur tout cet épisode, voir WOODBURY, 1961, p. 708 et *passim;* cf. aussi FRITTS, 1965 a, 875-877 et 1965 b, p. 429-431.

jeune archéologue de Tucson, Jeffry Dean [19], a tenté de
réévaluer, pour les XIII⁰ et XIV⁰ siècles, le problème des dé-
sertions des terres dans le sud-ouest des U.S.A. Si l'on se fie à
son analyse, la grande sécheresse de 1276-1299 [20], en dépit de
son intensité, ne fut pas le seul facteur responsable quant à la
décadence médiévale de la démographie arizonienne. Dean
analyse de façon précise le cas des Indiens Kayentas : au
XIII⁰ siècle, ceux-ci s'installèrent en gros villages, dans l'âpre
canyon de Betatakin et dans celui de Tsegi [21] ; puis, vers
1300, au moment même de la grande sécheresse, ils aban-
donnèrent ces habitats pour aller s'implanter beaucoup plus
au sud, dans la région montagneuse des Hopi.

Si l'on en croit Dean, cet abandon final ne s'explique que
partiellement par la forte sécheresse de 1276-1299 ; le grand
facteur, qui bon gré mal gré chassa les Indiens de leurs terres,
ce fut l'érosion consécutive aux défrichements inconsidérés,
au déboisement, à la simple implantation d'une agriculture !
Si primitive que fût celle-ci, en effet, elle vouait néanmoins à
la destruction, inéluctablement, les sols aux structures trop
fragiles. Génératrice de ravinement, l'érosion se caractérisa
de ce fait par la formation de chenaux à écoulement temporaire ou *arroyos*. Ceux-ci éventrèrent les sols ; et remontant
peu à peu vers les canyons les plus hauts perchés, ils rongè-
rent, puis détruisirent la terre arable et firent s'enfoncer la
nappe phréatique *(water table)*. Privés d'eau pour l'irrigation,
et de sol pour l'agriculture, les fermiers indiens de Betatakin
durent finalement s'incliner devant le fait accompli : vers
1300, ils quittèrent le terroir, désormais raviné à mort,
qu'avaient jadis défriché leurs ancêtres. La grande sécheresse
de 1276-1299 constitua simplement, du point de vue de ces
décisions déchirantes, un élément provocateur, un facteur
additionnel : elle acheva, en effet, de plonger dans le déses-
poir les cultivateurs des canyons ; elle incita finalement ces
pauvres gens à s'exiler plus au sud, dans les montagnes des
Hopis.

L'incidence humaine des fluctuations climatiques dont le
déchiffrement est aisé dans le cas du court terme et des
famines, est donc plus délicate à mesurer, dans le long
terme : l'exemple précipité, relatif aux Kayentas, montre
cependant qu'on peut, même dans ce domaine difficile, par-

---

19. DEAN, 1968. J'ai pris connaissance de ce travail inédit de Dean après la
première édition de ce livre (1967).
20. *Supra*, t. I, p. 37.
21. Régions situées dans le nord-est de l'Arizona.

venir à un jugement balancé. Au terme d'une recherche minutieuse, la fluctuation climatique se trouve alors intégrée parmi d'autres données causales qui sont, elles, d'origine spécifiquement humaines.

*
* *

Second point, autre question, actuellement plus féconde que la précédente : la causalité climatologique. Cette fois, il ne s'agit plus, à partir des fluctuations repérées du climat séculaire, d'aller vers l'aval, vers l'effet humain supposé, vers l'incidence historique hypothétique. Mais vers l'amont, vers les causes universelles de ces longs mouvements climatiques, vers la climatologie dynamique.

Dans un tel domaine, hélas, l'historien n'est plus chez lui. Du moins l'historien actuel, avec les limites que lui impose sa formation professionnelle.

Tant qu'il s'agit d'exhumer des textes, de constituer des séries longues, l'historien du climat fait œuvre de créateur. Mais vient un moment où il est nécessaire d'*expliquer* les phénomènes ainsi décrits, où il faut mettre en cause la circulation générale de l'atmosphère, responsable des oscillations climatiques. L'historien, alors, de créateur devient spectateur. Il peut seulement évoquer, pour ceux qui le lisent, les données les plus récentes, acquises, quant à ces problèmes, par les sciences traditionnelles de la nature.

Première donnée : les épisodes constatés dans les Alpes et en Occident ne peuvent être isolés d'un contexte mondial. Au XVIIe comme au XXe siècle, les glaciers d'Islande et d'Alaska avancent ou reculent, en longue durée, dans une certaine synchronie avec ceux des Alpes [22]. Et l'on note même, pour des phénomènes plus éloignés les uns des autres, certaines régularités remarquables : au XIIIe siècle, à la fin du XVIe siècle, les glaciers alpins progressent ; or, dans les deux cas, ces phénomènes européens s'accompagnent d'une vague de dessèchement long et très marqué dans le sud-ouest aride des États-Unis : de 1210 à 1310, et de 1565 à 1595, la croissance des arbres sensibles à la sécheresse est très ralentie en Arizona, Colorado, Californie [23]. Les travaux récents de Shapiro laissent pressentir pour ces deux périodes, et pour ces deux régions, la prédominance de configurations barométriques

22. Il s'agit seulement d'une «tendance générale», et non d'un synchronisme absolu (LLIBOUTRY, 1965, p. 731).
23. SCHULMAN, 1951 et 1956.

mondiales, analogues et récurrentes [24]. L'histoire sérielle des glaciers et des séquoias géants débouche ainsi, finalement, sur une histoire synoptique de l'atmosphère.

Ce synopsis a désormais ses théories, jeunes, séduisantes, parfois contradictoires. Deux mots seulement sur l'histoire de ces théories, sur leurs articulations et sur leurs approches. On voudrait surtout inciter le lecteur à se référer aux travaux des spécialistes les plus qualifiés.

*
* *

C'est H. H. Lamb [25] qui, dans le développement logique d'une évolution inaugurée par Rossby et Willett, et prolongée (hors des pays de langue anglaise) par Flohn et Pédelaborde [26], a donné de ce point de vue les tableaux les plus compréhensifs et les plus vastes, embrassant à la fois l'interprétation climatologique et les descriptions historiques, récentes ou anciennes.

Historien du climat, H. H. Lamb voit se dérouler devant lui la succession des phases d'optimum et de pessimum. Soit, d'une part, le grand optimum atlantique de la préhistoire, le bref optimum des environs de l'an mil, qui dure quelques siècles, et enfin, le réchauffement de notre époque. D'autre part, le pessimum «subatlantique» de l'âge du fer, vers 500 av. J.-C.; enfin, démarrant autour de 1200 après J.-C., et culminant lors de la pire période du *little ice age* (vers 1550-1700), le pessimum de l'époque moderne, dont les phases de froid ou de fraîcheur les plus intenses se situent lors des années 1590, 1640, 1690 — cette décennie 1690, dont ce livre a déjà dénoncé les rigueurs, connues par les températures britanniques, et par les dates de vendanges françaises; et à propos de laquelle Lamb cite ce passage significatif d'un historien anglais :

«La dernière demi-douzaine d'années du règne de Guillaume (c'est-à-dire les années 1690) avait correspondu aux «années chères» dans la mémoire écossaise, six années consécutives de temps désastreux, au cours desquelles la récolte ne voulait pas mûrir. Le pays n'avait pas les moyens d'acheter de la nourriture à l'extérieur de sorte que les gens éventuellement mouraient de faim... Des paroisses connu-

24. SHAPIRO, 1962, p. 59 *sq.*, et LAMB, 1962, p. 91-92.
25. LAMB, 1966.
26. PÉDELABORDE, 1957, p. 75 *sq.* et 403 *sq.*

rent ainsi une baisse de population. Heureusement un cycle de bonnes années prendra le relais [27]...»

Culmination d'un pessimum européen, ces années 1690, tissées d'étés pourris, d'hivers très rudes, de moissons détruites et de famines, s'intègrent à un contexte plus général : fondamentalement, en effet, si l'on suit l'analyse de Lamb, l'alternance des phases de pessimum et d'optimum, à toutes les époques, s'explique dans la mesure où l'on veut bien entreprendre une analyse dynamique, et par là même historique, de la circulation générale de l'atmosphère. Cette analyse s'attache, en particulier, à définir le «flux d'Ouest» de la zone tempérée : ce grand mouvement «zonal» et circulaire qui, entre le 40e et le 70e parallèle, charrie d'ouest en est, parallèlement aux latitudes, les particules d'air, encerclant le globe comme un anneau.

On sait, depuis les travaux décisifs de Rossby (1947) que ce flux d'Ouest est sujet à d'immenses variations, variations qui commandent l'évolution du temps sur l'Amérique du Nord, l'Océan atlantique, la Grande-Bretagne et l'Europe continentale. Ces modifications et déformations affectent toutes les composantes et caractéristiques du flux d'Ouest.

En effet :

1. Elles concernent d'abord les positions en latitude, plus ou moins déportées vers le sud ou vers le nord, qu'occupent en surface (au niveau de la mer) les trajectoires des dépressions. Ces trajectoires, orientées d'ouest en est, peuvent, en effet, selon les années, les siècles et le type de climat du moment, emprunter des chemins qui, s'agissant par exemple de l'été, sont susceptibles de passer sur le nord de la Scandinavie ; ou bien, au contraire, nettement plus au sud : sur l'Écosse, le Danemark et la mer Baltique.

2. Les déformations et variations précitées affectent, d'autre part, toute l'épaisseur du flux d'Ouest (en hauteur), et notamment ce qu'on appelle les «*upper westerlies*», dont l'action se fait sentir *à 4 ou 5 km d'altitude* [28]. Ces *upper westerlies*, dont les itinéraires ouest-est sont étroitement liés aux trajectoires des dépressions au niveau de la mer, peuvent elles aussi, et corrélativement avec celles-ci, emprunter des routes qui sont situées tantôt plus au nord et plus proches du pôle, et tantôt plus au sud. Mais cette dérive du flux d'Ouest

---

27. TREVELYAN, 1942, p. 432, cité par LAMB, 1966, p. 5.
28. Sur les relations entre circulation générale en altitude et fluctuation du *Jet-stream*, cf. REITER, 1963, p. 395 et *passim*. Le terme *Westerlies* peut se traduire en français par «flux d'Ouest» ou «courant d'Ouest».

vers le pôle ou vers l'équateur, s'accompagne au sein des *upper westerlies* de changements de structure et d'intensité. Quand les *upper westerlies* dérivent vers le nord, elles accroissent leur énergie, deviennent plus intenses et plus rapides, et charrient vers le continent davantage de chaleur, d'humidité, et d'influence océanique. Quand au contraire elles se laissent aller vers le sud, elles se ralentissent, leur énergie est plus faible ; et du coup, en Europe au moins, les influences continentales l'emportent sur celles de l'Océan.

Les changements de structure des *upper westerlies* concernent aussi la distribution géographique de leurs accidents caractéristiques. Les *upper westerlies* engendrent en effet, quant aux masses d'air qu'elles mettent en mouvement, un système de crêtes chaudes et de vallées froides [29] ; les unes et les autres déformant en altitude, vers le haut ou vers le bas respectivement, la topographie de la surface à 500 millibars (celle-ci sise à 4 ou 5 km de hauteur). Quand la circulation devient, comme il a été dit précédemment, plus septentrionale et plus rapide, la longueur d'onde qui sépare une vallée froide de la précédente se fait plus grande : les vallées froides deviennent donc moins nombreuses, et leur répartition se desserre et s'élargit vers l'est. La tendance est inverse dans le cas d'une circulation affaiblie, et qui dérive vers le sud : on obtient alors des vallées froides plus nombreuses, plus resserrées, et qui tendent (à partir de la perturbation quasi permanente des montagnes Rocheuses [30], prise comme point d'origine) à se situer plus à l'ouest. Pour fixer les idées, disons qu'on peut, dans ces conditions, et pour les latitudes tempérées de l'hémisphère Nord, passer (en été) d'un système à quatre vallées froides (une sur le détroit de Behring ; une sur la côte atlantique des U.S.A. ; une sur une ligne Finlande-Adriatique ; une sur le Baïkal), à un système à cinq vallées froides (deux sur l'Amérique du Nord ; une sur l'Angleterre ; une sur la mer d'Aral ; une sur la Mandchourie [31]). Notons incidemment que le système à quatre vallées froides est plutôt représentatif d'un climat d'optimum (tel que celui du XIᵉ ou du XXᵉ siècle) ; alors que le système à cinq vallées froides est typique d'un pessimum (comme est par exemple le *little ice age* à la fin du XVIᵉ ou du XVIIᵉ siècle).

Telles sont, schématiquement résumées d'après le livre de Lamb, quelques-unes des variations qui affectent les *wes-*

29. LAMB, 1966, p. 32 ; von RUDLOFF, 1967, p. 37.
30. LAMB, 1966, p. 207.
31. *Ibid.*, p. 184 (cartes).

terlies de la zone tempérée. Or, fait capital pour l'historien du climat (qui cherche légitimement à systématiser ses trouvailles empiriques, à découvrir des faits pour mieux fabriquer des modèles), ces variations peuvent se ramener notamment à deux types principaux : « La donnée essentielle dans ce domaine, écrivait fort bien Pierre Pédelaborde, c'est l'existence de deux types de circulation... ; leur alternance permet d'expliquer les variations du climat à toutes les échelles et à toutes les époques [32]. » Appelons ces deux types, pour simplifier, modèle I et modèle II.

« Modèle I », d'abord : le type de circulation épanoui vers l'équateur domine pendant les périodes de refroidissement et de « pessimum » ; il implique, du moins dans la zone américano-européenne [33], le rejet vers le sud des trajectoires de dépressions qui désormais se situent, durant l'été, vers 57-60° N. [34] : pendant les célèbres « décennies pourries » des années 1590 et 1690, huit sur dix des étés ont pu ainsi se caractériser par des trajectoires de dépressions passant relativement très au sud [35], sur l'Écosse et le Danemark, entre 56° et 60° N. ; dans une telle situation, des torrents de fraîcheur et d'humidité se déversent sur l'Europe occidentale, pendant la « belle » saison ; ils peuvent éventuellement, dans les conditions de l'agriculture ancienne, détruire les moissons et provoquer la famine. Corrélativement, et toujours dans cette conjoncture d'évolution vers le pessimum, où la circulation se fait plus méridionale, l'hiver tend à se refroidir : en effet, en même temps que les trajectoires de dépressions dérivent vers le sud, on note, en hiver, « une dérive vers le sud de la vaste zone où prédominent les vents du Nord et de l'Est, en secteur atlantique ; dérive que les auteurs ont associée à des chutes de neige plus fréquentes dans les îles Britanniques [36] ». Double phénomène donc, intimement lié au mouvement glaciaire : les étés, d'une part, se rafraîchissent et sont donc moins actifs quant à l'ablation des glaces. Les hivers, d'autre part, ont davantage de vents du Nord et de chutes de neige, ce qui accroît l'accumulation dans la partie amont des glaciers. Ces divers facteurs, qui agissent cumulativement, provoquent l'accroissement classique des glaciers alpins, et plus généralement des glaciers d'Europe et d'Amérique, en pé-

32. PÉDELABORDE, 1957, p. 81.
33. Von RUDLOFF, 1967, p. 88-89.
34. LAMB, 1966, p. 210.
35. *Ibid.*, p. 150 et 163-164.
36. *Ibid.*, p. 163, et surtout p. 205-206 et 211.

riode de circulation déportée vers le sud, et de *little ice age*.

Le «modèle I» est contraignant à plusieurs niveaux, y compris en ce qui concerne la mer elle-même! En un mouvement grossièrement parallèle à celui des trajectoires de dépressions, les courants marins, d'origine septentrionale et de tendance froide, tel que celui du Labrador, tendent eux aussi à «descendre» vers le sud; et avec eux, les isothermes océaniques. L'Atlantique Nord, aux latitudes du Canada et de la France en hiver, de l'Angleterre en été, se refroidit donc en période de *little ice age*, et par exemple pendant le premier tiers du XIXe siècle [37].

Dérivée vers le sud, la circulation atmosphérique du «modèle I» se caractérise d'autre part par son énergie moindre, par l'affaiblissement général de certains «gradients de pression». Dans la mesure où les *westerlies* font partie d'un système général de transfert de l'air chaud depuis les tropiques jusqu'aux zones polaires, cette déperdition d'énergie «devrait impliquer un affaiblissement du déplacement de l'air chaud et de l'humidité en direction des régions polaires [38]». On est donc là en présence d'un facteur capital de refroidissement, aux latitudes hautes et tempérées.

Tandis que, en période de modèle I, le système général de la circulation et des *westerlies* se déplace ainsi vers le sud et s'affaiblit, la structure même des *upper westerlies* (circulation en altitude, dessinée d'après la surface de 500 mb) se modifie : les vallées froides se resserrent vers l'ouest, les unes vers les autres. Et par exemple, la vallée froide du vieux continent se déplace de l'Europe de l'Est vers l'Europe centrale et occidentale. Voilà qui explique dans les siècles de *little ice age* la fréquence plus grande des incursions d'air froid, en provenance du nord et filant vers le sud, à partir de la mer de Norvège, et jusqu'en Méditerranée occidentale.

On a donc, en premier lieu, un modèle I : type de circulation épanoui vers le sud, affaibli quant à son énergie intrinsèque; avec un espacement moindre et un resserrement vers l'ouest de l'alternance crêtes chaudes/vallées froides des *upper westerlies*. Le tout étant en corrélation (par suite de nombreux facteurs interdépendants) avec les périodes de refroidissement et de pessimum nord-américain et européen (par exemple entre 1550 et 1850).

Le «modèle II», au contraire, est caractéristique des phases de réchauffement et d'optimum, anciennes ou récentes.

---

37. LAMB, 1966, p. 14-17, 146 (carte) et 151.
38. *Ibid.*, p. 28-30, 136, 151 et 154.

Lors des épisodes au cours desquels sévit ce second modèle, le tourbillon ou «vortex circumpolaire» des *westerlies,* au lieu de s'épanouir largement vers l'équateur, se contracte désormais autour du pôle. Les trajectoires de dépressions deviennent en majorité septentrionales; et pendant l'été, elles abandonnent désormais l'Écosse et le Danemark, pour passer beaucoup plus au nord, par la pointe du Groenland, l'Islande, la Laponie, et la presqu'île de Kola. D'où l'installation d'un climat plus chaud, notamment sur l'ouest du vieux continent; les étés, en effet, y deviennent plus brûlants et plus lumineux, dans la mesure où l'Europe occidentale, délivrée des cyclones qui passent désormais plus au nord, tombe de plus en plus sous l'influence réchauffante des anticyclones méridionaux. Quant à l'hiver, il s'adoucit lui aussi, du fait de la circulation intensifiée, dans les périodes où règne le modèle II : le flux désormais renforcé des vents d'Ouest apporte pendant la saison «froide» chaleur et humidité océanique sur l'Europe occidentale. Ces doubles caractéristiques, d'hiver et d'été, finalement convergent : elles permettent de définir les périodes d'optimum, longues ou brèves, passées ou présentes, comme étant celles d'un «régime océanique, et anticyclonique d'été[39]».

Remarquons que, sur ce point, les vues des glaciologues corroborent celles de H. H. Lamb : spécialiste des glaciers alpins, Hoinkes[40] utilise à ce propos une classification systématique des situations météorologiques (*Grosswetterlagen*) sur l'Europe centrale. Tout comme Lamb, il considère que la régression récente des glaciers des Alpes est le résultat d'un double phénomène affectant la saison d'été : d'une part, la fréquence des *Grosswetterlagen* anticycloniques, avec haute température et forte insolation, s'est beaucoup accrue pendant cette saison après 1930; d'autre part, en concordance logique, la fréquence estivale des *Grosswetterlagen* cycloniques, qui sont productrices de neiges fraîches, et donc *d'albedo* accrue, a beaucoup diminué au cours de la même période.

De ce point de vue, l'opposition du modèle I (pessimum, froid) et du modèle II (optimum, chaud) peut s'interpréter, selon les lignes de force d'un autre vocabulaire, en termes de circulation plus *méridienne,* ou plus *zonale.*

Le modèle II (réchauffement), où la circulation d'ouest en est est plus intense, est caractérisé par une influence crois-

39. LAMB, 1966, p. 192.
40. HOINKES, 1968.

sante des facteurs *zonaux* et océaniques, producteurs de réchauffement[41]. Le modèle I (refroidissement) se définit au contraire, du moins sur le vieux continent, par la prépondérance *méridienne* des facteurs d'action continentaux, des échanges nord-sud, et des coulées d'air froid en direction du Midi : celles-ci accompagnant logiquement l'affaiblissement et la fragmentation des *westerlies*[42], et la mise en place d'une vallée froide sur l'Europe de l'Ouest.

Pour en rester cependant au modèle II (réchauffement), il se caractérise, quant à l'océan, par une remontée vers le nord du courant chaud qu'est le Gulf Stream, ou dérive nord-atlantique[43]. Et d'autre part, en ce qui concerne les vallées froides et crêtes chaudes de la circulation atmosphérique haute, on note des changements qui sont inverses de ceux que j'ai mentionnés précédemment pour le modèle I (pessimum, froid). Dans les conditions d'optimum-réchauffement, en effet, en même temps qu'augmentent la force et la vitesse des *upper westerlies*, leur «longueur d'onde» s'accroît corrélativement[44]. Du coup, les vallées froides ont tendance à s'espacer vers l'est, à épargner l'Europe occidentale. Cet effacement de la vallée froide *en altitude* explique probablement *en surface*, et au niveau de la mer, la remarquable diminution du nombre des vagues d'air froid venues du nord dans le secteur européen, au cours des périodes de circulation zonale et de réchauffement : et par exemple entre 1890 et 1950, lors d'une culmination notoire de l'optimum récent. Rien d'étonnant à cela. Finalement, tous ces facteurs réunis — adoucissement *océanique* et «zonal» de l'hiver, échauffement *anticyclonique* de l'été, diminution de la fréquence des invasions d'air froid — se résument en une remontée générale des moyennes thermiques, génératrice d'intense fusion pour les glaciers.

L'ensemble de ces théories et l'opposition des deux modèles présentent un grand intérêt, dans la mesure où les climatologistes sont ainsi mieux à même de comprendre les traits principaux des situations synoptiques de la zone tempérée. L'historien, lui, retient surtout la validité universelle de la conception, et l'unité introduite par elle dans l'explication climatique et historique. Unité planétaire d'abord : on a désormais le droit de mettre en rapport les poussées glaciaires du XVIIIᵉ siècle dans les Alpes et en Norvège, puisque aussi

---

41. Von RUDLOFF, 1967, p. 37, 183 et 194.
42. Von RUDLOFF, 1967, p. 37 et 89.
43. LAMB, 1966, p. 201.
44. ROSSBY, cité par LAMB, 1966, p. 31-32. Cf. aussi LAMB, *ibid.*, p. 207-208.

bien ces phénomènes ont une commune origine : la persistance à cette époque d'un type de circulation épanoui, affaibli, fragmenté. Et de même les géologues sont fondés à confronter — comme ils l'ont fait depuis longtemps sur une base empirique — la glaciation de Würm en Europe et celle de Wisconsin en Amérique du Nord : ces deux épisodes sont approximativement contemporains ; mais ils sont aussi corrélatifs, et ils se produisent dans une ambiance climatologique analogue.

L'alternance des deux types de circulation introduit dans l'histoire elle-même une unité plus générale encore : en effet, dans cette perspective, «les variations d'une semaine à l'autre» ou «d'une année à l'autre» paraissent bien être de même nature que les oscillations géologiques, climatiques, séculaires [45]. Entre ces épisodes de durée diverse, il y a des différences d'échelle, d'amplitude, de fréquence, mais pas de différence de nature. C'est dire l'universalité, la fécondité de la nouvelle climatologie.

Elle rend compte en particulier des oscillations majeures de l'époque historique, que ce livre a évoquées : épisodes multiséculaires de fraîcheur et de crue glaciaire ; ceux-ci séparés les uns des autres par des phases, elles aussi interséculaires, que caractérisent la douceur du climat et le retrait des glaciers ; et par exemple : *little ice age*, autrement dit, crue glaciaire des Alpes (XIIIe-XIXe siècles) coincée entre les deux décrues des glaciers, celle du haut Moyen Age, et celle du XXe siècle.

* *
*

En même temps que la première vague des grandes synthèses (Rossby, Willett, Pédelaborde, Lamb), synthèses bâties principalement grâce aux procédés traditionnels du calcul, est venu, dans la dernière décennie, l'âge majeur des calculatrices électroniques. Grâce aux machines, on a pu faire un pas en avant, et intégrer à un niveau jamais égalé les données mondiales sur la circulation des masses d'air. B. L. Dzerdzeevskii, de l'Académie des sciences de Moscou, est l'un des maîtres de cette nouvelle climatologie, édifiée grâce aux ordinateurs. Il n'est pas mauvais d'évoquer rapidement ses théories. Non qu'elles soient, de l'avis même de leur auteur, définitives. Mais elles peuvent tenir lieu, provi-

45. PÉDELABORDE, 1957.

soirement, de point de repère. Elles éclaireront l'historien comme le lecteur cultivé.

Dzerdzeevskii [46] se donne pour tâche d'interpréter en termes de climatologie dynamique les fluctuations du climat, telles que nous les connaissons désormais, pour la première moitié du XXᵉ siècle. Selon l'auteur soviétique, tout est fluctuation. Et par conséquent, tout témoigne : les changements météorologiques de jour en jour forment fluctuation par rapport à la toile de fond des changements saisonniers et annuels. Ceux-ci à leur tour en font autant par rapport au mouvement de longue durée. Et celui-ci lui-même, par comparaison avec le très long terme... et ainsi de suite, jusqu'au niveau le plus élevé, qui concerne les époques glaciaires et interglaciaires [47].

Comment typer dans ces conditions les fluctuations atmosphériques mondiales, mères des fluctuations climatiques ? Deux types prédominants de circulation des masses d'air, à nos latitudes, sont à distinguer : circulation zonale, circulation méridienne.

Circulation zonale : les cyclones et anticyclones suivent des trajectoires ouest-est, en un mouvement de tendance annulaire autour du globe.

Circulation méridienne : les trajectoires anticycloniques et cycloniques s'orientent dans des directions perpendiculaires aux précédentes : les axes nord-sud sont prédominants.

Ce schéma simplificateur ne vaut, bien sûr, que pour les seules régions du globe où les informations sont anciennes et continues ; ce sont les zones «extratropicales» (arctiques, et tempérées) de l'hémisphère Nord : nos régions.

Les cartes synoptiques de l'atmosphère, constamment élaborées depuis soixantes années par les services météorologiques, fournissent le matériau de base quant à ces recherches. Pour les cinquante-six premières années du XXᵉ siècle, Dzerdzeevskii et ses collaborateurs ont confronté et traité plus de vingt mille cartes de ce type.

Les machines ayant digéré ces données immenses, nos auteurs ont pu proposer une problématique extrêmement fine. Ils ont défini, à partir des fréquences statistiques, six catégories de circulations prédominantes [48] :

46. 1961, p. 189.

47. Voir aussi, dans le même sens, les études sur la climatologie et les fluctuations climatiques de KUSHINOVA, 1968, et de POTAPOVA, 1968.

48. DZERDZEEVSKII, 1963, p. 291. Cf. aussi LLIBOUTRY, 1965, II, p. 841.

1. Circulation méridienne du nord.
2. Violation de zonalité.
3. Circulation zonale d'ouest.
4. Zonale d'est.
5. Méridienne du sud.
6. Pas de circulation (type «stationnaire»).

La durée respective et la vie moyenne de ces six types alternant les uns avec les autres ont été déterminées dans chaun des grands secteurs qui se partagent l'hémisphère Nord (secteurs atlantique, européen, sibérien, extrême-oriental, pacifique, américain).

Conclusion principale de ces recherches, formulée en 1961 : de 1899 à 1948, la circulation méridienne a notablement diminué [49]. La circulation zonale, en revanche, se serait fortement intensifiée.

Cette intensification coïnciderait avec l'accroissement de l'activité solaire, telle qu'elle est mesurée par la surface totale des taches à la superficie de notre étoile. De 1900 à 1954, les deux courbes — taches solaires et circulation d'ouest en est — montent lentement et simultanément, quand on les adoucit pour en dégager le *trend* séculaire. Y a-t-il vraiment corrélation ? ou pure et simple coïncidence ? Le bon vieux problème des taches solaires et de leur influence sur notre planète recevrait en tout cas une solution neuve, si ces concordances étaient confirmées.

Mais passons. Et venons-en à l'essentiel. On tenait déjà un *trend climatique* récent : le réchauffement. On a désormais, parallèle, un *trend climatologique* du dernier demi-siècle : l'intensification de la zonalité. Il est tentant de rapprocher les deux phénomènes ; et d'expliquer le premier par le second.

On voit l'intérêt des études de climatologie dynamique : elles permettent de dépasser les notions trop générales et vagues : «réchauffement», «refroidissement». Elles ouvrent l'accès à des conceptions fines, complexes, et néanmoins intégrées : celles qui mettent en cause le champ unitaire de la circulation générale. Elles posent enfin, sur une base un peu moins hypothétique qu'autrefois, le problème des relations soleil-circulation-climat-intempéries. Et en ce domaine, le postulat d'uniformité doit jouer pleinement : ce qui vaut pour le XXᵉ siècle, en matière de soleil, de circulation et de climat, vaut aussi, *mutatis mutandis*, pour le XIIᵉ ou le XVIIᵉ siècle.

---

49. Cf. dans DZERDZEEVSKII, 1961, p. 191, la figure 1.

* *
*

La prévalence à telle ou telle époque de tel ou tel style de circulation générale dans l'atmosphère contribue ainsi à expliquer les variations du climat. Cette explication, cependant, en appelle automatiquement une autre. Les changements de la circulation font varier le climat... Soit. Mais pourquoi la circulation elle-même est-elle amenée à changer ? Ce problème difficile, qui concerne les causes profondes ou les facteurs ultimes des fluctuations météorologiques, a été posé par plusieurs chercheurs qui déjà ont apporté, à ce propos, divers résultats et propositions.

Parmi les travaux les plus typiques, en ce domaine, figurent ceux de J. M. Mitchell. Cet auteur est bien placé pour une telle étude : c'est lui, en effet, qui de décennie en décennie, d'après les résultats issus de centaines de stations, scrute les progrès ou les reculs du réchauffement planétaire au XXe siècle [50].

Mitchell considère que, au stade actuel de nos connaissances, les causes profondes des variations récentes sont, notamment :

1. L'accumulation du CO_2 d'origine industrielle, dans l'atmosphère terrestre (effet de serre : *pollution industrielle*, comme facteur de réchauffement général [51]).

2. La fréquence, plus ou moins grande selon les époques, des éruptions volcaniques, qui injectent de grandes quantités de poussière dans les couches moyennes de la stratosphère et qui diminuent ainsi, par une interposition d'«écran» momentanée, la quantité de radiations solaires reçue par notre planète (*pollution volcanique*, comme facteur de rafraîchissement du climat).

3. La «microvariabilité» plausible de la radiation solaire elle-même ; cette microvariabilité hypothétique, étant supposée suffisante, selon le caractère positif ou négatif qu'elle assume, pour réchauffer ou pour rafraîchir légèrement l'atmosphère de la Terre (facteur «extra-terrestre», déterminé par le comportement du soleil lui-même).

---

50. *Supra*, t. I, p. 105-107 et figure 9.
51. La théorie de l'effet de serre est fort bien résumé par CALLENDAR (1949, p. 310) : «Le CO_2 est presque complètement transparent à la radiation solaire ; par contre, il est partiellement opaque à la chaleur que la Terre rayonne ou répercute vers l'espace. Le CO_2 agit donc comme un «piège à chaleur» et permet à la température qui règne à la surface du globe de s'élever au-dessus du niveau qu'elle atteindrait s'il n'y avait pas de CO_2.» Cf. aussi PLASS, 1956, p. 140-154, et BECKINSALE, 1965, p. 11 (bonne discussion, et bibliographie du problème).

4. L'autovariation du système océan/atmosphère : «Les instabilités de la circulation générale et du climat, écrit Mitchell à ce propos, peuvent dériver d'un *feedback* dynamique ou thermodynamique qui provient des océans [52], ou de certains aspects de la surface terrestre à un moment donné (tels que humidité du sol, couverture neigeuse, masses glaciaires sur les continents ou les océans [53], les unes et les autres étant à leur tour conditionnées par l'état *antérieur* de la circulation atmosphérique). Les océans possèdent une vaste capacité pour le stockage de la chaleur, et, si l'on peut dire, une longue mémoire : on peut donc supposer, raisonnablement, que les interactions entre l'air et la mer (entre autres) figurent parmi les mécanismes de *feedback* les plus importants, susceptibles de produire des fluctuations climatiques d'une certaine durée, lesquelles pourront s'étaler sur des années, des décennies, et peut-être même sur des périodes plus considérables encore [54].»

En ce qui concerne par exemple le réchauffement récent, Mitchell estime que celui-ci pourrait s'expliquer, *en dernière analyse*, par la combinaison de ces divers facteurs, indépendants les uns des autres :

a) en premier lieu, l'effet de serre pourrait bien avoir joué un rôle important. Depuis le début de ce siècle, la combustion du charbon a dissipé d'énormes quantités de CO_2 dans l'atmosphère [55], contribuant ainsi à réchauffer celle-ci (mais dans ce cas, comment expliquer, se demande incidemment Mitchell, le rafraîchissement récent, alors que, depuis 1950, industrialisation et pollution massive de la planète, par le CO_2 en provenance des combustions fossiles tels que charbon et pétrole, ont continué de plus belle [56]?).

b) la relative inactivité des volcans, entre 1890 et 1950, a constitué un facteur supplémentaire d'échauffement (ou plus exactement de «non-rafraîchissement») du climat mondial. Il ne s'agit pas de prétendre, bien entendu, que les volcans du

52. Voir à ce propos WEYL, 1968.
53. Sur l'étendue plus ou moins grande des calottes glaciaires des pôles en tant que «levier *(sic)* climatique extrêmement sensible qui parvient à amplifier les effets d'un petit changement dans la situation thermique générale», voir FLETCHER, 1968.
54. MITCHELL, 1966.
55. PLASS, 1956.
56. BRYSON (1968) apporte une réponse plausible à cette question : il suggère en effet qu'aux divers facteurs précités, il conviendrait d'ajouter la pollution croissante de l'atmosphère par les poussières d'origine industrielle : ce phénomène diminuant la transparence de l'atmosphère, et faisant écran aux radiations solaires, serait l'une des causes du rafraîchissement *(cooling)* récent, tel qu'il intervient depuis une vingtaine d'années.

monde entier ont été totalement inactifs pendant ces soixante années! Une telle proposition serait absurde. Mais un fait paraît certain : statistiquement mesurées, les éruptions volcaniques connues, sur l'ensemble de la planète, ont été moins fréquentes et moins intenses; et la pollution de la haute atmosphère par les poussières volcaniques a donc été moins marquée entre 1890 et 1950, que avant ou après cet intervalle chronologique.

c) l'activité superficielle du soleil, telle qu'elle est mesurée par les «Zurich numbers» relatifs aux taches solaires, s'est très légèrement accrue depuis 1925, et jusqu'en 1960. Il n'est pas absurde de penser qu'il y a eu aussi augmentation minime de la «constante solaire» pendant le même temps. Notre planète recevant de ce fait une quantité très légèrement accrue de chaleur solaire, il serait normal que le climat terrestre s'en trouvât réchauffé (telle était du moins l'opinion, raisonnablement motivée par diverses références, que professait J. M. Mitchell dans ses écrits de 1961 et 1965).

Quoi qu'il en soit, l'ensemble de ces causes plausibles [57], auxquelles d'autres facteurs plus difficiles encore à déceler ont pu éventuellement se joindre, expliquerait, si l'on en croit J. M. Mitchell, le réchauffement d'ensemble de l'atmosphère terrestre au cours de la première moitiè du XXe siècle. C'est à ce point précis du raisonnement et de la description qu'entrent en jeu les schémas proposés par Lamb [58] que Mitchell reprend à son compte : ce réchauffement d'ensemble, en effet, tend à accroître la vigueur de la circulation, et à resserrer vers le pôle l'anneau de plus en plus contracté des *westerlies*. Ces modifications dynamiques à leur tour conduisent à une redistribution septentrionale de l'excès de chaleur reçue ou retenue par la terre. On s'explique ainsi le réchauffement privilégié des régions tempérées de l'hémisphère Nord, notamment pendant l'hiver : ce réchauffement se manifeste notamment par les phénomènes régionaux, relatifs à l'Europe, qui furent longuement présentés dans ce livre.

Le petit optimum du Moyen Age, si comparable, en plus long et en plus marqué, à celui du XXe siècle, s'expliquerait par des facteurs analogues [59] (exception faite, bien entendu,

---

57. Cette taxonomie des causalités, proposée par MITCHELL, n'est pas la seule existante : de la même façon, BECKINSALE, 1965, classe en plusieurs groupes les théories des causes des variations climatiques : selon que ces théories mettent en relief les variations dans la radiation solaire, ou dans la transparence atmosphérique.

58. *Supra*, p. 106-113.

59. Cf. SUESS, 1968 et DAMON, 1968 (courbe de production mondiale du carbone 14 aux XIIe et XIIIe siècles; cf. aussi, *supra*, p. 40-49.

pour la pollution par le CO_2 qui, par définition, était inexistante : les hommes du XIe siècle brûlaient fort peu de houille et encore moins de pétrole !).

Inversement, il est raisonnable de penser que le *little ice age* a été provoqué par un ensemble de causes profondes, qui sont à l'opposé de celles qu'on vient d'évoquer pour les périodes de réchauffement.

*
* *

La contribution particulière de l'historien des climats se relie ainsi, sans difficultés majeures, à celles des autres spécialistes : car ceux-ci sont avec lui dans un rapport fécond d'échange mutuel. L'historiographie météorologique projette vers le passé, à titre d'hypothèses de travail, les découvertes contemporaines de la climatologie dynamique. Inversement, cette dernière peut intégrer, valider dans un donné rationnel les séries empiriques mises à jour par les historiens. Sa vraisemblance de droit s'ajoute à la vérité de fait des chroniques sérielles. Les deux recherches se complètent et se renforcent. Elles tendent vers le but commun de toute science : elles témoignent pour l'universalité du savoir.

*
* *

Considérée dans son ensemble, l'histoire du climat récent, celle du dernier millénaire, a donc désormais ses *méthodes*, dont certaines ont été présentées avec quelques détails au début de ce livre (chap. I et II). Elle a ses *modèles*, dont le réchauffement récent fournit l'illustration la plus remarquable (chap. III). Elle dispose aussi d'une *chronologie* qu'à l'inverse des habitudes enracinées, il convient de lire à rebours, en allant du plus connu au moins défriché : du XXe siècle doux au XVIIe siècle frais, et du *little ice age* au petit optimum et au Moyen Age, j'ai tenté de dérouler à l'envers le film de l'écoulement temporel ; j'ai voulu remonter, régressivement, vers des époques plus lointaines et plus reculées (chap. IV, V et VI). Cette histoire a aussi ses implications, humaines et climatologiques (chap. VII). En fin de compte, elle est tout entière construite autour d'une double exigence : qu'il s'agisse du Moyen Age ou du XVIIe siècle, en effet, il n'est de bonne histoire du climat qu'interdisciplinaire et comparative.

POSTFACE

Cette *Histoire du climat depuis l'an mil*, qui fut publiée d'abord à Paris en 1967, est bibliographiquement mise à jour et complétée dans les présents volumes d'après l'édition en langue anglaise, parue en 1971. Depuis cette date, je me suis écarté quelque peu de ce terrain de recherches et n'ai pu procéder à une nouvelle refonte de l'ouvrage. A défaut de celle-ci je donne ci-après un compte rendu de l'œuvre toute récente de H. H. Lamb (1982). Elle offre pour un état des questions historico-météorologiques le point de vue qualifié du climatologiste professionnel qu'est H. H. Lamb (*Climate History and the Modern World* [1]).

Historien du climat, mais météorologiste de formation et de profession, H. H. Lamb revendique d'entrée de jeu un objet dont l'être même fut longtemps contesté : une *Histoire générale* (de l'Unesco) publiée voici vingt ans n'affirmait-elle pas que le «climat» en général était stable ou stabilisé depuis le sixième millénaire avant le Christ? Lamb pourfend bien sûr ce «fixisme». Il récuse aussi la notion de «période normale», soi-disant représentative *ad aeternum* de la météorologie moyenne d'une région donnée : pendant longtemps, les spécialistes ont choisi comme «normales» les époques trentenaires qui courent de 1901 à 1930, puis de 1931 à 1960. Or ces groupes de trois décennies étaient les plus chauds qu'on ait connus depuis longtemps. Ils ne se situaient donc pas dans la «norme».

Au passage, Lamb nuance en toute gentillesse quelques grandes théories : le marxisme par exemple croit au déterminisme économique et matériel; il n'est pas contraire en principe à l'exploration des fluctuations du climat, qui

1. Methuen, Londres et New York, 1982, 386 pages.

concernent, «sous» l'économie, la base «écologique» de la société.

Quant aux cogitations d'Aristote et de Montesquieu, elles expliquent (partiellement) la civilisation ou l'absence d'icelle par la météorologie du continent mis en cause ; elles doivent être pour le moins relativisées ; le capitalisme «civilisé» fleurit certes dans les pays tempérés, mais aussi dans la ville équatoriale de Singapour (rafraîchie, c'est vrai, par l'air conditionné pour les bureaux).

Tout historien doit d'abord affronter le problème des sources : Lamb se soumet de bonne grâce à cette règle d'or. Les **glaciers,** d'abord, sont bien documentés grâce à l'iconographie, aux archives et au carbone 14 (celui-ci s'appliquant aux troncs d'arbres fossiles qui témoignent d'avances glaciaires autrefois) ; ces glaciers sont donc des indicateurs de premier ordre, pour les derniers 100 000 ans, et jusqu'aux XVIIe et XIXe siècles inclusivement. Les **dates de vendanges** tardives indiquent une saison froide, et vice versa, quand elles sont précoces ; elles sont bien connues, année par année, depuis le début du XVIe siècle. Elles fournissent des renseignements considérables. Même remarque pour les *tree-rings* (anneaux des arbres) ; leur croissance annuelle est proportionnelle en pays sec ou quasi désertiques à l'humidité reçue cette année-là. Les **compilations d'événements** (séries d'hivers froids, ou doux, par exemple) sont fort éclairantes, quand les réalisent des chercheurs sérieux, mais c'est loin d'être toujours le cas. Grâce à elles, Easton et ses épigones démontrent les refroidissements de la seconde moitié du XVIe siècle qui préludent à la grande poussée des glaciers alpins, vers 1595-1600 ; grâce à elles aussi, Christian Pfister peut étudier comme il se doit le climat suisse au XVIIe siècle. Les **séries de pollens** dans les tourbières sont climatiquement significatives pour la préhistoire. Par contre, dès le néolithique, elles sont perturbées par les défrichements ; ils anéantissent les arbres, et remplacent les pollens forestiers par ceux des graminées, à partir de «l'invention» de l'agriculture. Quant aux **courbes des prix du blé,** elles intègrent d'innombrables causalités, bien différentes les unes des autres ; on ne doit donc pas trop exiger de ces graphiques des cours céréaliers, quand on veut déchiffrer les perturbations du climat. Sauf cas évident, bien sûr : la famine de 1709 par exemple est due *ipso facto* au fameux hiver froid de cette année-là.

Bravement, Lamb commence sa chronique aux grands âges glaciaires. Les derniers connus parmi ceux-ci démarrent en douceur il y a 115 000 et 90 000 ans, puis après quelques hésitations dont chacune dure de 2000 à 5000 années, ils s'établissent de façon définitive voici 70 000 ans, pour durer 50 000 ans. Une petite récurrence froide, il y a 10 800 ans persiste pendant six siècles, et va jusqu'à parsemer quelques minimes glaciers dans le district des Lacs en Angleterre. La fusion des glaces au cours des derniers dix mille ans n'a pu que favoriser le démarrage de l'agriculture et de l'élevage ; il ne faut pas chercher pourtant de véritable cause climatique à cet égard ; en Mésopotamie et en Palestine, mères du blé cultivé, les glaciers, comme on sait, n'eurent jamais la moindre importance.

Au cours de ces dix millénaires d'autre part, la fusion des glaciers, par un processus facilement compréhensible, participe à l'élévation du niveau de la mer : le Pas-de-Calais peut donc s'ouvrir vers 7600 avant J.-C. La carte actuelle des littoraux français, allemands et anglais est à peu près établie dans ses contours actuels, vers 5000 avant J.-C. Adieu, rennes de Hambourg et toundra de Copenhague ! La chaleur post-glaciaire culmine à 2 ºC au-dessus du XIXe siècle pendant la phase dite *atlantique* ou *optimale* entre 5000 et 3000 avant J.-C. Puis vers 3000 avant J.-C., un nouveau rafraîchissement s'instaure ; il introduit nos climats actuels. Toutes les zones climatiques (arctiques, tempérées, etc.) se décalent derechef vers le Sud. Le Sahara jusque vers 3500 avant J.-C. recevait encore quelques cyclones méridionaux porteurs d'humidité. Il se dessèche de nouveau après cette date, en vertu d'un paradoxe qui n'est qu'apparent. Ainsi prennent fin les végétations extraordinaires que dépeignaient les peintures rupestres du Tassili. Simultanément, les glaciers ré-avancent un peu dans les Alpes.

L'agriculture naissante a certainement profité des jolies chaleurs de cette phase *atlantique* en Europe. Pour le reste, les autres spéculations d'ordre historique que propose Lamb à propos de ces millénaires sont souvent hypothétiques. L'auteur du reste n'en est pas dupe, et il les introduit judicieusement par des formules du genre : Il se peut que... *(It may well be...)* ou encore : Il est tentant de penser que... Au nombre de ces spéculations, mentionnons avec notre auteur qui, bien sûr, ne les prend guère au sérieux, le fait que les cercles des mégalithes en Angleterre supposeraient un ciel plus clair qu'aujourd'hui ; le développement des grandes religions au premier millénaire avant le Christ ; l'émersion de Jésus lui-même en période de météorologie « bénigne » ; l'émigration des vignes italiennes sous l'Empire romain vers la Gaule du Sud (de toute manière cette région leur était

réceptive a priori, puisque toujours ensoleillée, quelles que
soient les fluctuations mineures du climat).

Pour le Moyen Age, nous possédons maintenant (grâce aux
nombreux travaux que Lamb a commodément regroupés)
des quasi-certitudes : oui, il y a bien eu un «petit optimum»
médiéval (chaleurs comparables à celles des «bonnes» années
1900-1950, voire un peu plus tièdes encore). Ce «petit optimum» est parfaitement signalé par les textes, comme par les
glaciers du Groenland et des Alpes. Il s'étend de 800 à 1200
de notre ère environ. Il favorise à coup sûr la colonisation du
Groenland par les Vikings au Xe siècle ; il ne gêne pas, bien
au contraire (c'est tout ce qu'on peut dire avec certitude), les
grands défrichements du XIe siècle en Europe de l'Ouest. Il
paraît s'être terminé au cours du XIIIe siècle. Lamb tend à
expliquer les grandes crises des XIVe et XVe siècles par le léger
rafraîchissement qui suivra ce «petit optimum» et qui aurait
nui, somme toute, aux récoltes. Les historiens, sur ce point,
demeureront prudents. Les terminaisons *naturelles* d'un cycle
d'essor économique qui fut initié au XIe siècle et qui culmina
vers 1300, et les catastrophes épouvantables de la fin du
Moyen Age (pestes noires ou non noires à partir de 1348, et
guerre de Cent Ans), exercent à elles toutes un effet tellement
écrasant que les nuances climatiques n'ajoutent aux unes et
aux autres qu'une causalité bien secondaire. Même la régression ou disparition de la vigne en Angleterre méridionale,
après le XIIIe siècle, ne s'explique pas nécessairement par le
«refroidissement» du climat au-delà de cette date. La
concurrence du vignoble bordelais, exportateur dorénavant
vers les Iles britanniques est telle, ce me semble, que climat
ou pas, les malheureux vignerons anglais sont bien obligés de
capituler, et de remplacer leurs ceps par des grains ou des
prairies. Rentabilité dicte sa loi, même au XIVe siècle !

Surgit ensuite le «petit âge glaciaire», si net au XVIIe siècle ; de toute manière, il intéresse les années qui courent
grosso modo entre 1560 et 1850. Ici Lamb atterrit sur un
terrain beaucoup plus solide : sa bonne dialectique et son
érudition font merveille, épaulées par les récentes découvertes de Christian Pfister. Cette fois, on n'est plus dans le
domaine de la conjecture, comme c'était le cas pour la courbe
des températures anglaises au XIIIe siècle ; on s'installe
confortablement dans un secteur de quasi-certitude, en beaucoup de points. Les glaciers alpins écrasent vers 1600 les
hameaux les plus exposés de Chamonix ; ils jalonnent ainsi les
nouveaux refroidissements du XVIIe siècle ; ceux-ci continue-
ront mais avec de belles rémissions parfois jusque vers 1850.

Les températures des «mauvaises» décennies du XVIIe (la plus froide correspondant aux années 1690) peuvent avoir été inférieures de 0,9 °C, en moyenne annuelle, aux normes plus tièdes des années 1920-1960. Du coup, le froid hivernal et les étés pourris engendrent des famines : elles tuent les semences et les moissons ; elles marquent en particulier la fatale décennie 1690, en Écosse, en France, en Finlande... Même en ce domaine pourtant, la causalité humaine et tout simplement la liberté historique ne perdent pas leurs droits : l'agriculture anglaise est techniquement plus avancée déjà que celle des Français ou des Écossais. Les Britanniques se tirent donc sans trop de mal des difficultés de récoltes et de subsistances qui caractérisent la méchante décennie terminale du XVIIe siècle. Et tant pis pour Louis XIV, tant mieux pour Guillaume d'Orange !

Ajoutons immédiatement que le «petit âge glaciaire» n'est pas un bloc. Pas davantage que ne l'est la Révolution française. On y trouve de belles périodes bien réchauffées ; les douces années 1710-1739, par exemple, coïncident avec le redémarrage économique de l'Europe occidentale (favorisé, en outre, par les afflux neufs d'or brésilien, par la fin des grandes guerres, et par le dégel politique qui suit la mort de Louis XIV). Une fois terminés, ces *redoux* donnent lieu ensuite à des paroxysmes frais, surtout quand les éruptions volcaniques s'en mêlent. Leurs cendres propulsées dans l'atmosphère interceptent la chaleur du soleil : en 1815 l'éruption de Tamboro aux *East Indies* engendre une famine d'année froide ou pourrie en 1816-1817, et des avances glaciaires dans les Alpes du Nord.

Le réchauffement récent commence, ai-je dit, aux années 1850 et surtout 1860. Il culmine pendant la décennie 1940 ; elle est maximale en termes de tiédeur, tout comme les années 1690 étaient minimales de ce même point de vue. Les vents «doux», d'ouest et de sud-ouest, deviennent plus nombreux en Angleterre entre 1860 et 1960, les rivières britanniques gèlent totalement à glace bien moins souvent après 1900 qu'auparavant. Les pluies sont plus abondantes que jadis à l'intérieur de l'ancien continent... Pendant ce XXe siècle réchauffé, toutes les zones climatiques (arctique, tempérée, subtropicale) paraissent se déplacer *vers le Nord*, en se contractant autour du pôle Nord. On aboutit donc à un résultat paradoxal : l'aire antarctique au pôle Sud s'accroît, elle aussi, en s'étendant... vers le Nord, de sorte qu'il y a corrélation précise (+ 0,75) entre l'augmentation des vents de sud-ouest («adoucissants») à Londres, et la hausse des chutes de neige («refroidissantes») au pôle Sud !

Depuis les années 1950 et surtout 1960, le réchauffement mondial ou plutôt quasi mondial fait place de nouveau à un certain refraîchissement, en vertu d'un balancement plus ou moins irrégulier : en une vingtaine d'années, on a perdu deux dixièmes de degré centigrade sur les moyennes terrestres d'ensemble.

Deux mots maintenant quant aux effets à court ou à moyen terme de telles fluctuations climatiques, étalées sur des siècles ou des millénaires. (Ne parlons même pas du long terme, véritable bouteille à l'encre !) Oublions pour un instant le Groenland, voire l'Islande : dans ces pays, un refroidissement même minime (au Moyen Age) suffit à compromettre les performances d'une agriculture et d'un élevage qui déjà sont ultra marginaux. Parmi les grandes nations de l'Europe continentale (France, Allemagne) ou insulaire (Écosse), les années d'hivers froids et d'étés pourris se traduisent par des disettes. Leurs effets sur les hauts prix du grain peuvent s'étaler sur plusieurs années successives. Ainsi lors du cycle froid qui environne et suit 1770 en Suisse (Ch. Pfister), des années terribles répandent la misère. Ces constatations de bons sens éclairent sinistrement l'histoire de la souffrance humaine. Mais sorti de là, l'historien se retrouve à nouveau dans le domaine fragile du *It may well be* («Il se pourrait que...»). Le choléra et la peste noire ont *peut-être* démarré respectivement aux Indes et en Chine à la suite des inondations de 1816 et de 1332, dans chacun de ces pays. Mais pour le moment ce ne sont là que «d'intéressantes spéculations». Le fardeau de la preuve repose, en l'occurrence, sur les frêles épaules des chroniqueurs du climat. Plus convaincant est ce qu'on pourrait appeler «l'effet pichenette». L'année très froide de 1879 (comparable à 1740) provoque une mauvaise récolte ; elle inaugure donc quarante années de vaches maigres pour l'agriculture anglaise, que submergent dorénavant les importations de grains américains et russes. De même parmi les causes indubitables de la Révolution française figure (entre autres motifs !) la très mauvaise récolte de 1788, qui sera matrice de la grande peur, et qui fut provoquée par des météorologies défavorables en 1787-1788. Dans ces deux cas, 1879 et 1789, le court terme (climatique) et le long terme (humain) se combinent pour «faire de l'histoire». Autre exemple : aux États-Unis, la sécheresse des années 1930 est illustrée par le *Dust Bowl* (Bol de poussière) et par les *Raisins de la colère* de John Steinbeck ; cette aridité pluri-annuelle tient à ce que l'anticyclone subtropical (sec en l'occurrence) est remonté d'un ou deux degrés vers le Nord pendant cette décennie, en période de réchauffement séculaire. Aujourd'hui, l'essor de la population du globe est rapide et redoutable ; il rend de plus en plus dangereux les accidents climatiques et les mauvaises récoltes qu'ils engendrent, par exemple en 1972. Les grandes catastrophes naturelles de notre temps tiennent pour 40 % aux inondations, pour 20 % aux cyclones et aux typhons, pour 15 % aux sécheresses.

Le climat n'est donc pas sans conséquences humaines. Ses fluctuations, par ailleurs, dérivent de causes variées, sur lesquelles Lamb s'est assez longuement attardé. Les taches solaires au premier chef, sont souvent invoquées, avec leur rythme « undécennal » (de onze ans). A tout prendre, elles ne renseignent qu'imparfaitement sur ce qui se passe autour d'elles à la surface du soleil, et dans ses profondeurs. Leur remarquable carence entre 1645 et 1715 « pourrait être » corrélée avec le grand froid du « petit âge glaciaire ». Quant aux variations météorologiques sur onze ans et sur des multiples ou sous-multiples de ce chiffre fatidique (5,5 ans, 22,5 ans, etc.) elles « pourraient », elles aussi, s'expliquer par de légères fluctuations quant à la production d'énergie solaire. Rien de démontré ni de bien solide en l'occurrence. On est là, selon notre auteur, dans le domaine de la spéculation.

Beaucoup plus convaincants, selon Milankovitch et ses émules sont les effets des variations, même légères, de l'axe de rotation de la terre, et de son orbite. Ces changements cycliques, à longue durée, permettraient d'expliquer pour une bonne part la chronologie des grands âges glaciaires pendant l'âge quaternaire, selon des périodicités de 20 000, 40 000 et 100 000 ans. L'historien pourtant posera une question naïve au météorologiste : à l'époque tertiaire ou secondaire, ces variations « orbitales » ou axiales existaient déjà. Néanmoins, les grands âges glaciaires en ces longues époques brillaient par leur totale absence...

Et maintenant, descendons tout à fait sur la terre envisagée comme objet « physico-chimique » : les éruptions volcaniques projettent des poussières qui restent longtemps suspendues dans la haute atmosphère ; elles sont brassées tout autour du globe en raison des vents : elles rafraîchissent momentanément le climat du fait de l'obstacle qu'elles interposent devant le rayonnement solaire. En 1783, deux grandes éruptions se produisent en Islande et au Japon. Du coup, l'hémisphère Nord perd 1,3 °C sur les températures estivales, et met quatre ou cinq ans pour revenir à la normale ; d'où des famines nippones. Inversement, l'absence d'éruptions majeures dans l'hémisphère Nord entre 1912 et 1963 favorise un certain réchauffement entre ces dates.

Les volcans ne fournissent pourtant qu'une causalité de circonstance ou aléatoire. L'essentiel, comme toujours chez Lamb, demeure la mise en cause du vortex circumpolaire, cet immense flux d'ouest qui balaie à nos latitudes la zone tempérée, encerclant le globe comme un anneau. Si ce flux est réellement ou tendanciellement annulaire, resserré vers le pôle, alors les anticyclones subtropicaux et chauds et les vents de sud-ouest pourront prédominer sur la France, voire sur l'Angleterre. On entrera dans une période saisonnière ou décennale ou séculaire, ou même millénaire et interglaciaire de réchauffement. Tout dépend chronologiquement de la longue ou courte durée du phénomène de base concernant «le vortex circumpolaire»; et pourtant dans sa structure physique ce «phénomène de base» reste fondamentalement le même, amplitude mise à part, à toutes les échelles de temps.

Comment expliquer, par contre, les périodes de refroidissement, qu'il s'agisse de quelques années fraîches au XXᵉ siècle, du «petit âge glaciaire» du XVIIᵉ, ou du grand âge glaciaire pendant les dernières cent mille années? Il suffit pour y voir clair, de mettre en scène une situation inverse de la précédente: au lieu de se contracter, le vortex circumpolaire désormais s'épanouit vers le Sud; il repousse, hors d'Europe occidentale et vers des latitudes plus méridionales, l'anticyclone des Açores; il permet de façon corrélative la descente frigorifiante de l'air arctique vers Londres, et vers Paris ou Marseille. Remarquons que cette «descente vers le Sud» du vortex s'accompagne de changements dans la forme: il devient sinueux, encombré d'immenses méandres d'air à l'échelle d'un subcontinent; ces méandres sont dessinés par des crêtes chaudes (*ridges*) anticycloniques, et par des vallées froides (cycloniques). Paradoxalement l'une de ces crêtes chaudes peut signifier *localement* un été chaud et sec: ainsi sur l'Europe lors du fameux coup de chaleur de 1976. Mais pour l'ensemble de l'hémisphère Nord, malgré cette exception «régionale» et chaude, un tel type de circulation, épanoui vers le Sud et à vastes méandres, implique des tendances générales au froid. C'est effectivement le cas pour l'été de 1976, brûlant à Londres mais frais et même froid sur une grande partie de la Russie.

Autre paradoxe: la déplacement vers le Sud de notre vortex circumpolaire d'hémisphère Nord, avec tendance froide à nos latitudes, s'accompagne d'un déplacement vers le Sud de *toutes* les bandes concentriques qui, aux tropiques, à l'équateur et jusque vers l'Antarctique, encerclent le globe elles aussi comme un anneau, d'Ouest en Est. Résultat : l'air froid de l'Antarctique est refoulé vers le pôle Sud, et les marges de ce continent polaire s'attiédissent ! En conséquence, les pingouins, pendant les phases les plus fraîches de notre «petit âge glaciaire», entre 1670 et 1840, peuvent s'installer de plus en plus au Sud et notamment dans la mer de Ross, momentanément moins glaciale.

N'oublions pas enfin que les océans, ces grandes réserves de chaleur (ou de fraîcheur) se comportent de façon corrélative, en liaison avec le vortex circumpolaire : quand celui-ci remonte vers le Nord, permettant ainsi un attiédissement des zones tempérées, le Gulf Stream en fait autant. Et vice versa. Les deux phénomènes, maritime et atmosphérique, réagissent l'un sur l'autre. Les harengs et morues montent ou descendent eux aussi en même temps que les eaux froides. La Hollande ne fut jamais si prospère qu'en période de «petit âge glaciaire», qui fut pour elle l'âge d'or de la pêche et le siècle du hareng ; et bien autre chose encore.

L'historien, avec peu de succès, se fait volontiers prévisionniste. Est-ce le cas pour un chroniqueur du climat, façon Lamb ? Notre homme rappelle avec modestie que même les paysans sont capables de bons pronostics : tout fermier américain des grandes plaines sait sur la base d'une expérience de 160 ans qu'une sécheresse grave le guette, en moyenne, tous les 22 ans. Les historiens et les «cliométéorologistes» savent que tous les cent ans aux années 90 de chaque siècle (décennies 1490, 1590, 1690, 1790, 1890) reviennent des hivers très rudes. Plus généralement, le rafraîchissement actuel (qui fait suite au réchauffement séculaire enregistré jusque vers 1950-1960) devrait se poursuivre jusque vers 2015 à raison de − 0,15 °C en moyenne par décennie. Puis on aurait un nouveau réchauffement de 0,08 °C par décennie jusque vers 2030, et enfin une stabilisation. Elle durera(it) jusqu'au nouveau et léger déclin thermique du XXIIᵉ siècle. Ces prévisions s'entendent abstraction faite des éruptions volcaniques. Imprévues, celles-ci pourraient bien introduire quelques bouleversements momentanés. Abstraction faite aussi des effets climatiques de la pollution d'origine humaine : il en sera question tout à l'heure.

Quant au prochain millénaire, un admirable travail de A. Berger (de Louvain-la-Neuve) permet de penser sur la base des vastes cycles du passé que le démarrage d'un grand âge glaciaire commencera en douceur au cours des mille années qui vont venir. Une véritable glaciation, pas encore trop grave sévira pendant une période qui sera comprise entre 5000 après J.-C. et 9000 après J.-C.; ensuite dans 15 000 ans (après l'époque actuelle) il y aura un léger mieux, mais provisoire et l'on se réinstallera très vite dans la glaciation profonde; nous ne retrouverons nos chaleurs actuelles que dans 60 000 ans ou même selon un autre modèle dans 114 000 ans! Voilà qui paraîtra bien long. La dernière période qui fut aussi chaude que l'interglaciaire actuel (dans lequel nous vivons encore) a duré 11 000 ans (comme la nôtre?). Elle s'est terminée il y a 125 000 ans environ; dès lors, elle fit place graduellement à une grande froidure de 100 000 années et davantage. Celle-ci céda finalement le terrain aux tiédeurs dix fois millénaires du néolithique, de la protohistoire et de l'histoire. Le tournant vers le froid paléolithique (il y a 125 000 ans) s'était réalisé de façon très brutale, en 125 années environ! L'événement brusque, dans ce cas (un siècle), avait véritablement introduit à la très longue durée (100 000 années de glaces). Voyez à ce propos les beaux travaux de Mme Woillard (de Louvain-la-Neuve également), spécialiste des tourbières des Vosges.

Ces vues prospectives et perspectives ne tiennent pas compte de l'influence des actions humaines : les poussières d'origine industrielle (qui font écran à la chaleur solaire) pourront à la manière des éruptions volcaniques aggraver le rafraîchissement qui est en cours depuis 1960 et qui doit occuper les trois ou quatre prochaines décennies. Mais beaucoup plus écrasant apparaît, en sens inverse, l'effet de serre (*greenhouse effect*) dû à l'accumulation, dans l'atmosphère, du gaz carbonique d'origine industrielle. Le réchauffement ainsi provoqué par le CO_2 pourrait même s'accroître encore du fait des dégagements de chaleur que produira inévitablement l'énergie nucléaire d'application pacifique. L'un dans l'autre, l'attiédissement «artificiel» (CO_2 + nucléaire) atteindrait + 2 °C vers 2100 par rapport à notre époque. Y aura-t-il retour alors à l'optimum climatique de la préhistoire, avec ennoiement modéré de nos littoraux dû à la fusion des glaciers? Une vue plus apocalyptique prévoit, si l'industrie «réchauffante» continue ses «méfaits», notre passage général dans quelques siècles vers un climat tropical tel qu'à l'âge tertiaire, avec disparition de la calotte glaciaire arctique et montée corrélative des mers; celles-ci submergeront alors les grandes plaines et nombre de villes et de capitales.

Sur la fin, le livre de Lamb a donc tendance à se dramatiser, peut-être aussi parce qu'il faut bien «réchauffer» un sujet qui de lui-même est plus froid et plus gris qu'il n'y paraîtrait au premier abord. L'histoire du climat est passionnante *pour elle-même*. Mais d'un point de vue strictement humain, elle explique surtout des famines momentanées (1694 en France) et des déclins marginaux (le Sahara préhistorique, le Groenland bas-médiéval). Encore une fois dans le grand travail de Lamb, il faut mettre à part (surtout pour l'Antiquité et le Moyen Age) ce qui est purement hypothétique, douteux et spéculatif quant à l'influence du climat sur telle ou telle civilisation, qu'il s'agisse de la Grèce classique ou de l'Indus. De ce point de vue, l'absence de *bonnes* courbes des températures, dressées grâces aux séries d'observations événementielles avant le XVIIe siècle, se fait toujours sentir; souhaitons donc que cette lacune soit comblée un jour. Après 1500, on est sur le terrain solide du «petit âge glaciaire» et des réchauffements puis rafraîchissements qui l'ont suivi. Les conclusions deviennent fermes, mais désormais, elles sont judicieusement limitées. L'auteur n'a pas toujours évité non plus le vieil écueil de l'explication par les deux bouts, qui donc est auto-contradictoire : l'émigration des Mongols est expliquée tantôt par les sécheresses de l'Asie centrale qui les chassent de leur patrie, tantôt par l'humidité qui multiplie le nombre de leurs troupeaux et de leurs effectifs nomades et qui contraint lesdits Mongols à émigrer (p. 175). Il reste au total que Lamb a écrit un livre important; il a su s'y faire historien, performance admirable pour un homme des sciences pures; il a su aussi se placer au centre stratégique du problème (explication climatologique de base, et très longue durée des fluctuations). De la sorte, il a pu opérer de passionnantes incursions vers toutes sortes de domaines et de directions, sans jamais perdre le fil.

ANNEXES

ANNEXE 1

Sur ce phénomène «plébiscitaire» depuis 1920, et pratiquement de 1860 à 1955, voir notamment les recensions statistiques de MOU-GIN, 1910-1934; VEYRET, 1952, p. 197-199, et surtout 1960, p. 203-207; GARAVEL, 1955, p. 9-26; VANNI, 1948, p. 75-85, 1950, p. 230, et 1963; DESIO, 1947-1951, p. 421-422; MAURER, 1935, p. 22; MERCANTON, 1916, p. 52-56; MERCANTON, articles dans *Die Alpen* (1947-1949), d'après *J. Glac.*, vol. I, 1947-1951, p. 139, 153, 345, 356, et *ibid.*, vol. II, p. 110; et les chroniques du *J. Glac.*, vol. I, 1947-1951, p. 507, 558 et 563 et vol. II, 1952-1956, p. 290, 440-441, et 607; VIVIAN, 1960; SITZMANN, 1961; cf. aussi l'exposé général de THORARINSSON, 1940 et 1944 et LLIBOUTRY, 1965, notamment p. 719-721.

ANNEXE 2

Les petites avances glaciaires
des dernières années (depuis 1950 ou 1960);
leur caractère insignifiant ou temporaire

Pour les glaciers de Jan Mayen, depuis 1954, cf. LAMB (H.), PROBERT-JONES (J.) et SHEARD (J.), 1962; KINSMAN et SHEARD, 1963, p. 439-447. Pour ceux des montagnes Rocheuses: HARRISON, 1952-1956, p. 666-668; RONDEAU, 1954, p. 193; BENGSTON, 1952-1956, p. 708; HOFFMANN, 1958, p. 47-60. Pour le Spitzberg: KO-SIBA, 1963; VIVIAN, 1965. Pour le glacier des Bossons: LLIBOUTRY, 1965, p. 720 (graphique tiré de BOUVEROT, 1957).

On peut se demander cependant si ces « réavances » glaciaires de la dernière décennie ou des deux dernières décennies sont vraiment importantes. Les articles plus récents (1966-1969) inciteraient, au contraire, à les considérer comme insignifiantes ; c'est plutôt la continuité lente du retrait séculaire... jusqu'en 1970 qui me frappe ; en ce qui concerne le caractère finalement assez insignifiant de ces petites réavances glaciaires, voir en effet parmi les publications postérieures à la première édition française de ce livre : WEIDICK, 1968 ; KORYAKIN, 1968 ; KICK, 1966 ; KOTLIAKOV, 1967 ; LOEWE, 1968 ; GILBERT, 1969 ; UNTERSTEINER, 1968 ; GROSVAL'D, 1969 ; STRETEN, 1968 ; TEMPLE, 1969. (Tous ces auteurs insistent sur la *continuité* lente mais *certaine du retrait glaciaire, y compris dans les dernières années* ; KOTLIAKOV, et LOEWE, et aussi POST, 1966, laissent cependant entrevoir quelques faibles symptômes, tout récents, de réavance ou de « moindre recul » des glaciers.)

ANNEXE 3

SUR CERTAINS ASPECTS « INTERCONTINENTAUX » DE L'OPTIMUM CLIMATIQUE

Généralités pour les divers continents : CHARLESWORTH, 1957, II, p. 1484-1495 ; DEEVEY et FLINT, 1957, p. 182-184. Pour l'Eurasie septentrionale : FRENZEL, 1955, p. 40-53. Pour l'Amérique : BUTLER, 1959, p. 735 (tourbière du Massachusetts) ; DEEVEY (E.S.), 1951, notamment p. 204 (comparaison Maine - Terre-Neuve - Irlande) ; DARROW (R.A.), 1961, p. 41 (sud-ouest des U.S.A.) ; HEUSSER, 1952 et surtout 1953, p. 637-640 (Alaska) ; ZUMBERGE (J. H.) et POTZGER (J. E.), 1955, p. 1640 (Michigan) ; pour la Colombie, cf. FLINT et BRANDTNER, 1961, p. 458 (fig. 1 et légende). Pour la Nouvelle-Zélande : voir DEEVEY (E. S.), 1955, p. 324 et aussi la mise au point de WALKER, 1966. Pour l'Afrique, MORRISSON, 1966 (p. 142-148), considère que les données sont encore trop rares et trop obscures pour qu'on puisse en tirer des comparaisons avec les chronologies climatiques que proposent les palynologistes européens. Sur les températures océaniques et marines de l'optimum, cf. ÉMILIANI (C.), 1955, p. 538-579 ; 1958, p. 264-276, et 1961, p. 530 (graphique), et aussi WISEMAN, 1966.

ANNEXE 4

LE GLACIER DU RHÔNE EN 1546

A) *Texte de Sébastien Münster à propos du glacier lui-même* (j'ai souligné certains passages) :

«Anno christi 1546, quarta Augusti, quando trajeci *cum equo* Furcam montem, *veni ad immensem molem glaciei* cujus *densitas*, quantum conjicere potui, fuit *duarum aut trium phalangarum militarium* [1] *; latitudo* vero *continebat jactum fortis arcus*, longitudo sursum tendebatur, ut illius recessus et finis deprehendi nequiret, offerebat intuentibus horrendum spectaculum. *Dissilierat portio una et altera a corpore totius molis magnitudine domus*, quod horrorem magis augebat. *Procedebat et aqua canens quae secum multas glaciei particulas rapiebat, ut sine periculo equus illam transvadere non posset* [2]. *Atque hunc fluvium putant initium esse Rhodani fluvii.*»

Au Musée d'art et d'histoire de Genève (salle des Armures) se trouvent deux piques d'infanterie suisse du XVe siècle, en provenance de l'arsenal de Lucerne : elles ont chacune 4,60 m de long. LAPEYRE (dans le *Charles Quint*, édité en France par le Centre national de la recherche scientifique, p. 40) donne 5 m pour la pique suisse, au début du XVIe siècle.

B) *Itinéraire de S. Münster : Valais, Rhonegletscher, Furka, Gothard* (4 août 1546) :

«*Furca*... per hunc montem patet tempore aestivali *iter a Valesiis ad Uranenses et Lepontios.* Tempore vero hyemali ob nives non licet trajicere, imo in media aestate difficulter id licet, quod ego compertum habeo qui quarta mensis Augusti tanta frigora in vertice montis hujus (Furka) passus sum, ut totus contremiscerem, cogererque tres aut quatuor nives et glacies cum equo non sine periculo trajicere; cumque eadem die *Ursellam usque ad radices montis Gothardi pervenirem*, volui et illius montis difficultates explorare.»

Ces textes sont tirés de MÜNSTER (S.), éd. latine de 1552, p. 332, 342, et éd. allemande de 1567, p. 483.

---

1. Le texte de l'édition allemande porte : «*Zweiss oder dreyes spiess dick*», soit 10 à 15 mètres. Il s'agit de l'épaisseur du front, vue par la tranche. Münster note ailleurs que, d'après les crevasses, les glaciers atteignent (plus en amont) 200 à 300 aulnes de profondeur (300 à 400 mètres).

2. Traduction allemande de ces deux lignes : «*Es ging auch ein Bach mit Wasser und Eiss dar auch, das ich mit meinem Ross on (ohne) ein Brucken hinüber nie komme mocht.*»

ANNEXE 5

L'ARCHIDIACRE COMBET À CHAMONIX (1580)

1) *Itinéraire*

«Ascendimus visitando usque ad extremum decimationis de Tines superius... Vidimus autem quatuor habitationes quae dicuntur de FRASSERENS, MONTRIOUD (Montroc) et LE PLANET, et hinc vero retrocedentes ascendere oportuit collem ad Aquilonem... ubi est locus vulgo appellatus TRELECHAMP... et regressum fecimus ad domum dicti Aymonis (au prieuré).»

2) *Description de la vallée*

«Et est vallis inter montes posita... et dexteris eundo seu a meridie, continui montes intersecti habent in summitatibus albentes glacies quae etiam per diversas scissuras ipsorum montium protenduntur, et *descendunt fere usque ad planitiem, tribus saltem in locis*... Constat praedictas scissuras quas "ruinas" (moraines) vocant aliquando inevitabiles causavisse alluviones tam in partibus per quas necessario descendunt quam per mediam vallem, augentibus medium illum torrentem qui *ab Alpibus de TOUR dictus est* incipere, et in flumen satis vallidum coalescit.»

Ce texte est en partie inédit, notamment quant à l'itinéraire (A. D. Haute-Savoie, 10 G 287); il a été en partie publié par G. LE-TONNELIER, 1913, p. 288-295. Le meilleur commentaire est celui de R. BLANCHARD, 1913, p. 443-454.

Sur l'équivalence de «ruine» (éboulis) avec moraine, cf. FRUH, 1937, I, p. 111. Cf. surtout ce texte de 1679 (A. D. Haute-Savoie, 10 G 282-1, folio ou p. 124-125, an 1679) qui concerne des mas ou fractions de terroir alors tout proches de la mer de Glace:

«Le mas des Gaudins, par le rey des crettes, *puis sus par la Rouyne* où est enclavé la combe du Lavanchiez et tout Bonnenuict...»

«Les mas de Joppers et de Landrieux... *tirans sus par les morennes* jusqu'au gouttey et passioux (pissiou) de Bonnenuict.»

Il y a dans ces textes équivalence de *morenne* (mot dialectal) et de *rouyne* (équivalent français).

* * *

D'autre part, en ce texte même (A.D. Haute-Savoie, 10 G 287), Bernard COMBET signale, non loin de Montquart-les-Bossons, une «*ruina* de Bois-David» (moraine de Bois-David), près de laquelle il est passé. Or, en 1315, Bois-David était encore un habitat (texte du 6 janvier 1315, publié par BONNEFOY, 1879-1883, I, p. 174: allusion à «Michel, fils de Pierre Pelarin, de Bois-David»). Une avance

glaciaire, à une date indéterminée entre 1315 et 1580, a-t-elle construit cette moraine de Bois-David (ruina)? A-t-elle effacé l'habitat?
Je n'ai retrouvé, en tout cas, aucune autre trace de Bois-David, ni
dans les archives, ni dans la toponymie contemporaine, écrite ou
orale, de Chamonix ou des Bossons.

ANNEXE 6

LA FROIDIÈRE DE CHAUX-LES-PASSAVENT (JURA)

La visite de Poissenot à La Froidière (cf. son texte dans POISSE-
NOT, 1586) a eu lieu par une chaude journée de juillet : « Car c'était le
second jour de juillet, et luisait le soleil très ardemment qui nous
faisoit suer goutte à goutte », écrit Poissenot, qui apprécie d'autant
plus « la frescheur très agréable » ressentie dès la première entrée
dans la grotte.

Par la suite, de nombreuses descriptions de La Froidière ont été
données : citations et bibliographie dans DEPPING, 1845, p. 438 (au
chapitre « Franche-Comté ») et dans FOURNIER (E.), 1899, p. 87 et
1923, p. 85. Tous les textes cités, depuis Poissenot et l'abbé Boisot
(BOISOT, 1686, p. 226-228) jusqu'à Depping et Fournier, impliquent
un contraste implicite entre la glaciation de la grotte (du XVIe siècle
final au XIXe siècle) et son état contemporain de déglaciation quasi
complète (1910-1960). J'ai pu à ce propos recueillir sur place des
informations concordantes auprès de H. Humbert, gardien actuel de
la grotte et fils de l'ancien gardien de 1900-1910.

Autre notation intéressante : près de l'entrée de la grotte, on a
trouvé des objets préhistoriques de l'âge du Bronze (FOURNIER,
1899).

ANNEXE 7

HABITATS DÉTRUITS PAR LES AVANCES GLACIAIRES
VERS 1600

A) *Le Châtelard*. — Première référence (12 et 11 mai 1289) dans
BONNEFOY, 1879, I, p. 68 (mais il s'agit peut-être d'un autre Châte-
lard, au nord de Vallorsine). Sur la toponymie, cf. BLANCHARD (R.),
Les Alpes occidentales, vol. VII, p. 467.

Références certaines au Châtelard et aussi à La Rosière, dans les comptes décimaux, à partir de 1377-1388 : A.D. Haute-Savoie, 10 G 226-1, f° 1 et *passim* (ans 1377-1388) ; *ibid.*, 10 G 226-2 (an 1384) (*exitus decime de Castellari ; ... de nemoribus..., de pratis*, etc.) ; 10 G 227, an 1453 ; 10 G 228, an 1546, f° 1, etc. ; 10 G 229, an 1457 ; et BONNEFOY, 1879, I, p. 303, 304, 305, 308 ; 10 G 281, an 1458 : allusion à la côte du Piget (*Costa super Castellar*) ; 10 G 233, an 1467 : habitants du *Castellar* et côte (*costa*) en dessus ; 10 G 237-1, ans 1521-1522 : dîme du chanvre au Châtelard (14 livres) et allusion aux côtes du Piget, près des Bois (*costae de nemoribus*) ; *ibid.*, an 1523, *in molendino de chastellart* ; 10 G 238, an 1530, nombreuses allusions aux terres et maisons situées au Châtelard ; *ibid.*, ans 1533-1534-1535 ; de même, 10 G 240, an 1540 (novembre) ; 10 G 241, an 1544 ; 10 G 242, an 1545 ; aux comptes de 1557, sur 255 actes de lods et ventes, 2 concernent Le Châtelard et 3 La Rosière ; *ibid.*, 10 G 246, an 1561, trois allusions sur 94 actes ; 10 G 310 et 311, an 1559, dénombrement des feux du Châtelard, de La Rosière et des autres hameaux de Chamonix (en raison d'une grève des «prémices» décimales par les redevables) ; 10 G 312 (an 1562), f° 12 v°, 13 r°, 25 et 47 r° : description du Châtelard à propos d'une agression antidécimale ; 10 G 248, ans 1564-1565-1566, acquêts divers de terres et maisons au Châtelard ; 10 G 250, ans 1570-1571, sur 201 lods et ventes, 5 concernent Le Châtelard, notamment en oct. et déc. 1570 et juillet 1571 ; 10 G 254, an 1590 : lods et ventes de terres (mais non de maisons) sises au Châtelard ; les comptes décimaux de 1590 («recepte des dîmes», 10 G 254) sont les derniers qui portent la mention coutumière «dîme des Bois et du Châtelard» ; à partir de 1600 (10 G 255), on dit «dîme des Bois» tout court. Pourtant, en 10 G 255 (an 1600), il y a encore des achats et échanges de maisons entre habitants du Châtelard, nommément désignés. En 1602 (10 G 256), *acmé* de la catastrophe glaciaire : seulement 19 actes de lods et ventes à Chamonix, au lieu de 100 ou 200, année commune, au XVIe siècle. Aux lods et ventes d'oct. 1621 à sept. 1622 (après une grosse lacune documentaire 1602-1621), pour 90 actes, aucune mention de La Rosière, d'Argentière, des Bois, hameaux sous-glaciaires ; mention seulement d'une acquisition de *grangeage* assis au Châtelard. Voir aussi les textes de 1616 et de 1643, cités *supra* au chapitre III. A la visite pastorale de 1649, il est question du «village du Châtelard dict des Thines» (10 G 270) ; de même en 1694 (*ibid.*). L'habitat ancien est donc confondu avec l'habitat survivant et tout proche des Tines. Le Châtelard lui-même subsiste, non en tant qu'habitat, mais en tant que «mas» (manse), circonscription purement géographique de perception des redevances. Le voici décrit en 1755 avec des noms de lieux-dits voisins des Tines, du Lavancher et des Bois :

« Le mas du Châtelard est appelé le présent mas, *la prise* des *gaudins* et la prise none, qui se confine depuis le mas des Japers et de Landrieux par *Arve du couchant*, la pièce des terres par la *chapelle du vent* tendant par l'Enjoleiron férir au fort d'amour du Lavancher, tendant outre par le *Rey des Crètes* puis sus par la Ravine (moraine) où est enclavée la *combe du Lavancher* et tout Bonnanex sauf ce qui est des menus servis jusqu'au Passioux (cascade du Pissiou,

aujourd'hui du Chapeau).» (A.D. Haute-Savoie, 10 G 282-4,
9 mars 1755.) Tout le terroir ainsi décrit se trouve situé sur les
feuilles C3 et C5 de l'actuel cadastre de 1945 (lieux-dits Bois Gaudin,
Bois de «Bonanée», La Pendant).

Un autre texte (10 G 282-1, année 1679, p. 124, 126, 137, 140 et
141) indique que le «Mas de Joppers et de Landrieux contenant
plusieurs autres mas inconnus» se confond avec le terroir des Bois,
jusqu'au Montenvers, et que l'ancien mas du Gerdil, autre dénomi-
nation, comprend les mas du Lavancher et du Châtelard.

Enfin, autre indice de la très grande proximité du Châtelard et des
Tines, les visites pastorales de 1693 et 1702 parlent encore de «la
chapelle Saint-Théodule au Chastelard dicte aux Thines»
(A.D. Haute-Savoie, 1 G 121 et 122, f° 388). Cette chapelle, qui
existe toujours, n'est autre que «la chapelle du vent», citée ci-dessus.
Sur la position la plus probable du Châtelard, cf. figure 18, carte des
Bois et des Tines.

B) *Bonanay*. — En A.D. Haute-Savoie, 10 G 280, f° 53 v°,
an 1458, énumération des 45 censitaires du mas du Gerdil (= Châtelard + Lavancher); à la fin, «pro *terra* bonenoctis, 14 denarii»
(f° 54 v°); de même 10 G 233, an 1467, énumération semblable
(f° 50 v°). Le mot *terra* est fondamental; il indique une emblavure,
par opposition (dans le même texte), et pour tel autre lieu-dit, à «*pro
plano et monte*» (f° 50 r°), cette dernière expression n'ayant pas de
signification culturale.

En 1523, autre texte : «Die tercia may (1523) Johannes filius
eiusdem Johannis fabri emit a guillielmo filio michaelis veytet et ab
eius uxore videlicet unam peciam terre contra medietatem unius
Regard, cum curtinis eiusdem et los aysous appartenentes; item
portionem locum unam communem sibi pertinentem et aquam du
pyssiou sitam in territorio de Bonanex precio 160 florins.»
(A.D. Haute-Savoie, 10 G 237-1, fin du registre, non folioté.)

Ces 160 florins font une grosse somme : la moyenne des transactions, en ce genre d'actes, monte à 20 florins environ.

Texte de 1556-1557 : «Michael Massat et ems (illisible) emerunt
una p^a terrae en chastellard a Johan Hugo de Bonanex.»
(A.D. Haute-Savoie, 10 G 245, comptes de juin 1557, chapitre des
lods et ventes.)

Le texte de 1562 est en A.D. Haute-Savoie, 10 G 312, an 1562,
f° 34 r°.

Le texte de juin 1571 est en 10 G 250 : «Petrus fabri bonaudy emit
a perneta... et michaeli Leschiaz viro medietatem unius curtilis cum
pertinent in loco de Bonanay, pretia, 4 flor.»

Le texte de 1591 est en 10 G 254 : comptes de «1590», chap. des
lods et ventes, janvier 1591.

Par la suite (après 1600), Bonanay n'est plus qu'un lieu-dit, enclavé
dans une moraine ou *rouyne* (cf. *supra*, texte de 1679 à l'annexe 5).

C) Sur *La Rosière*, textes dès 1315 et 1390 (BONNEFOY,, 1879, I,
p. 174, 281, 381). Cf. aussi *ibid.*, II, p. 28 et 54; 10 G 231, comptes
de dîmes de 1463; etc. (cf. les mêmes sources que pour Le Châtelard).

D) *Sainte-Pétronille de Grindelwald.* — La meilleure étude est
celle de COOLIDGE (W. B.), 1911.

Voir cependant une indication supplémentaire qui a échappé à
Coolidge.

J'ai noté (*supra*, chap. IV), d'après un texte de l'époque, l'existence
de la chapelle de Sainte-Pétronille en 1520. Un autre texte permet de
compléter vers «l'amont» cette chronologie : en 1510, en effet, deux
personnes de Grindelwald sont accusées d'avoir soutiré quatre shil-
lings dans le tronc de la chapelle de Sainte-Pétronille (Protocoles du
canton de Grindelwald, Archives de Berne ; texte aimablement
communiqué par M. Ch. Roth, érudit grindelwaldois).

Quant au poème de Rebmann (mort en 1605), il est cité notamment par FRIEDLI (E.), 1908, p. 51, par *Echo von Grindelwald*,
numéro du 3 juillet 1963, et surtout par COOLIDGE, 1911. Cf. aussi
MÉRIAN, 1642, p. 25 ; SCHEUCHZER, 1723 ; GRÜNER, 1760.

Notons enfin, en conclusion de cette annexe, le curieux texte de
BOURRIT, 1785, vol. III, p. 174 : les vieillards d'Argentière assurent
à Bourrit que les mines d'argent qui auraient donné son nom au
glacier d'Argentière «*n'étaient pas encore entièrement couvertes par le
glacier, il y a deux siècles*» (soit vers 1580). La chronologie est excellente..., mais hélas, l'existence même de ces mines d'argent n'a
jamais été prouvée !

ANNEXE 8

LES «ÉVÉNEMENTS» CHAMONIARDS, VERS 1628-1630

A. — Deux textes de mars 1640 et du 24 juillet 1640
(A.C. Cham., CC 3, nos 33 à 99) parlent du «tiers des biens fonds et
cultivables perdus depuis environ dix années... par avalanches,
cheutes de neiges et glassières». Un autre texte (*ibid.*, CC 4-1,
an 1640) parle d'un grand débordement de l'Arve provoqué par les
glaciers de «12 années en ça». Enfin, vers 1665, un document
conservé en A.D.H.S., 10 G 273 *bis*, indique qu'il n'y a pas eu de
catastrophe glaciaire majeure à Chamonix, en dehors des années 1628, 1640-1644 et 1664.

B. — Quant aux datations au carbone 14 de bois morainiques en
provenance du glacier de Tacconaz (cf. chap. IV), voici la position et
l'aspect précis du gisement mis en cause, d'après un rapport Cor-
bel-L.R.L. de 1962 :

«L'un de nous finit par repérer, en bordure du glacier de Taconnaz, des débris de troncs d'arbres (*pinus cembro*) complètement dé-
pouillés de leur écorce, solidement pris sous une moraine latérale.
Les auteurs sont donc montés à ce glacier pour dégager ces bois. Le
gisement est situé sur la bordure droite du glacier de Taconnaz, ou
Taconna (carte 1/50 000e, Chamonix-Mont-Blanc ; carte 1/10 000e
Mont-Blanc, 1 Nord, Aiguille du Midi). Le chemin montant au

glacier suit la crête d'une vieille moraine. Le contact de la moraine avec le rocher (où la montée se fait plus difficile) est coté sur la carte 1 738 m. Les bois mis en cause se trouvent à une centaine de mètres, en contrebas, soit à la base de la moraine ancienne, dont la pente très raide a été dégagée par l'érosion récente. L'altitude du gisement est voisine de 1 700 m (mesure à l'altimètre Thommen). Le bois de ces arbres est extrêmement dur. L'extraction et le débitage des échantillons furent difficiles.»

ANNEXE 9

DONNÉES COMPARATIVES SUR LA DÉMOGRAPHIE
ET L'ÉCONOMIE CHAMONIARDES

1. *Démographie*

Sources : Listes de redevables du XVe siècle, notamment de 1458 (A.D. Haute-Savoie, 10 G 280); listes de 1559 (A.D. Haute-Savoie, 10 G 311); listes de 1679, 1706, 1733 (*ibid.*, 10 G 282-1, 3 et 4). Cf. aussi, pour les comparaisons avec d'autres régions, BARATIER, 1961; FABER, etc., 1965, p. 110 et L.R.L., 1966, seconde, quatrième et cinquième parties.

2. *Économie et production animale*

Les livraisons de fromage des alpages dominant la vallée sont recensées aux comptes du prieuré de Chamonix à partir de 1540 (notamment en 10 G 240, 241, 244, etc.) et jusqu'aux comptes de 1621-1622.

ANNEXE 10

DONNÉES COMPLÉMENTAIRES SUR LE FRONT
DE LA MER DE GLACE (1764-1784)

1) *Grotte de l'Arveyron*

Aux descriptions de Martel et de Saussure citées *supra* dans le chapitre III, aux dessins de Bourrit et de Bacler d'Albe reproduits dans MOUGIN, 1912, pl. III et pl. IV, il faut joindre un texte peu connu de 1764 [1]. L'auteur anonyme évoquant les glaciers, «torrents

---

1. J'en ai souligné certains passages.

de glaçons... pétrifiés et immobiles», écrit : «Du lac gelé (la Vallée Blanche), débordent et prennent leur pente vers la vallée de Cha-mouni plusieurs larges traînées de glaçons... ; *dans la vallée même de Chamouni,* ces mêmes torrents *(sic)* présentent aux voyageurs une nouvelle décoration. Chaque embouchure y forme comme un fron-tispice d'église, avec une grande arcade, où l'on découvre une *spa-cieuse caverne* garnie et voûtée de glaces, et çà et là, des baguettes de glace pendent comme des tuyaux d'orgue. De là coule un ruisseau limpide qui va grossir l'Arve. Le plus gros de ces ruisseaux qui passe sous la plus grande voûte *se nomme Arbèron.* » (*Relation anonyme...* de 1764, éditée par FERRAND, 1912, p. 46-47.)

On ne saurait mieux dire que la grotte de l'Arveyron, émissaire de la mer de Glace, est pleinement *formée,* et *visible de la vallée,* en 1764. Soit une situation doublement différente de celle d'aujourd'hui.

2) *Position du front de la mer de Glace dans les années 1770*

Textes supplémentaires (à joindre aux textes et gravures cités ou mis en œuvre *supra,* chap. IV) : en août-septembre 1775, Thomas BLAIKIE, en visite à Chamonix, se promène sur le flanc est «*de de ce glacier qui s'étend presque jusqu'à une petite localité appelée les Bois; du bout de ce glacier, le fleuve Arveyron commence à sortir dessous la glace qui forme une grande arche*» (BLAIKIE, *Diary,* éd. 1931, cité par BER-NARDI, 1965, p. 262-263). Cf. aussi, quant au glacier des Bois «arri-vant presque jusqu'à la plaine» et quant à l'accès facile de la source-grotte de l'Arveyron : BOURRIT, 1773, p. 36, 1776, p. 18-19 et 1785, p. 111-115. Tous ces textes sont justiciables du même commentaire que *supra,* en cette annexe 10, § 1.

3) *Position du front de la mer de Glace en 1784*

Saussure constate en 1784 un certain retrait de la mer de Glace, par rapport au maximum de 1777 (cf. MOUGIN, 1912, (p. 164). Néanmoins, celle-ci reste très avancée : à preuve, la carte de Saussure lui-même (1785), où le front glaciaire est à 730 m en avant de sa position de 1911 (soit à 1 000 m en avant de la «ligne du chapeau»), d'après MOUGIN, 1912 p. 164 et 174. A preuve aussi un texte jamais commenté de SAUSSURE, II, 1786, p. 19 : Saussure trouve, en 1784, après mensuration sur le terrain, le front (en recul) du glacier des Bois à 500 pas en ligne droite de la vieille moraine (de 1600) qui borde le chemin allant du prieuré à la chapelle des Tines [2]; si l'on mesure cette distance sur la carte de LLIBOUTRY, 1965, p. 726, où cette vieille moraine est bien représentée, on voit que le front gla-ciaire lui-même, en 1784, est encore à 800 ou 1 000 m environ en avant de sa position de 1958.

4) *Position du front de la mer de Glace en 1805-1814*

Sur cette période, où les témoignages sont rares, H. FERRAND (1920, p. 60-61) a rassemblé diverses références. J'ai pu retrouver les

---

2. Sur cette chapelle, voir l'annexe 7 (paragraphe «Châtelard»).

textes qui correspondent à certaines d'entre elles. Voici trois textes :

Le 24 juillet 1805, Henri de la Bédoyère visite Chamonix. Il aperçoit, du fond de la vallée de l'Arve, « *le glacier des Bois qui se recourbe contre la vallée* ». Et il visite près du hameau des Bois la source-caverne de l'Arveyron (LA BÉDOYÈRE, éd. 1807, p. 397 et 402-403 et éd. 1849, p. 329 et 334 ; sur la signification glaciologique de la caverne, cf. *supra*, chap. IV). La description de LA BÉDOYÈRE (symptomatique d'un mer de glace épanouie, incurvée, proche, *et visible depuis la plaine de l'Arve*), est entièrement confirmée, un mois plus tard, par celle de Chateaubriand (fin août 1805), qui nous montre la mer de glace débordant très en aval du Montenvers, et occupant la pente presque verticale *qui regarde* la vallée de Chamonix. Donc une fois de plus, le glacier des Bois est visible depuis Chamonix : « Je m'arrêtai au village de Chamouni, et le lendemain je me rendis au Montenvert... Parvenu à son sommet, je découvris ce qu'on nomme très improprement la Mer de Glace. Qu'on se représente une vallée dont le fond est entièrement couvert par un fleuve... Au bout de cette vallée se trouve une pente *qui regarde la vallée de Chamouny. Cette pente, presque verticale, est occupée par la portion de la Mer de Glace qu'on appelle le Glacier des Bois* [3]. »

En 1810, X. Leschevin (LESCHEVIN, 1812, p. 271-285) vient à son tour à Chamonix. L'un de ses compagnons lui déclare « qu'il ne quitteroit pas *le fonds de la vallée*, qu'il se borneroit à se faire conduire *à la source de l'Arveyron et au bas du glacier des Bois*, et il se rendormit » (p. 251). Leschevin, quant à lui, monte au Montenvers, puis de là descend à la pointe du glacier des Bois, par le bois et le sentier de la Félia ou de la Filia (p. 276). Il décrit ce glacier comme « *descendant jusque dans la vallée de Chamouni, où il prend le nom de glacier des Bois, de celui d'un hameau près duquel il se termine* ». Il contemple la grotte de l'Arveyron, qui peut avoir jusqu'à 32 m de haut. Selon lui, la source-caverne de cette rivière est seulement à 2 km du confluent Arve-Aveyron : estimation probablement trop faible, mais qui, dans sa petitesse même exagérée, demeure impressionnante (la même distance, avec le glacier rétréci de l'époque actuelle, est de 3,6 km ! d'après la carte I.G.N. au 1/20 000e de 1949, feuille Chamonix 5-6). Cette description de 1810 correspond donc pleinement à la gravure de Gabriel Lory en 1810, qui montre, elle aussi, un glacier des Bois épanoui et descendant « jusqu'à la plaine » (reproduction de cette gravure dans ENGEL, 1961, non paginé, 3e page du paragraphe 4).

Enfin, en juillet 1814, MÉNEVAL (1814, p. 78 *sq.*) descend du Montenvers par le sentier du bois de *la Filia*, dont il estime la pente assez raide. Il arrive ainsi *directement* au glacier des Bois qu'il trouve « entouré de bois de sapins ». Ses guides lui disent avoir remarqué que « *depuis quelque temps la montagne de glace s'avançait vers la plaine d'une manière sensible* ».

Tous ces textes sont caractéristiques de la période de longue crue du glacier des Bois (comparer avec les observations faites *supra*,

---

3. CHATEAUBRIAND, éd. 1920, p. 12-13.

chapitre IV). Spécialement intéressante est la référence répétée (Leschevin et Méneval) au bois et sentier de *la Filia*. (Sur la position de *la Filia*, à l'ouest des lieux-dits Mottets et La Jorasse, cf. la carte Vallot-Larminat du massif du Mont-Blanc au 1/50 000e ; ou la carte I.G.N. au 1/10 000e, Chamonix Mont-Blanc, feuille Chamonix 5 Sud.) L'itinéraire direct Montenvers-La Filia-Glacier des Bois n'a de sens, en effet, que si le glacier en question déborde largement des rochers des Mottets vers le sud-ouest. Si au contraire le glacier, comme c'est le cas maintenant, est réfugié au nord-est des Mottets, cet itinéraire direct, comme tel, n'a plus lieu d'être.

Enfin, notons à nouveau la distinction méthodologique entre, d'une part, la situation de longue durée (le glacier des Bois se situe «presque jusqu'à la plaine» en 1805, 1810, 1814, comme en général en 1580-1850) et, d'autre part, la poussée brève et violente qui, sur ce fond de crue tendancielle, se dessine en 1814 : c'est déjà la poussée fameuse qui culminera vers 1817-1820.

ANNEXE 11

Les Hivers

A. — J'avais pensé (cf. *Les Paysans de Languedoc*, chap. Ier) donner, dans ce livre sur le climat, mon fichier complet des phénomènes météorologiques en Languedoc et Midi français, du XVe au XVIIIe siècle. Mais un tel projet s'est avéré incompatible avec le format de cet ouvrage, déjà surchargé par les dates de vendanges (annexe 12) ; j'ai donc placé ici même la partie (résumée) la plus significative de mes séries événementielles : elles intéressent les hivers au XVIe siècle.

*
* *

LES HIVERS LANGUEDOCIENS ET MÉRIDIONAUX AU XVIe SIÈCLE
(Références concernant le tableau et le graphique
placés à la fin de ce livre.)

1491 [1] Sources : A.C. Carpentras, BB 107, fo 63, délib. du 14-5-1491 ; GAUFRIDI, 1694, vol. I, p. 369 ; MASSIP, 1894.
1494   FUSTER, 1845, p. 289 ; PAPON, 1786, IV, p. 18.
1495   *Ibid.*, p. 18.
1505   (et non 1506) FORNERY, 1910, I, p. 507.
1506   *Ibid.*, et surtout *Chronique consulaire de Béziers*, 1839.
1517   A.C. Valence BB 4, 17-1-1517.
1518   *Chron. cons. Béz.*, 1839.

1. «1491» signifie «hiver : décembre 1490, janvier, février, mars 1491» ; et ainsi de suite.

1523 *Chron. cons. Béz.*, 1839; A.D. Tarn-et-Garonne, G 1134, f° 10; MARTIN, 1900, I, p. 297.
1524 (en fait, nov. 1523) MARTIN, 1900, I, p. 297.
1527 *Chron. cons. Béz.* (éd. 1839), f° 102 v°.
1540 A.C.M., comptes, reg. 617, f° 24; A.D. Gironde, G 479, 23 mars 1540.
1544 Fonds Chobaut.
1552 PLATTER (F.), éd. 1892, p. 31.
1557 *Ibid.*, p. 146.
1565 DEVIC, 1872-1892, XI, p. 465; Fonds Chobaut.
1568 (?) FORNERY, 1910, II, p. 121.
1571 FORNERY, 1910, II, p. 152; VILLENEUVE, 1821; PAPON, 1786; DEVIC, 1872-1892, XI, p. 542; BOUGES, 1741, p. 340; A.C. Aix, BB 68, f° 64, 15 janvier 1571; A.C. Malaucène (Vaucluse), BB 11, f° 83.
1573 Fonds Chobaut; *Chronique Bourdeloise* à cette date; DEVIC, 1872-1892, XI, p. 558, note 5 et p. 563; FEBVRE, 1912, p. 766.
1580 MARTIN (A.), *Histoire de Mende*, p. 25.
1583 Fonds Chobaut.
1584 *Histoire du commerce de Marseille*, III, p. 416.
1587 DEVIC, 1872-1892, XI, p 757-762; GAUFRIDI, 1694, II, p. 623-624; MASSIP, 1894-1895.
1590 GAUFRIDI, 1694, II, p. 679.
1591 A.C. Cordes, CC 147; GAUFRIDI, 1694, II, p. 708.
1595 (déc. 1594) VILLENEUVE, 1821; FUSTER, 1845, p. 289.
1597 PLATTER, éd. 1892, p. 322; D'AIGREFEUILLE, éd. 1885, II, p. 20.
1598 PLATTER, éd. 1892, II, p. 347.
1600 Fonds Chobaut; A.C. Narb., BB 6, 4 avril 1600; PAPON, 1786, IV, p. 416.
1603 BAEHREL, 1961; A.C.M. (inventaire imprimé), IX, p. 13; VILLENEUVE, 1821.
1608 DEVIC, 1872-1892, XI, p. 901.

B. — LES HIVERS ANVERSOIS AU XVIe SIÈCLE,
d'après Van der Wee (1963)

Décennies	A	B	C	C′	C″	D	E	F	G	H
1500-1509	4	1	2		2		1	2	1	3
1510-1519	4	1	5	2	3		2		1	1
1520-1529	4					2	3	1		1
1530-1539	2	1	2		1		5	2		2
1540-1549	4	1	2	1	1		4		2	2
1550-1559	5	1	1		1		2			
1560-1569	6	2	2		2	1				
1570-1579	5		2	2		4		3		3
1580-1589	4	1	5	4	1	2		2		2
1590-1599	3	1	7	3	4	1		1		1

A   : Nombre d'hivers (dans la décennie considérée), où la documentation est muette sur le caractère *thermique* de la saison hivernale.
B   : Nombre d'hivers sévères dans la décennie.
C   : Nombre d'hivers qui portent mention de gels, ordinaires ou sévères.
C'   : *Idem*, mais en tenant compte seulement des gels ordinaires.
C"   : *Idem*, mais en tenant compte seulement des gels sévères.
D   : Nombre d'hivers qui portent mention de «beaucoup de neige».
E   : Nombre d'hivers qui portent simplement la mention de «neige», sans autre qualificatif.
F   : Nombre d'hivers «doux».
G   : Nombre d'hivers «très doux».
H   : Nombre d'hivers «doux et très doux».

(Il va de soi que l'hiver dit de «1500» inclut décembre 1499, janvier et février 1500; et ainsi de suite. Il n'est pas tenu compte des événements qui intéressent les mois de novembre, mars, etc.)

On remarquera, après examen de ce tableau, que :

1° Contrairement à ce qu'on pourrait attendre, l'information sur les phénomènes thermiques décroît plutôt après 1550. 18 hivers sont inconnus, du point de vue thermique, entre 1500 et 1549, contre 23 entre 1550 et 1599. Soit 32 hivers connus dans la première moitié du siècle et 27 dans la seconde.

2° Le nombre des hivers dits «sévères» (colonne B) augmente de 4 (sur 32) avant 1550 à 5 (sur 27) après 1550.

3° Le nombre des «gels» (colonne C) passe dans le même temps de 11 sur 32 à 17 sur 27, soit de 4 sur 32 à 9 sur 27 pour les gels ordinaires, et de 7 sur 32 à 8 sur 27 pour les gels sévères.

4° La mention «beaucoup de neige» (colonne D) augmente radicalement après 1550 (de 2 sur 32 à 8 sur 27); plus exactement après 1560. La mention «neige» simple, au contraire, tombe.

5° D'autre part, on voit baisser après 1550 le nombre des hivers «doux et très doux» (colonne H) : de 9 sur 32 à 6 sur 27; spécialement celui des «très doux» : de 4 sur 32 à 0 sur 27.

ANNEXE 12

SÉRIES PHÉNOLOGIQUES :
DATES DE VENDANGES FRANÇAISES,
ET DONNÉES VITICOLES DIVERSES

Cette annexe comprend :
A) Les dates de vendanges méridionales [1];
B) Les différentes moyennes (méridionales, «centrales-septen-

_____
1. Rappelons que les dates de vendanges septentrionales se trouvent dans ANGOT, 1883 (ouvrage indispensable) et dans DUCHAUSSOY, 1934.

trionales» et «nationales») des dates de vendanges du «XVIᵉ siècle» (1484-1619), des XVIIᵉ et XVIIIᵉ siècles.

C) Diverses données sur les dates de vendanges, et sur les récoltes.

A) *Dates de vendanges méridionales*

a) J'indique d'abord les localités mises en cause dans le tableau ci-après, ainsi que le numéro de la colonne qui correspond à chacune d'entre elles. Toutes ces localités sont situées dans le comtat Venaissin, jusqu'au nº 75 inclus : de 1 à 75, il s'agit en effet de données tirées du fonds Chobaut d'Avignon à l'admirable dossier «Vignes et vendanges»; à partir du nº 76 inclus, les localités sont situées dans l'actuel département de l'Hérault, sauf indication particulière, et elles proviennent, sauf exception, des séries BB, accessoirement CC, FF et HH des archives communales.

1 Apt; 2 Aubignan; 3 Avignon; 4 Baume; 5 Bédarrides; 6 Bédoin; 7 Bollène; 8 Buisson; 9 Cabrières; 10 Caderousse; 11 Camaut; 12 Caromb; 13 Carpentras; 14 Caumont-sur-Durance; 15 Cavaillon; 16 Châteauneuf-du-Pape; 17 Courthezon; 18 Le Crestet; 19 Gadagne; 20 Gigondas; 21 Entraigues-sur-la-Sorgue; 22 L'Isle; 23 Jonquières; 24 Joucas; 25 Loriol; 26 Malaucène; 27 Malemort; 28 Mazan; 29 Montdragon; 30 Monteux; 31 Mormoiron; 32 Mornas; 33 Orange; 34 Calcernies; 35 Pernes; 36 Couvent des Augustins de Pernes; 37 Piolenc; 38 Puymeras; 39 Robion; 40 Saignon; 41 Sainte-Cécile; 42 Saint-Didier; 43 Saint-Romain-en-Viennois; 44 Saint-Saturnin-d'Avignon; 45 Sarrians; 46 Sault; 47 Saumanes; 48 Sérignan; 49 Sorgues; 50 Le Thor; 51 Vaison; 52 Valréas; 53 Vedènes; 54 Villedieu; 55 Villes-sur-Auze; 56 Violé; 57 Visan; 58 Propriété en tutelle de Douceline de Saze; 59 Muscat de l'évêque; 60 Cordeliers d'Avignon; 61 Bénédictins de Sainte-Catherine-d'Avignon; 62 Cordeliers d'Avignon (autre vignoble); 63 Morières, au terroir d'Avignon (A.C. Avignon, série FF); 64 Reste du terroir d'Avignon (*ibid.*); 65 Avignon (série HH); 66 Jour où la vendange a été admise à pénétrer aux portes d'Avignon (*ibid.*, série CC); 67 Avignon, ordonnances particulières de vendanges; 68 Chartreuse de Bonpas à Caumont; 69 Cavaillon : divers quartiers du terroir, non compris celui de Vergas; 70 Pertuis; 71 Muscat du Thor; 72 Oppède; 73 Laval; 74 Avignon (livre de raison d'un propriétaire à Morières); 75 *id.*, à Corambaud; 76 Valence (Drôme); 77 Cordes (Tarn); 78 Saint-Jean-du-Bruel (Aveyron); 79 Castres (Tarn); 80 Saix (Tarn); 81 Gaillac (Tarn); 82 Montpeyroux; 83 Gap (Hautes-Alpes); 84 Gignac; 85 Fabrègues; 86 Frontignan; 87 Marsillargues; 88 Montpellier; 89 Lunel; 90 Béziers; 91 Aniane; 92 Lansargues; 93 Mauguio; 94 Domaine de Méric, près de Montpellier; 95 Lodève; 96 Chusclan (Gard); 97 Narbonne (Aude); 98 Ordonnances des Cours de justice du comtat Venaissin; 99 Laudun (Gard); 100 Villefranche-de-Rouergue; 101 Cessenon-sur-Orb; 102 Bordeaux (Jurade); 103 Gironde (Abbaye de Bonlieu, A.D. Gironde, H 1136); 104 Sainte-Croix-de-Bordeaux (A.D. Gir., série H); 105 Saint-Seurin-de-Bordeaux

(A.D. Gir., série G); 106 Vignoble de l'Archevêque à Bordeaux;
107 Dossier du sénéchal de Bordeaux concernant les autorisations de
date de vendange par le chapitre Saint-Seurin (A.D. Gir., G. 1078);
108 Valladolid [2] (d'après B. BENNASSAR); 109 Montpezat-en-
Quercy, date effective de vendange (Sources : A.D. Tarn-et-Garonne, G 846 à 848 et III E, 680 sq.; LATOUCHE, 1923, p. 219);
110 Pichon-Longueville, Gironde (cette ultime série est tirée d'AN-
GOT, 1883).

b) Tableau des dates de vendanges par année et par localité. (Cf.
ce tableau aux pages ci-après.)

La suite des années (celles pour lesquelles on possède des données)
figure, de haut en bas, dans la colonne de gauche des pages successives et, le cas échéant, dans des colonnes intercalaires. A la ligne
supérieure des pages, on trouvera, de gauche à droite, les numéros
indicatifs des localités; et les colonnes sous-jacentes en précisent les
dates de vendanges. Ces dates elles-mêmes sont données en nombre
de jours comptés du 1er septembre = 1 (28 = 28 septembre; 34 =
4 octobre; 0 = 31 août; − 1 = 30 août, etc.). Pour toutes les dates
antérieures à 1583 (année languedocienne d'application du nouveau
calendrier), la correction grégorienne a été effectuée par l'auteur.

N.B. — Le chiffre 71 en 26-1602 est douteux et n'a pas été
compté dans les moyennes qui sont produites au paragraphe B de
cette annexe 12.

B) *Moyennes des dates de vendanges françaises du XVIe au XVIIIe siècle*

a) Dates de vendanges au XVIe siècle [3].

Avec Mme M. Baulant, dont les recherches, dans les archives
viticoles de la région parisienne, ont été capitales pour la réussite de
cette entreprise, nous avons mis au point une nouvelle série des dates
de vendanges au XVIe siècle, plus substantielles que celles que j'ai
publiées dans de précédents ouvrages (L.R.L., 1966 et 1967). Cette
nouvelle série représente la moyenne de six séries locales : Paris (série
BAULANT [4]), Dijon, Salins, Lausanne, Aubonne et Lavaux (séries
ANGOT, 1883). Autrement dit, la colonne de chiffres annuels ci-après
reflète les tendances annuelles et moyennes de la température printanière-estivale dans une région constituée par un axe Suisse-Jura-
Bourgogne-Ile-de-France (disons pour simplifier : France Seine-
Saône, ou France du Centre - Nord - Est). Les dates sont comptées
en jour à partir du premier septembre : ainsi «20» signifie «20 septembre», «31» signifie «1er octobre», etc.

2. Sur cette série, voir aussi BENNASSAR, 1967; et ANES ALVAREZ, 1967.
3. La série qui suit est plus étoffée, grâce à un nombre plus grand de
stations viticoles que celle qui avait été publiée, en cette même annexe 12 B
dans la première édition (française) de ce livre, en 1967.
4. On trouvera les bases de ces séries dans M. Baulant et E. Le Roy
Ladurie, «Dates de vendanges au XVIe siècle», *Mélanges en l'honneur de Fernand Braudel*, Toulouse, Privat,1972, p. 31-48.

ANNEES	58	ANNEES	59	ANNEES	13	110	ANNEES	13	19	60	62	110	ANNEES	13	61	108
1330		1360		1420			1450						1480			
1331		1361		1421			1451					45	1481			
1332		1362		1422			1452						1482			
1333		1363		1423			1453						1483			
1334		1364		1424			1454						1484	6		
1335		1365	13	1425			1455						1485			
1336		1366	31	1426			1456						1486			
1337		1367	46	1427			1457						1487			
1338		1368		1428			1458	7		7			1488			
1339		1369		1429			1459			28			1489			
1340		1370		1430			1460			18			1490			
1341		1371		1431			1461			13	27		1491			
1342		1372		1432			1462			5			1492			
1343		1373		1433	7		1463			33			1493			
1344		1374		1434			1464			20			1494			
1345		1375		1435			1465			35	59		1495			
1346		1376		1436	20		1466			28			1496		27	
1347		1377		1437	16		1467				17		1497			
1348		1378		1438	14		1468						1498			
1349	19	1379		1439			1469				20		1499			49
1350	21	1380		1440	7		1470				19		1500			40
1351	21	1381		1441	15		1471						1501			37
1352	36	1382		1442	9		1472						1502			
1353	8	1383		1443	12		1473						1503			39
1354	8	1384		1444	15		1474					45	1504			36
1355	14	1385		1445			1475		8		21		1505			
1356	29	1386		1446			1476	12			4	36	1506			48
1357	25	1387		1447			1477						1507			
1358	11	1388		1448			1478					25	1508			53
1359		1389		1449		49	1479						1509			

ANNEES	109	110
1480		
1481		
1482		41
1483	18	26
1484		14
1485	50	53
1486		
1487		
1488		
1489		
1490		
1491		
1492	25	
1493	29	
1494		
1495		
1496		
1497		
1498		
1499	34	
1500		
1501	16	
1502		
1503	27	
1504		
1505		
1506	36	
1507		
1508		
1509		

ANNEES	14	33	50	72	76	88	90	102	108	109
1510									45	
1511									35	
1512									45	25
1513									57	
1514										
1515										
1516										
1517									45	3
1518										
1519									47	
1520										
1521										
1522										
1523										
1524						5				
1525										
1526										
1527		40							61	
1528									53	
1529									45	
1530										
1531										
1532	3			3				32		
1533				12				40		
1534			5	3				29		
1535				15						
1536						20				
1537	19				20					
1538										
1539										

ANNEES	7	9	13	15
1540				
1541				10
1542				
1543				
1544				
1545				
1546				
1547				
1548				
1549				
1550	13			
1551	20		10	
1552				
1553	21			
1554				
1555				
1556			4	
1557				
1558				
1559				
1560				
1561				
1562		5		
1563				
1564				
1565				
1566				
1567				
1568		16		
1569				

ANNEES	62	76	101	106	108	109
1540		11			37	
1541					53	
1542					49	
1543					48	
1544						
1545					31	
1546					32	
1547						
1548						
1549	13					21
1550	15					10
1551	12			47		
1552	11			45		
1553	13			51		28
1554	7	30		41		
1555	12			49		
1556	6			41		
1557	18			70		
1558	15			52		
1559	2		19			
1560	12			40	54	
1561	4			28	41	
1562	3			24	47	
1563				40		16
1564				45	42	
1565				32	45	
1566				33	42	
1567				30	39	
1568				35	48	
1569				46		

ANNEES	10	13	16	19	24	26	30	35	36	50	63	64
1570												
1571		2										
1572									14			
1573									19			
1574									10			
1575									8			
1576									16			
1577			11						13			
1578				13	15				5			
1579									13			
1580												
1581									14			
1582									15			
1583									5			
1584									10			
1585						22			16			
1586						23				14		
1587									22			
1588									9			
1589	14						8					
1590						19			17			
1591	16								13			
1592						14	10		11			
1593						15			10			
1594						19			9			
1595	22	15							15	15		
1596			16			22		16				
1597	22					25						
1598	21						15				9	15
1599						8			-1			

ANNEES	65	71	79	83	90	97	104	105	106	107	108	109
1570									37			
1571									30			
1572									36		52	
1573									41		49	
1574									33		45	
1575									34		39	
1576									36		55	
1577											47	
1578											32	
1579				27							38	
1580											43	19
1581											35	
1582											44	
1583				22							31	
1584											33	
1585				25							53	
1586										28	35	
1587										33	30	
1588					14					25	33	
1589		23	31								39	
1590									28		43	
1591						37					44	
1592										27	42	
1593						41					36	
1594	9							50		50	37	
1595								33			32	22
1596								41		36	52	
1597								45			45	
1598								35			35	31
1599				20				24			31	

ANNEES	2	10	11	15	19	22
1600		25				
1601						
1602						13
1603	9				3	9
1604		16				
1605		19		12		
1606				13		
1607				1		
1608		21		12		
1609				15		
1610		20		11		
1611		19				
1612		24				
1613		23				
1614		22			19	
1615						
1616						
1617						
1618						
1619				7		
1620			18			
1621						
1622						
1623						
1624						
1625						
1626						
1627						
1628						
1629						

	26	28	30	33	35	36	38	50	55	63	64	66	77	83	84	87	88	89	90	91
1600			15		15	15						11		40						
1601	38					18													36	
1602	71					12					4									
1603	8					5			8					24						
1604			6			9	9		15							13				
1605	22					15	7		22	15						19				
1606	23					15			24											
1607	8				5	3			3											
1608						15			21						14				24	
1609			11			15								41						
1610						15			19							17	13			
1611						5			9											
1612				12		15			15				31			15				
1613			12			17			22						24	22				
1614				22		22			26			16			29	32		30		
1615		12				15										24		16		
1616		4	4			6										15				
1617		17	13		15	15			18			9		43		18	21	15		
1618			19			24			27			17		42		27				
1619	18				15	11						5		35		16			23	
1620			14	21		17						9								
1621			17			27		27	28											
1622	22				15	15		15	19			9		31						
1623	25		13		18	18		18						27		23				
1624	22					16		15		9				29						16
1625	26					21		22								24				25
1626		15		21	28	15		15	18	9	15	7		52		24				20
1627			30			31						27				37				
1628	44					32			36					53		39				31
1629	40					19			24			17		40		34			47	31

ANNEES	97	98	101	102	104	105	108
1600						54	32
1601		30				39	52
1602						27	35
1603				26		24	31
1604							35
1605						37	
1606					53	49	28
1607						33	33
1608	15					45	40
1609					30	24	46
1610			8	32		31	35
1611				24			37
1612				37			40
1613				39			38
1614							30
1615						31	22
1616					36	34	24
1617						28	42
1618				41			38
1619							42
1620				43			39
1621	26			50			49
1622							26
1623				30			39
1624	16						30
1625							38
1626	21				47		49
1627	31						49
1628	31						39
1629				35			52

ANNEES	10	26	30	33	36	52	55	57	66	77	81
1630		29	16		16				11		
1631			15		10						
1632					22		24		11		
1633					20		23		12	38	
1634			15		20		25				
1635			15	13	17			17	10		
1636					11		15				
1637			1		4				0		
1638					6						
1639					15						
1640					13					36	
1641					23					38	
1642					32						50
1643					19						
1644					19			22			
1645					9						26
1646					13					32	
1647		23			16						
1648			22		22			30			
1649					23				20		44
1650					16						42
1651					−1						23
1652					20						44
1653					13			22	31		
1654					15					33	37
1655					15			30			
1656	18				14						31
1657	17				15			30			
1658						22				25	
1659	12									23	

ANNÉES	83	87	88	89	90	91	96	97	102	105	108	109
1630		17			31							
1631	29	17						19				
1632					37	30		30				
1633		29				29				40	56	
1634	40			15	27	25					39	
1635	24	20				19	14				31	
1636		17				18					31	
1637		14			18	14					35	
1638		20				20					43	
1639		19									35	
1640		24				17				38	45	
1641	42	24	23			23	24				37	37
1642	46	34									38	
1643		28		18	28	26					40	
1644		26		17							40	
1645		18		13		18	18				41	
1646	27	13			36	17					24	
1647	34	23				20					37	
1648		31				29	35		30		44	
1649	44	34				30	32				38	
1650		22		19		22	26			40	36	
1651		20				15	22				32	
1652	46	30	20			27					37	
1653		24	22	18	26	23	15			29	33	
1654		30		24			28				44	38
1655		22				15					38	
1656											41	
1657			25			28					35	
1658		31	31								48	
1659		18	12	15			12				38	18

ANNÉES	5	16	26	36	50	57
1660						
1661				9		
1662						
1663						30
1664			21	15		
1665						
1666				16		
1667				26		
1668						27
1669						21
1670						
1671	11			17		22
1672				22		
1673				32		32
1674				20		
1675				41		48
1676				22		28
1677						31
1678	19			26		
1679	25			26		30
1680	17			23		22
1681				22		
1682						30
1683						27
1684					22	
1685					24	22
1686				17	23	21
1687				25		30
1688				34	34	36
1689				28	26	33

ANNÉES	103	105	108	110
1660			34	
1561			42	
1662		23	39	
1663		32	45	
1664			35	
1665		25		
1666	24	23		
1667				
1668				
1669			33	
1670			41	
1671			36	
1672			33	
1673			44	
1674			40	
1675			56	60
1676			35	
1677			38	
1678			54	
1679			43	
1680			46	
1681			37	
1682			44	
1683			37	
1684			45	
1685			40	
1686			35	
1687			40	
1688			51	
1689			36	

ANNÉES	5	16	30	32	35	36	50	57	62	63	67	81	82	83
1690	23						34	39				43		
1691	30						24	22						
1692							29	36						
1693								31						
1694								27						
1695					29		33	43						
1696	24						27		27					
1697								29	27					
1698						38		43	13					
1699							34		29					
1700							34		31					
1701						33		40	36					
1702						33		34	31				27	FORT TARD
1703			24			27		31	31		29	40		.35
1704						22		24	25					
1705								35	35				28	
1706						18		21	20				16	
1707						28		40	28					
1708						28		32	30					
1709		32				30		37	34				37	
1710			22			22		22	18	17			29	
1711						23		30					35	
1712						21		26					32	
1713			60			32		39					38	
1714						32		31					40	42
1715						24		31					27	
1716						36		35					41	
1717						30		34					32	
1718			12			13		19					23	
1719	14		14	15		25		25						

	62	66	73	74	75	77	79	80	81	83	84	86	87	88	89	90	91	96	98	101
1660						21			31	23			20	13	16	14				
1661		3											26		20					
1662													25	22	20		21	25		
1663													33	32	33		34			
1664		15											23	22			25	29		
1665													25				24			
1666	21			15	20					31			27	27	22		27			
1667	29			23	29				43	38			40	34	32			36		
1668	13			14	18				41				24		20					
1669	19			12									23	18	20		23			
1670	15			12	15				33				23	17			16			
1671	23												28	24	25		22			
1672	27			19			40						26	29	26		27	26		
1673	38			28					49				39	35	39					
1674	26									39			27	26			27	29		
1675					44	53	64			55			44		40		44			
1676			21		23								28		28					
1677			21		30	41			31	40			27		23					23
1678					32								33	29						
1679					30							27	32	25						
1680					28					34		25	25						17	
1681													22		22				14	
1682											29	30	38							
1683									36			28	27	22						
1684												25	28	21			19			
1685												17	29							
1686								29				21	26			27			21	
1687		24	30									30	38							
1688												38		36					31	
1689												34	35			32	29			

ANNÉES	84	85	86	87	88	89	90	91	92	96	98	102	105	108
1690			39	35	25						32			52
1691			31	26								26		38
1692			37	36										44
1693			42											57
1694		27						27		27				43
1695			40				38							51
1696			31						29				38	41
1697			30				28		30				23	55
1698			45				45	43					50	52
1699			31	36		45		31					29	34
1700			37	34		32	40							49
1701	39		47	47		49								54
1702			39			41		40						48
1703			31	31		33		27						41
1704	25		29	26										
1705			38	36		36		31	42					
1706	20		27	20		22		21	27					
1707			35						40					
1708			31			31		31						
1709			37						37					
1710				25		27		29						
1711	36					35		36	30					43
1712			33	29		33		36						44
1713	43		39	43		45	35	41						52
1714	42		40	39		39		41	38					58
1715	32		23	37		30		30	27					
1716	43		42			44	35							36
1717	39	34	37	37		35								37
1718	23		15		22	19		19	19					23
1719	20		18	25	21	21	25			28				30

ANNÉES	2	4	5	6
1720				30
1721			31	
1722				
1723				
1724				22
1725				
1726				
1727				
1728			14	
1729			27	30
1730			25	
1731			25	30
1732			22	
1733	30			
1734	15		9	15
1735	30			
1736				
1737	23			
1738	30		24	36
1739				30
1740	40		40	
1741				
1742	25			31
1743	36	37		40
1744			35	40
1745	27		21	
1746	33		33	
1747			22	32
1748	30	30	33	
1749	36		37	36

ANNÉES	16	22	26	28	30	32	35	36	55	57	62	79	81	82	83	84	85	86	87	88
1720						39		32								45		33		
1721						30		29	40					46	45	51			47	44
1722						28		31	28							36		31		31
1723						28		27	34							31		27	33	29
1724						19		15	25									18		12
1725						31		32								46		41		39
1726						23		30								31		19		24
1727						20		18			25					26				24
1728						22		14	23					27				9		22
1729						27		30						40		41		26	39	33
1730						26		26						39		42		18	32	
1731					27	32		28								46		31		41
1732			30			30		26						44		44		31	44	
1733							32	32						34				23		40
1734								14										9	16	32
1735							33	33						43				33		
1736				24				22								39		20		27
1737								23										30		27
1738							31	31						43		44		27	36	45
1739							31	28							35	43		19	28	
1740							40	40	47							55		41	44	
1741											26					35	30			
1742																46	38		33	
1743							34								44	54				
1744			35				35	36			39					43		37	41	
1745							22	22								38		33		
1746	40	33						33	33					47		48		38	40	
1747			30				29	32		26						47		30		
1748							27	30		33	34				44			34		
1749			38				33	36		37						51		40	46	

ANNÉES	89	90	92	94	95	96	97	99	100	101	102	108	109
1720	47											45	
1721	48		44						Tard			45	
1722	33		35									36	
1723	35		34									34	
1724	22											29	
1725	44				48			TRES TARD				49	
1726	22				41		37					41	
1727	23	30										41	
1728	22											41	30
1729	33											44	
1730	33					39						44	
1731	36											43	
1732	44				43							52	
1733	30										27	43	
1734	13					20						33	
1735	35				47		40				47	53	
1736	33					31					23	43	
1737	31		30	40		30					20	51	
1738			39								35	42	
1739	26		28									55	
1740	39	44	47										
1741	23		29							19		33	
1742	33		34	45		47	32						
1743	45		44	51	61		47					49	
1744	44	41		45	36				38				
1745	35			42	36							38	
1746	38			43	47	41	44				35	48	
1747	42		43	42	46						31	59	
1748	44		40	44	46							40	
1749		46		43	43		43				36	47	

ANNÉES	4	5	6	7	10
1750		25			
1751					
1752	30	28			
1753			31		
1754		26			
1755					
1756		34	35		
1757					
1758					
1759					
1760				29	
1761	30	28		35	
1762		24	27		
1763					
1764	30	31	31		
1765		30	35		
1766		29			
1767	30	30			
1768		26			
1769	39				
1770					
1771					45
1772	29				30
1773					44
1774	30	34			33
1775		34			
1776		33			33
1777		36			36
1778		29			21
1779					34

ANNEES	12	14	15	16	22	26	30	32	33	35	36	44	50	51	55	57	62	63	64	78
1750				27						25	28						29			
1751						28				29	31						35			
1752					30	30					28						27			
1753											31						32			
1754						31					32						31			
1755						30					29						30			
1756											34					45	36			60
1757										30	33				40					43
1758	32					39					32				39					52
1759											31							31		42
1760			25			25				26	32						30	29		43
1761			31			30					28						32	31		44
1762						33					29						Oct. 27	29		41
1763						33					28						35	29	33	40
1764						31				28	31						32	28		
1765			34			44					30		31				33	30	32	
1766						30					29		31				32	29	31	
1767			35			35				30	31		35				36	35		
1768		26				33				26	28		32				35	29	33	
1769		33	39			39				36	32		39				40	39		
1770		38	45			52	45				39		37				41	38		
1771		34	44				40				34		36				38	33	37	
1772			31	35			31				30		29				29	28		
1773		41	48	48			42	44			41		42				42	37		
1774		33	31	33						30	33		34	43			35	29		
1775		32	34				32			29	32		33	35	34		33	28		
1776		30	37	37		34							31	37			30	26		
1777		29	37	46								31	36	47			33	29		
1778		28	29	35		17				30			30	30				24		
1779			27	34		34	29	34		29			34	31	34			27		

ANNÉES	79	80	81	83	84	85	86	88	89	90	92	93	94	95	99	101	102	103	108	109
1750					43		31		37		38		33	37	35		30		44	
1751			41				36		36	38			40	37			41		44	
1752					40		26		34				39	39			39	46	37	
1753					39				25		33		33	38			38	39	33	
1754				43	38		24	31	30				37	36			46	59	40	
1755					37			33	38		38		34	39	39		35	39	45	
1756	38					41	36	38	38		38		44	48				52	54	
1757					34				34		35		40	40			38		43	
1758					47		33		40		41		46	48					49	
1759					37		25		38		39		39	33			27			
1760					36		20		37		38		36	33	37	25			48	
1761					43		29	36	39	38	39		42	43					42	
1762					42		25	34	35	38	38		41	41	37	35	24		35	
1763					42		23		34	36	34		41	42	33		38		48	
1764			27		39				32		35		38	35					29	
1765			40		45		26	34	38		38		44	45			37		44	
1766			39		44		29		33	37	36		43	45			39		42	
1767					38				32	37	33		40	40			35		35	
1768					43		32	38	33	42			41	41	43		30		38	
1769							41		48	42	43		42	50			32		36	
1770					46		42	39	46	46	47		45				47		50	
1771					40	40	34		38	45	39		40	47			28		42	
1772			28		33		31		32	31	30	36	29	36			26			28
1773			37		48				45	44	42	41	48				41		40	
1774			33		40		32		42	41	43	40	40	41					46	
1775		32	32		40				42	35	34	40	39	41					42	
1776			40		47					37	39	40	37	46						
1777			43		43				35	36	37	40	39	44						
1778			31		36		26		31	30	36		38	23	29	29				
1779		23	30		42				32	34	37		42	34	34				41	

ANNÉES	110	ANNÉES	10	12	14	16	19	22	23	26	32	33	35	36	37	39	44	50	52
1750		1780	32			34				39	29			32	32			33	
1751		1781	31			26		24		34				27				29	31
1752	33	1782	34		37	44				37		37	33	38					37
1753		1783	31		32	32				36			30	32			31		
1754	43	1784	29		24	31				30				24	30				
1755	22	1785								40				36		40			
1756	37	1786				41				39				32			34		
1757	29	1787				46				48				40					
1758	39	1788	29		38									24			22	41	
1759	24	1789												36					
1760		1790				41											37		
1761	20	1791																	
1762	17	1792				34							31						
1763	35	1793				40											37		
1764	24	1794				39	38												
1765	32	1795				35													
1766	36	1796																	
1767	35	1797																	
1768	29	1798																	
1769	29	1799																	30
1770	42	1800																	22
1771	27	1801																	26
1772	23	1802																	30
1773	37	1803																	
1774	28	1804				45			31										
1775	25	1805				50			37										
1776	33	1806							36										
1777	38	1807		28						26									
1778	29	1808										40	40						
1779	27	1809										53							

ANNEÉS	55	63	64	68	80	81	83	84	86	89	90	92	93	94	95	99	102	108	110
1780		28	32		25			40		26	32	32	33	42	33				26
1781		24			20			39		27	34	32	34	33		31			21
1782		33	37		26			40		38	38	40	39	38		44	38	46	21
1783		32	36		25			44	36	34	38	38	37	36	40	39		45	19
1784		23						35	32	26	30	31	30	34	40			42	20
1785	40	36						43		37	35	43	41	40	37	44			15
1786		35						36		30	33	34	34	39	39	46		41	22
1787		41		42	38			46		41	39	45		38	43	45		46	34
1788		22	24	23				30		23	30	31	34	29	32		16	35	12
1789		37				36		45			38	42		42	52			43	37
1790							Tard				42			41	45			43	23
1791											29			22				43	26
1792																		39	28
1793														42				38	
1794														32				45	
1795														28				43	
1796														38				41	
1797														33				44	
1798														36				39	
1799														48				44	
1800														38					
1801																			
1802																			
1803																			
1804		31																	
1805		42																	
1806		38																	
1807		28																	
1808		36																	
1809		42																	

ANNÉES	7	10	12	13	16	19	20	22	23	28	29	31	33	35	45	48	52	63	64	73
1810																		31		
1811				23									19					19		
1812				35													40	35	37	
1813		40		34										35				34	36	
1814			40	40					42					40			47	43	45	
1815				25														20		
1816		51		52										51				46		
1817				32										33				31		
1818				31	39									32			36	31		
1819				28	32									30			31	28		
1820				26	28									26				21		
1821				38	42									39			40	38		
1822				10	13			11						12			12	12	16	
1823				31										36			43	30		
1824				43	45		39							44			46	42		
1825	26			22	30	28	22				21			26			24	26		
1826	32	31		32	32	39	26				32	31	32			31	32			
1827	26	24		24							28			28	24		31	26		
1828	24	15		18		22			29		22		17	22			25	16		
1829	42	37		29	42	38			30		42		38	35			50	35		
1830	27	22		22		29					27							23		
1831	26	26		22	33	26					29		23				26			39
1832	34	35			41	35											42			
1833	26	26		23	30						26						31			
1834		29		23			29				27						31			
1835	38				42	42					37					38	38			
1836		36			36	31					33						36			
1837	35	34			39	34					36					32	39			
1838	41					38					37	38	38							
1839	44			30			32				37	33	37							

ANNÉES	99	ANNÉES	5	11	13	15	16	17	19	22	25	28	29	30	31	32	33	35	37
1810		1840							35	32					35				
1811		1841							34	27			27	27	30		27		
1812		1842							33	30			26	26	33				
1813		1843			39				42	39			40	39	45		39		
1814		1844			25				30	30		28	26	30	32		24		
1815		1845			36	34			43	36			36	36	43		36		
1816		1846			22	22			24	24			19	21	28			21	
1817		1847				22			30					26	34		20		
1818		1848							32	30					32		25		
1819		1849				25			34					27	34		24	29	
1820		1850				24		37	37	39				37			33	34	
1821		1851								40				36			36	41	
1822		1852							37					34			29	34	
1823		1853						43		40				40			37	40	
1824		1854								20	25			25				25	
1825		1855								30	24							31	
1826		1856								29	30			36				36	28
1827		1857								33	28			31				35	26
1828		1858		23						25				22		24	23	27	
1829		1859					28		26	24	22			22					
1830		1860					38	38	35					31				31	
1831		1861	30						25						26	31	26		
1832		1862						25	25					22		25	17	22	
1833		1863							28		24			23		23	18	22	
1834	29	1864																20	
1835	45	1865												25					
1836	40	1866																	
1837	37	1867																	
1838		1868																	
1839	41	1869							16										

ANNÉES	39	41	45	46	49	50	51	52	53	69
1840										
1841							29			
1842										
1843	38									
1844										
1845										37
1846			16							
1847										
1848					40					
1849					31				31	
1850								37		
1851										
1852				29	26	39				
1853						44				
1854						25				
1855						31				
1856			36							
1857		20	29			35				
1858			22			27				
1859			22			26		21		
1860			33			38		38		
1861			30					27		
1862			22							
1863			21							
1864										
1865										
1866										
1867										
1868										
1869										

Toutes les dates sont exprimées en calendrier grégorien (je remercie Mme Baulant qui m'a autorisé à publier dans mon livre cet extrait de notre travail commun : un article détaillé, qui sera publié avec nos deux signatures, apportera les références indispensables).

TABLEAU N° 1

1484	31	1523	17
1485	36,5	1524	14
1486	20	1525	20
1487	26	1526	26,7
1488	47	1527	39
1489	27,5	1528	33,5
1490	27	1529	43
1491	49	1530	21,5
1492	lacune [5]	1531	26
1493	35,5	1532	22,7
1494	18	1533	31,5
1495	12	1534	20,3
1496	40	1535	32
1497	31	1536	8
1498	26,5	1537	35
1499	28	1538	12,7
1500	14	1539	27,7
1501	19	1540	11,7
1502	25,3	1541	34,5
1503	16,7	1542	50
1504	17	1543	31
1505	43	1544	29,5
1506	28,3	1545	11,7
1507	18,3	1546	21,5
1508	32	1547	27
1509	24,7	1548	30,5
1510	30	1549	25
1511	43,7	1550	31,3
1512	23,7	1551	25,7
1513	27	1552	18,8
1514	28,3	1553	32,2
1515	31	1554	21,3
1516	10,5	1555	43,2
1517	21,5	1556	0,5
1518	28,3	1557	28,4
1519	37	1558	25
1520	23,7	1559	7,5
1521	22,5	1560	32,3
1522	23,3	1561	20,1

5. Pour 1492, les vendanges méridionales (*supra*, annexe 12 A, colonne 109, années 1492 et 1493) eurent lieu quatre jours avant celles de 1493. *S'il en a été de même dans le Nord*, le chiffre septentrional plausible pour 1492 serait «31,5».

1562	25,5	1591	30,8
1563	30,3	1592	34,8
1564	37	1593	33
1565	32	1594	35
1566	25	1595	31,9
1567	21	1596	34,7
1568	33,4	1597	42,6
1569	31,3	1598	29,4
1570	38	1599	10,5
1571	14,2	1600	41,9
1572	21,4	1601	37,8
1573	42,7	1602	21
1574	32,3	1603	11
1575	26,5	1604	27,4
1576	34,1	1605	21
1577	32,7	1606	39,6
1578	24,7	1607	23,3
1579	39,5	1608	34,5
1580	27,8	1609	27,3
1581	38,3	1610	21,5
1582	29,5	1611	14,7
1583	14,7	1612	32,6
1584	23,8	1613	27,5
1585	36,3	1614	37
1586	32,5	1615	23
1587	38	1616	7,3
1588	26,8	1617	36,3
1589	26,3	1618	36,3
1590	12,8	1619	23,3

Ces dates de vendanges du XVIe siècle, dont les bases documentaires sont déjà très solides, indiquent clairement la tendance aux vendanges tardives (et aux printemps-étés rafraîchis) qui se manifeste entre 1561 et 1600 ; voyez le simple tableau ci-après (rappelons que les corrections grégoriennes ont été faites par nous pour toute la période).

TABLEAU Nº 2

Nombre d'années dont la date de vendange tombe :

Décennie	Avant le 30 septembre inclusivement (dans le calendrier grégorien)	Après le 30 septembre (*idem*)	
1491-1500 (sur 9 ans)	5	4	
1501-1510 (sur 10 ans)	8	2	
1511-1520	7	3	
1521-1530	7	3	
1531-1540	7	3	
1541-1550	5	5	
1551-1560	7	3	
1561-1570	4	6	Moins d'étés chauds
1571-1580	5	5	
1581-1590	6	4	Davantage d'étés frais
1591-1600	2	8	
1601-1610	7	3	

b) Dates de vendanges aux XVIIᵉ et XVIIIᵉ siècles.

Les chiffres qui suivent proposent, d'après plusieurs dizaines de vignobles disséminés, deux séries de données moyennes pour les dates de vendanges de la France du Nord et du Sud ; notons que le tableau qui précède celui-ci et qui est relatif au XVIᵉ siècle (voir ci-dessus annexe 12, B, a, tableau 1) peut aisément s'articuler et se souder avec la colonne «Nord» du tableau ci-après.

DATES DE VENDANGES EN FRANCE [6]

(Midi, Centre et Nord)
Écarts, en jours, à la moyenne des années 1599-1791.

Année	Sud	Nord	Moyenne nationale	Année	Sud	Nord	Moyenne nationale
1599	− 15	− 19	− 17	1604	− 11	− 11	− 11
1600	− 1	+ 8	+ 3,5	1605	− 6	− 14	− 10
1601	+ 2	+ 9	+ 5,5	1606	0	+ 6	+ 3
1602	− 8	− 11	− 9,5	1607	− 15	− 11	− 13
1603	− 14	− 22	− 18	1608	− 4	+ 2	− 1

6. Sur les bases méthodologiques géographiques et statistiques très larges de ce tableau, cf. L.R.L., *Les Paysans de Languedoc*, éd. complète, 1966, vol. I, p. 20 et suiv. ; et début du vol. II.

Année	Sud	Nord	Moyenne nationale	Année	Sud	Nord	Moyenne nationale
1609	− 5	− 4	− 4,5	1657	− 5	− 10	− 7,5
1610	− 8	− 19	− 13,5	1658	− 1	+ 3	+ 1
1611	− 11	− 14	− 12,5	1659	− 13	− 9	− 11
1612	− 6	+ 1	− 2,5	1660	− 11	− 15	− 13
1613	− 5	− 6	− 5,5	1661	− 8	− 11	− 9,5
1614	− 2	+ 7	+ 2,5	1662	− 6	0	− 3
1615	− 9	− 13	− 11	1663	+ 3	0	+ 1,5
1616	− 11	− 25	− 18	1664	− 5	− 5	− 5
1617	− 5	+ 4	− 0,5	1665	− 4	− 8	− 6
1618	+ 2	+ 6	+ 4	1666	− 7	− 9	− 8
1619	− 10	− 9	− 9,5	1667	+ 3	+ 1	+ 2
1620	− 6	0	− 3	1668	− 6	− 10	− 8
1621	+ 7	+ 16	+ 11,5	1669	− 8	− 11	− 9,5
1622	− 9	− 3	− 6	1670	− 8	− 4	− 6
1623	− 7	− 7	− 7	1671	− 7	− 9	− 8
1624	− 11	− 12	− 11,5	1672	− 2	+ 1	− 0,5
1625	− 5	+ 3	− 1	1673	+ 8	+ 10	+ 9
1626	− 5	− 3	− 4	1674	− 2	0	− 1
1627	+ 10	+ 12	+ 11	1675	+ 19	+ 19	+ 19
1628	+ 8	+ 15	+ 11,5	1676	− 3	− 16	− 9,5
1629	+ 5	− 14	− 4,5	1677	− 2	0	− 1
1630	− 6	− 11	− 8,5	1678	+ 2	− 8	− 3
1631	− 9	− 9	− 9	1679	0	− 4	− 2
1632	+ 2	+ 6	+ 4	1680	− 4	− 10	− 7
1633	+ 3	0	+ 1,5	1681	− 5	− 8	− 6,5
1634	− 4	− 4	− 4	1682	0	+ 7	+ 3,5
1635	− 8	− 4	− 6	1683	− 3	− 6	− 4,5
1636	− 10	− 4	− 7	1684	− 4	− 17	− 10,5
1637	− 14	− 22	− 18	1685	− 6	− 5	− 5,5
1638	− 8	− 21	− 14,5	1686	− 6	− 17	− 11,5
1639	− 8	− 8	− 8	1687	+ 3	0	+ 1,5
1640	− 2	− 3	− 2,5	1688	+ 8	− 1	+ 3,5
1641	− 1	+ 1	0	1689	+ 1	+ 3	+ 2
1642	+ 6	+ 4	+ 5	1690	+ 5	+ 1	+ 3
1643	− 5	+ 4	− 0,5	1691	− 3	− 5	− 4
1644	− 7	− 14	− 10,5	1692	+ 3	+ 15	+ 9
1645	− 11	− 14	− 12,5	1693	+ 9	− 1	+ 4
1646	− 9	− 3	− 6	1694	+ 2	− 4	− 1
1647	− 6	− 3	− 4,5	1695	+ 9	+ 9	+ 9
1648	+ 1	+ 2	+ 1,5	1696	0	0	0
1649	+ 4	+ 8	+ 6	1697	0	0	0
1650	− 3	+ 3	0	1698	+ 13	+ 17	+ 15
1651	− 12	− 8	− 10	1699	+ 1	− 1	0
1652	0	− 5	− 2,5	1700	+ 6	+ 10	+ 8
1653	− 11	− 9	− 10	1701	+ 11	+ 3	+ 7
1654	− 2	+ 5	+ 1,5	1702	+ 4	+ 3	+ 3,5
1655	− 6	− 8	− 7	1703	0	+ 6	+ 3
1656	− 6	− 3	− 4,5	1704	− 6	− 8	− 7

Année	Sud	Nord	Moyenne nationale	Année	Sud	Nord	Moyenne nationale
1705	+ 3	+ 6	+ 4,5	1749	+ 7	+ 2	+ 4,5
1706	− 11	− 11	− 11	1750	− 1	+ 1	0
1707	+ 3	+ 1	+ 2	1751	+ 4	+ 11	+ 7,5
1708	+ 1	− 1	0	1752	+ 1	+ 8	+ 4,5
1709	+ 2	+ 1	+ 1,5	1753	− 2	− 4	− 3
1710	− 5	0	− 2,5	1754	+ 3	+ 6	+ 4,5
1711	0	+ 5	+ 2,5	1755	0	− 4	− 2
1712	0	+ 1	+ 0,5	1756	+ 6	+ 10	+ 8
1713	+ 9	+ 12	+ 10,5	1757	+ 2	− 1	+ 0,5
1714	+ 7	+ 6	+ 6,5	1758	+ 7	0	+ 3,5
1715	− 3	+ 4	+ 0,5	1759	− 1	− 5	− 3
1716	+ 5	+ 11	+ 8	1760	− 1	− 8	− 4,5
1717	+ 2	+ 2	+ 2	1761	+ 1	− 8	− 3,5
1718	− 11	− 17	− 14	1762	− 2	− 11	− 6,5
1719	− 9	− 12	− 10,5	1763	+ 1	+ 7	+ 4
1720	+ 6	+ 3	+ 4,5	1764	− 1	− 5	− 3
1721	+ 9	+ 7	+ 8	1765	+ 3	+ 1	+ 2
1722	0	0	0	1766	+ 2	+ 2	+ 2
1723	− 1	− 6	− 3,5	1767	+ 2	+ 8	+ 5
1724	− 11	− 7	− 9	1768	+ 2	+ 3	+ 2,5
1725	+ 9	+ 17	+ 13	1769	+ 6	+ 3	+ 4,5
1726	− 3	− 14	− 8,5	1770	+ 11	+ 14	+ 12,5
1727	− 9	− 7	− 8	1771	+ 5	+ 2	+ 3,5
1728	− 11	− 6	− 8,5	1772	− 2	0	− 1
1729	+ 3	+ 2	+ 2,5	1773	+ 9	+ 9	+ 9
1730	+ 1	+ 6	+ 3,5	1774	+ 3	0	+ 1,5
1731	+ 4	0	+ 2	1775	+ 2	+ 2	+ 2
1732	+ 6	+ 1	+ 3,5	1776	+ 2	+ 5	+ 3,5
1733	+ 1	+ 1	+ 1	1777	+ 4	+ 8	+ 6
1734	− 13	− 6	− 9,5	1778	− 4	− 3	− 3,5
1735	+ 7	+ 8	+ 7,5	1779	+ 1	− 5	− 2
1736	− 2	− 4	− 3	1780	0	− 6	− 3
1737	− 2	− 5	− 3,5	1781	− 3	− 15	− 9
1738	+ 4	+ 1	+ 2,5	1782	+ 4	+ 4	+ 4
1739	− 1	0	− 0,5	1783	+ 1	− 8	− 3,5
1740	+ 13	+ 17	+ 15	1784	− 4	− 9	− 6,5
1741	− 9	+ 1	− 4	1785	+ 4	+ 3	+ 3,5
1742	+ 3	+ 9	+ 6	1786	+ 1	+ 2	+ 1,5
1743	+ 10	+ 6	+ 8	1787	+ 9	+ 7	+ 8
1744	+ 6	+ 5	+ 5,5	1788	− 5	− 12	− 8,5
1745	− 1	+ 6	+ 2,5	1789	+ 6	+ 7	+ 6,5
1746	+ 8	0	+ 4	1790	+ 1	0	+ 0,5
1747	+ 3	+ 4	+ 3,5	1791	− 4	− 6	− 5
1748	+ 3	+ 2	+ 2,5				

C) *Données allemandes sur la qualité du vin. Indice moyen annuel de la qualité du vin dans les vignobles du Rhin, d'après Müller, 1953, p. 188 et suivantes* (période 1453-1622)

Nous avons utilisé, à l'exemple de von RUDLOFF, 1967, un système numérique simple qui tient compte des qualificatifs variés employés par les chroniqueurs des diverses régions du vignoble rhénan pour apprécier le vin de l'année. Ces appréciations se trouvant réunies dans la belle compilation documentaire de MÜLLER, 1953 ; notre système numérique vise simplement à indiquer commodément la tendance annuelle, de façon à dégager ensuite une tendance décennale (cf. *infra*).

Les adjectifs utilisés par les chroniqueurs, et à leur suite, par MÜLLER (*«sauer»*, *«mittelmässig»*, *«extra-gut»*, etc.) ont tous été ramenés par nous à trois niveaux seulement : bon, moyen, mauvais. Nous posons la *bonne* qualité en chiffres *négatifs*, la *mauvaise* qualité en chiffres *positifs*, soit :

$$Bon = -6$$
$$Ma\ (Mauvais) = +6$$
$$Mo\ (Moyen) = 0$$

Les notes intermédiaires entre ces trois chiffres résultent d'un calcul de moyennes ; elles pondèrent des appréciations régionales divergentes ou contradictoires (puisque certaines années la qualité du vin n'est pas la même dans les diverses régions du vignoble rhénan) selon une moyenne arithmétique extrêmement simple. Les notes intermédiaire entre 0 et − 6, et entre 0 et + 6, indiquent donc que l'année viticole a été, d'après les appréciations divergentes des chroniqueurs de chaque région, *inégale* ou (et) *incertaine*, quant à la qualité du vin. Nous en tirons la série annuelle suivante :

TABLEAU N° 1

1453	Ma			+ 6
1454	Ma			+ 6
1455	Ma			+ 6
1456	Ma			+ 6
1457		Mo		0
1458		Mo		0
1459	Ma			+ 6
1460	Ma			+ 6
1461			Bon	− 6
1462		Mo		0
1463		Mo	Bon	− 3
1464			Bon	− 6
1465	Ma		Bon	0
1466	Ma			+ 6
1467			Bon	− 6
1468	Ma	Mo		+ 3

1469	Ma			+ 6
1470		Mo	Bon	− 3
1471	grêle, pas de vin			(0)
1472	Ma	Mo	Bon	0
1473			Bon	− 6
1474			Bon	− 6
1475			Bon	− 6
1476	Ma Ma		Bon	+ 2
1477		Mo		0
1478			Bon	− 6
1479			Bon	− 6
1480			Bon	− 6
1481	Ma			+ 6
1482			Bon	− 6
1483			Bon Bon	− 6
1484			Bon	− 6
1485	Ma Ma	Mo		+ 4
1486			Bon	− 6
1487		Mo		0
1488	Ma			+ 6
1489	Ma			+ 6
1490	Ma			+ 6
1491	Ma			+ 6
1492	Ma			+ 6
1493			Bon	− 6
1494			Bon	− 6
1495			Bon	− 6
1496			Bon	− 6
1497	Ma		Bon	0
1498	Ma			+ 6
1499			Bon	− 6
1500			Bon	− 6
1501	Ma			+ 6
1502	Ma	Mo		+ 3
1503	Ma		Bon	0
1504			Bon Bon	− 6
1505			Bon	− 6
1506			Bon Bon	− 6
1507	Ma		Bon	0
1508		Mo	Bon	− 3
1509			Bon	− 6
1510			Bon	− 6
1511	Ma			+ 6
1512	Ma		Bon	0
1513	Ma		Bon	0
1514			Bon	− 6
1515	Ma			+ 6
1516			Bon Bon	− 6
1517	Ma			+ 6
1518			Bon	− 6

1519			Bon	− 6
1520	Ma			+ 6
1521			Bon Bon	− 6
1522			Bon	− 6
1523			Bon	− 6
1524	Ma			+ 6
1525			Bon	− 6
1526	Ma			+ 6
1527	Ma			+ 6
1528			Bon	− 6
1529	Ma			+ 6
1530	Ma			0
1531			Bon Bon	− 6
1532			Bon	− 6
1533	Ma			+ 6
1534			Bon	− 6
1535			Bon	− 6
1536			Bon	− 6
1537			Bon	− 6
1538	Ma			+ 6
1539			Bon	− 6
1540			Bon	− 6
1541			Bon	− 6
1542	Ma			+ 6
1543			Bon	− 6
1544		Mo		0
1545			Bon	− 6
1546			Bon	− 6
1547			Bon	− 6
1548	Ma	Mo		+ 3
1549		Mo		0
1550			Bon	− 6
1551			Bon	− 6
1552			Bon	− 6
1553			Bon Bon	− 6
1554	Ma		Bon	0
1555	Ma			+ 6
1556		Mo	Bon Bon	− 4
1557	Ma Ma		Bon	+ 2
1558			Bon	− 6
1559	Ma			+ 6
1560		Mo		0
1561	Ma			+ 6
1562			Bon	− 6
1563	Ma			+ 6
1564			Bon	− 6
1565	Ma		Bon	0
1566	Ma			+ 6
1567			Bon	− 6
1568	Ma			+ 6

Année	Ma	Mo	Bon	Valeur
1569	Ma			+ 6
1570	Ma			+ 6
1571	Ma			+ 6
1572			Bon	− 6
1573	Ma			+ 6
1574	Ma			+ 6
1575			Bon Bon Bon	− 6
1576			Bon	− 6
1577	Ma			+ 6
1578	Ma		Bon	0
1579	Ma			+ 6
1580	Ma		Bon	0
1581	Ma			+ 6
1582	Ma		Bon	0
1583	Ma Ma		Bon	+ 2
1584			Bon	− 6
1585	Ma Ma			+ 6
1586	Ma		Bon	0
1587	Ma			+ 6
1588	Ma Ma	Mo		+ 4
1589	Ma Ma		Bon	+ 2
1590	Ma		Bon Bon Bon Bon Bon	− 4
1591	Ma Ma			+ 6
1592		Mo	Bon Bon	− 4
1593	Ma	Mo	Bon	0
1594	Ma Ma			+ 6
1595	Ma Ma		Bon	+ 2
1596			Bon Bon	− 6
1597	Ma Ma			+ 6
1598	Ma Ma			+ 6
1599			Bon	− 6
1600	Ma Ma			+ 6
1601	Ma Ma Ma			+ 6
1602	Ma			+ 6
1603			Bon Bon	− 6
1604	Ma Ma		Bon	+ 2
1605			Bon Bon Bon	− 6
1606	Ma Ma Ma			+ 6
1607	Ma		Bon Bon	− 2
1608	Ma		Bon Bon	− 2
1609	Ma Ma	Mo		+ 4
1610			Bon Bon	− 6
1611	Ma Ma		Bon Bon Bon	− 1,2
1612	Ma		Bon Bon Bon	− 4
1613	Ma Ma		Bon Bon	0
1614	Ma Ma		Bon	+ 2
1615			Bon Bon Bon	− 6
1616			Bon Bon Bon	− 6
1617	Ma Ma Ma			+ 6
1618		Mo	Bon	− 3

1619	Ma		Bon Bon	− 2
1620		Mo	Bon Bon	− 4
1621	Ma Ma		Bon	+ 2
1622		Mo Mo	Bon Bon	− 3

TABLEAU N° 2

Indices décennaux de la *mauvaise* qualité du vin (sommes décennales des chiffres ci-dessus du tableau n° 1).

$$1453\text{-}1462 : + 30$$
$$1463\text{-}1472 : − 3$$
$$1473\text{-}1482 : − 34$$
$$1483\text{-}1492 : + 16$$
$$1493\text{-}1502 : − 21$$
$$1503\text{-}1512 : − 27$$
$$1513\text{-}1522 : − 18$$
$$1523\text{-}1532 : − 6$$
$$1533\text{-}1542 : − 24$$
$$1543\text{-}1552 : − 39$$
$$1553\text{-}1562 : − 2$$
$$1563\text{-}1572 : + 18$$
$$1573\text{-}1582 : + 18$$
$$1583\text{-}1592 : + 12$$
$$1593\text{-}1602 : + 26$$
$$1603\text{-}1612 : − 15,2$$
$$1613\text{-}1622 : − 14$$

N.B. Rappelons que, paradoxalement, les chiffres *positifs* indiquent la *mauvaise* qualité du vin ; et que les chiffres *négatifs* indiquent la *bonne* qualité.

Bien entendu, les données de base (tirées de MÜLLER) de ces tableaux sont toujours *grossières* et parfois *fragiles*. Elles n'ont d'intérêt que dans la mesure où elles dégagent une tendance très nette, et où elles vérifient de façon rustique, et surtout indépendante, les tendances au rafraîchissement qu'indiquent simultanément (de manière beaucoup plus précise) dates de vendanges et glaciers alpins, pour la période 1563-1602, ou 1554-1602.

ANNEXE 12 *bis*

1787-1788 : MOISSONS, VENDANGES, ET CLIMAT
(Cf. *supra*, t. I, p. 92-94.)

A propos de 1788, il convient aussi de se reporter à cet autre texte dont j'ai pris plus récemment connaissance, sur les causes météorologiques de la mauvaise moisson de 1788, mère de disette et d'émeutes en 1789 : «*Les pluies continuelles d'octobre et de novembre 1787* se sont en partie opposées aux semailles de blé, d'où il résulte que les terres n'ont pas été ensemencées. L'orage du 13 juillet 1788 a détruit une partie des récoltes, et la récolte générale de 1788 est décidée médiocre [1].» Désormais, les facteurs de la mauvaise récolte de 1788 (dont les conséquences historiques ont été littéralement incalculables) apparaissent dans l'ordre suivant : pluies excessives d'octobre et de novembre 1787 [2], coup d'échaudage au début de l'été 1788, orage et grêle du 13 juillet 1788. Sur les liens complexes entre mauvaise récolte et l'émeute de subsistance, voir G. RUDÉ, 1856 ; COBB, 1945 ; E. P. THOMPSON, 1966 ; ROSE, 1959.

ANNEXE 13

QUELQUES TEXTES MÉDIÉVAUX SUR LES GLACIERS
(Cf. chapitre VI)

Aux archives de la cure de Greissan (région d'Aoste), un curé du XIXᵉ siècle note dans un livre de raison qu'en septembre 1284 il y a eu rupture de barrage glaciaire («des glaces») par le lac de Ruitor (gonflé du fait des pluies). La «vidange» aurait emporté dans la vallée d'aval l'église de Greissan et construit le tertre ou «moraine» dit de Gargantua. Cette référence serait tirée du livre de l'avocat CHRISTILLIN (vers 1840). En dépit de recherches activement menées,

---

1. Observations présentées par les sieurs Leleu au principal ministre le 14 août 1788, et citées par G. BORD, 1887 (fin du livre), p. 24.
2. D'une façon générale, l'été et l'automne de 1787 semblent avoir été froids et probablement pluvieux (date de vendange tardive) ; la moisson ratée de 1788 résulte ainsi des inconvénients d'une année trop fraîche (1787) et d'une année trop chaude (1788) : combinaison paradoxale, et qui s'est avérée désastreuse. S'agit-il d'un cas fortement accentué, mais, en un certain sens, classique, «d'alternance biennale» ? (Cf. *supra*, t. I, p. 60, note 45).

je n'ai pu retrouver qu'un exemplaire atrocement mutilé de ce livre très rare ; le passage en question n'y figurait pas [1].

Le texte de 1300 sur la crue relative de l'Allalin est cité par LUTSCHG (1926).

STOLZ (1928) cite un texte de 1315 qui prévoit des remises d'impôts et de fermages pour tout un groupe de fermes de l'Otzthal, dont le sol a été détruit *« ex alluvionibus et inundationibus »*. Mais rien ne prouve qu'à l'origine de ce phénomène se trouve une ancienne poussée du glacier de Vernagt.

L'historien valdotain DU TILLIER (ms. de 1742, éd. de 1880 et rééd. de 1953, p. 127), originaire lui-même de Morgex, écrit : «La tour et maison forte des nobles de Rubilly et de Rovarey qui auraient dû résister à un déluge d'eau si l'on en juge par les restes que l'on voit encore sur la grève, *sive glair,* du voisinage, ont été renversés par un débordement de ce même lac de Ruitor, on ne sait pas précisément en quelle année, mais ce dut être avant 1430, car il n'apparaît pas qu'elle (la tour) ait été munie d'une garnison aux audiences générales de cette année-là, comme le furent toutes les autres maisons fortes de la Valdigne.» Or on sait par Duc, 1901, III, f. 403, que Rovarey existait encore en 1340 ; et d'autre part DU TILLIER *(ibid.)* mentionne Rubilly comme existant encore en 1371. Les méfaits du Ruitor, *à supposer qu'ils eussent été réels,* auraient donc eu lieu entre 1371 et 1430.

Après 1430, un long intervalle mène au texte de 1513 : cette année-là, une délimitation de propriété signalerait dans le Genderstal, sous le Schwarzhorn (Tyrol), un *Ferner* (glacier) qu'on retrouverait encore en 1607, et en 1844 d'après d'autres textes. Actuellement, ce glacier (?) aurait fait place à un simple névé. (Textes cités par STOLZ, 1928.)

En 1531, on transforme dans le Passeiertal (Tyrol) un vignoble en prairie, «parce que, à cause de l'air du glacier, la récolte de vin n'y veut pas mûrir» *(ibid.).*

On remarquera l'évanouissement complet des textes (même douteux) significatifs d'avance glaciaire, entre 1430 et 1513. Serait-ce en ces trois quarts de siècle que se situerait le minimum le plus accusé des glaciers bas-médiévaux (entre les poussées cataloguées Xd [XIIIe siècle] et Xf [XVIIe siècle] par MAYR, 1964) ?

Quant au texte affirmant une forte décrue glaciaire en 1540, il est cité et critiqué par RICHTER, 1891, p. 5-20, à propos des glaciers de Grindelwald commentés par STRASSER (Der Gletschermann). Mais c'est un texte de seconde main, tardif et tiré de ALTMANN, 1751, p. 23 et de GRÜNER, 1760 (ou GRÜNER, 1770, p. 329), dont la seule source repérable [2] (à ma connaissance) serait ce passage peu connu

---

1. Il n'est pas d'usage d'insérer dans un livre une «petite annonce» : puis-je néanmoins faire une exception à cette règle, et demander au lecteur qui trouverait, dans une bibliothèque européenne ou américaine, un exemplaire *complet* du livre de CHRISTILLIN, 1840, de me le faire savoir (écrire à L.R.L., 88, rue d'Alleray, PARIS XVe).

2. COOLIDGE, 1911 (cf. également *Jahrbuch der Schweiz. Alp. Club,* vol. 27, p. 266, note 1), croit lui aussi à une filiation par STUMPF, 1548.

de STUMPF (Description de la Suisse), tome II (an 1548), p. 284 :
«Bey etlichen heissen Summers Zeyten als im Jahr Chrysti 1540 gewesen gadt auch etwan der alt Schnee ab, doch niemermeer also gar dann das die obristen Spitzen statigs Schnee behaltend.»

Or, ce texte de STUMPF ne parle pas de glaciers, mais de névés.

Il est possible pourtant que GRÜNER ait tiré ce renseignement, non de STUMPF, mais des archives anciennes de la paroisse de Grindelwald. Un bref retrait glaciaire vers 1540, tel que celui évoqué par STRASSER et GRÜNER, n'est nullement inconcevable. (Cf. les décennies estivales chaudes de 1520 et 1530 à l'annexe 12 B et C.)

ANNEXE 14

ÉCART THERMIQUE MOYEN À ANNECY
EN DEGRÉS CENTIGRADES
(1843-1913/1773-1842)

MOYENNE DES TEMPÉRATURES EN DEGRÉS CENTIGRADES

	Hiver	Printemps	Été	Automne	Année entière
1773-1842 ..	0° 640	9° 035	18° 290	9° 939	9° 461
1843-1913 ..	0° 619	9° 766	19° 114	10° 702	10° 050
Différence ..	− 0° 021	+ 0° 731	+ 0° 824	+ 0° 763	+ 0° 589

Source : MOUGIN, V, 1925, p. 104 (calculs effectués par l'auteur à partir des moyennes décennales produites par MOUGIN).

ANNEXE 15

NOTES EXPLICATIVES DES DIAGRAMMES D'ASPEN [1]

(Pour chaque graphique, sont indiqués en premier lieu le nom de l'auteur et les sources qu'il a utilisés.)

— *XI*[e] *siècle* —

Diagramme XI-1 : L'auteur est HERLIHY ; la source : *Monumenta Germaniae historica ;* cf. D. HERLIHY, 1962.

XI-2 : HELLEINER. Sources : WEIKINN (C.), 1958, I ; CURTS-

---

1. La bibliographie, qu'impliquent ces *notes explicatives*, doit énormément au travail de W. B. WATSON, 1962 b. Qu'il en soit remercié.

DIAGRAMMES D'ASPEN

XIème S. : INFORMATIONS CLIMATIQUES - SÉRIES COMPARÉES

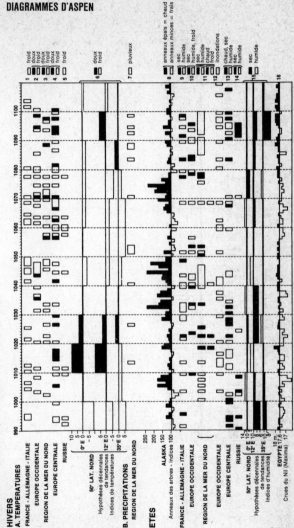

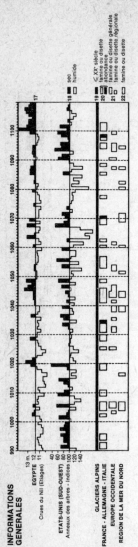

DIAGRAMMES D'ASPEN

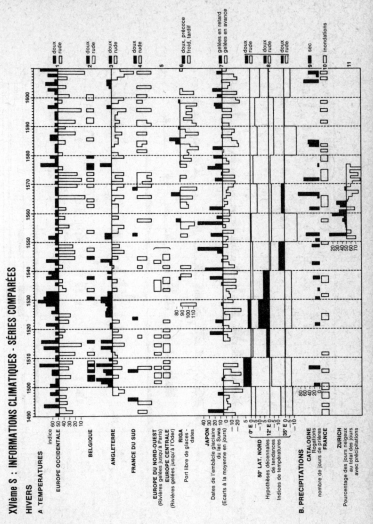

XVIème S : INFORMATIONS CLIMATIQUES - SÉRIES COMPARÉES

HIVERS

A TEMPÉRATURES

EUROPE OCCIDENTALE — Indice

BELGIQUE

ANGLETERRE

FRANCE DU SUD

EUROPE DU NORD-OUEST
(Rivières gelées jusqu'à Paris)
EUROPE CENTRALE
(Rivières gelées jusqu'à l'Oder)

RIGA
Port libre de glaces - dates

JAPON
Dates de l'embâcle glaciaire du lac Suwa
(Écarts à la moyenne en jours)

50° LAT. NORD

Hypothèses décennales de tendances
Indices de températures

B. PRÉCIPITATIONS

CATALOGNE
Rogations
nombre de jours de prières
FRANCE

ZURICH
Pourcentage des jours neigeux
au total des jours avec précipitations

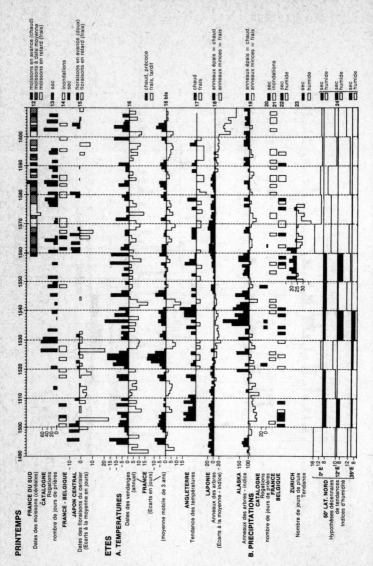

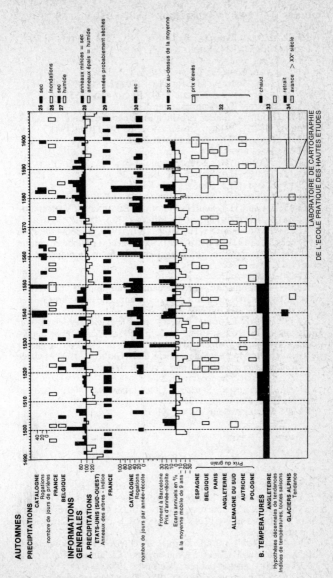

AUTOMNES

PRECIPITATIONS

CATALOGNE
Rogations
nombre de jours de prières
FRANCE
BELGIQUE

INFORMATIONS
GENERALES

A. PRECIPITATIONS

ETATS-UNIS (SUD-OUEST)
Anneaux des arbres - indice
FRANCE

CATALOGNE
Rogations
nombre de jours par année-récolte

Froment à Barcelone
Prix d'année-récolte

Ecarts annuels en %
à la moyenne mobile de 9 ans

Prix du grain

ESPAGNE
BELGIQUE
PARIS
ANGLETERRE
ALLEMAGNE DU SUD
AUTRICHE
POLOGNE

B. TEMPERATURES
ANGLETERRE
Hypothèses décennales de tendances
Indices de températures, toutes saisons
GLACIERS ALPINS
Tendance

25 sec
26 inondations
27 humide

28 anneaux minces = sec
    anneaux épais = humide
29 années probablement sèches

30 sec

31 prix au-dessus de la moyenne

32 prix élevés

33 chaud

34 retrait
    avance > XXᵉ siècle

LABORATOIRE DE CARTOGRAPHIE
DE L'ÉCOLE PRATIQUE DES HAUTES ETUDES

CHMANN (F.), 1900 ; VANDERLINDEN (E.), 1924 ; BRITTON (C.E.), 1837.

XI-3 : MANLEY. Sources : BAKER (T. H.), 1883 ; BRITTON, 1937 ; VANDERLINDEN, 1924 ; SHORT (T.), 1749 et 1750.

XI-4 : LAMB. Sources : voir XI-6.

XI-5 : LAMB. Sources : BUCHINSKY (I. E.), 1957.

XI-6 : LAMB. Sources : HENNIG (R.), 1904 ; EASTON, 1928 ; BETIN (V. V.), 1957 ; VANDERLINDEN, 1924 ; BUCHINSKY, 1957.

XI-7 : MANLEY (G.) Sources : voir XI-3.

XI-8 : GIDDINGS. Source et principes de construction des indices : GIDDINGS (J.-L.), 1948, p. 26-32 ; 1952, p. 105-110 et 1941.

XI-9 : HERLIHY (D.). Source : voir XI-1.

XI-10 : HELLEINER (K.). Source : voir XI-2.

XI-11 : MANLEY (G.). Source : voir XI-3.

XI-12 : LAMB. (H.). Source : WEIKINN, 1958, I.

XI-13 : LAMB. (H.). Source : voir XI-15.

XI-14 : LAMB. (H.). Source : BUCHINSKY, 1957.

XI-15 : LAMB. (H.). Sources : HENNIG, BUCHINSKY, VANDERLINDEN, BETIN, BRITTON, *op. cit.* et MÜLLER (K.), 1947.

XI-16 : LAMB. Source : TOUSSOUN (O.), 1925, p. 366-410. Pour les années 822 à 1321 de notre ère (IXe-XIIIe siècle : période encadrant le XIe siècle), la moyenne des étiages est à 11,64 m, la moyenne des crues à 17,59 m.

XI-17 : LAMB. Source : voir XI-16.

XI-18 : Série inédite, amicalement communiquée par H. C. FRITTS. Indice 100 : croissance moyenne annuelle des arbres mis en cause dans le dernier millénaire.

XI-19 : LE ROY LADURIE. Sources : pour le glacier d'Aletsch, voir ŒCHSGER et ROTHLISBERGER, 1961, p. 191 et *Radiocarbon supplement* (de l'*American Journal of Science*), vol. I, p. 138. Pour le glacier de Grindelwald, forêt fossile décrite dans GRÜNER, 1770 et datée dans *Radiocarbon supplement, ibid.*, vol. 3, p. 44.

XI-20 : HERLIHY. Source : voir XI-1.

XI-21 : HELLEINER. Sources : CURTSCHMANN, 1900 ; VANDERLINDEN, 1924 ; BRITTON, 1937.

XI-22 : MANLEY. Source : voir XI-3.

— *XVIe siècle* —

XVI-1 : LE ROY LADURIE. Source : EASTON, *op. cit.*

XVI-2 : HELLEINER. Source : VANDERLINDEN, 1924.

XVI-3 : MANLEY. Sources : SHORT, HOLINSHED, d'après BAKER, 1883 ; VANDERLINDEN, 1924 ; MOSSMAN (R.), 1902 et diverses sources d'archives.

XVI-4 : LE ROY LADURIE. Sources : Archives de l'Hérault et fonds CHOBAUT au musée Calvet d'Avignon, etc. (Cf. annexe 12.)

XVI-5 : HELLEINER. Source : WEIKINN, 1958, I.

XVI-6 : LAMB. Source : BETIN, 1957. Dates comptées en nombre de jours à partir du 1ᵉʳ janvier de l'année mise en cause. L'ordonnée 87 (18 mars) marque la date moyenne d'ouverture du port dans la période 1900-1949.

XVI-7 : ARAKAWA. Sources : ses articles de 1954 et de 1957. Le point 0 correspond à la date moyenne du gel complet du lac au XVIᵉ siècle (8 janvier, dans le calendrier grégorien). La ligne de démarcation des rectangles blancs et noirs correspond à la date moyenne du gel dans la période 1720-1953 (soit au 11 janvier).

XVI-8 : LAMB. Sources : cf. XI-6 ; voir aussi MOSSMAN, 1902 et TYCHO-BRAHÉ, éd., 1876.

XVI-9 : GIRALT. Sources : *Arxiu Historic Municipal* de Barcelone, série « Ordinacions » et « Dietari de l'Antic conseil Barceloni » (inédits).

XVI-10 : LE ROY LADURIE. Source : CHAMPION (M.), 1858-1864.

XVI-11 : LAMB. Source : *Journal* de Wolfgang Haller, de Zurich (1550-1576), éd. 1875.

XVI-12 : LE ROY LADURIE. Sources : baux de moissons dans les archives des chapitres de Narbonne, Béziers, Agde (A.D. Aude et Hérault, série G et notaires d'Agde).

XVI-13 : GIRALT (cf. XVI-9).

XVI-14 : LE ROY LADURIE et HELLEINER. Sources : CHAMPION, 1858-1864 ; VANDERLINDEN, 1924.

XVI-15 : ARAKAWA, 1955, p. 147-150 et 1956, p. 559-600. Le point 0 correspond à la date moyenne de floraison au XVIᵉ siècle dans le calendrier grégorien (17 avril). La ligne de démarcation des rectangles noirs et blancs correspond à la date moyenne de floraison pour la série complète des « cerisiers », qui s'étend au IXᵉ au XIXᵉ siècle. Cette date moyenne interséculaire est au 15 avril. (Cf. ARAKAWA, 1957, p. 4.)

XVI-16 : LE ROY LADURIE. Source : cf. annexe 12.

XVI-16 *bis* : LE ROY LADURIE (voir XVI-16). Soit *b* l'écart en jours pour une année donnée ; soit *a* l'écart de l'année précédente et *c* celui de l'année suivante. La moyenne mobile *m* pour l'année de *b* est donnée par la formule :

$$m = \frac{a + 2b + c}{4}$$

XVI-17 : MANLEY. Source : voir XVI-3.

XVI-18 : SIREN (G.) (voir courbes complètes et commentaires dans SIREN, 1961). Le point 0 (autour duquel s'ordonnent les écarts annuels à la moyenne, positifs ou négatifs) représente la croissance moyenne annuelle des arbres envisagés pour la période 1181-1960.

XVI-19 : GIDDINGS (voir XI-8).

XVI-20 : GIRALT (voir XVI-9).

XVI-21 : LE ROY LADURIE (voir XVI-10).

XVI-22 : HELLEINER. Source : VANDERLINDEN, 1924.

XVI-23 : LAMB (voir XVI-11).

XVI-24 : LAMB (voir XVI-8).

XVI-25 : GIRALT (voir XVI-9).

XVI-26 : LE ROY LADURIE (voir XVI-10).

XVI-27 : HELLEINER (voir XVI-22).

XVI-28 : FRITTS (voir XI-18).

XVI-29 : LE ROY LADURIE. Source : CHAMPION, 1858-1864 (années sans inondation recensée).

XVI-30 : GIRALT (voir XVI-9).

XVI-31 : GIRALT. Source : GIRALT, 1962. Cf. aussi GIRALT, 1958, p. 38-61. Sur le décalage d'un an vers l'amont de l'échelle chronologique de XVI-31, voir *supra*, p. 93.

XVI-32 : HELLEINER. Sources : Pour l'Autriche, A. F. PRIBRAM, 1938 ; pour l'Allemagne, J. M. ELSASS ; pour l'Angleterre, W. H. BEVERIDGE, 1939 et Th. ROGERS ; pour la Belgique, VANDERLINDEN, 1924 ; pour la France, BAULANT (M.) et MEUVRET (J.) ; pour la Pologne, d'après les travaux de RUTKOWSKY ; pour l'Espagne, d'après HAMILTON, 1934.

XVI-33 : MANLEY (voir XVI-3).

XVI-34 (glaciers) : LE ROY LADURIE. Sources : sur le retrait glaciaire de 1540, cf. *supra*, annexe 13, *in fine ;* pour le reste, cf. *supra*, chap. IV.

Les diagrammes d'Aspen ont été élaborés par Hidetoshi Arakawa, Harold C. Fritts, James L. Giddings, Emili Giralt Raventos, Karl F. Helleiner, David Herlihy, H. H. Lamb, Emmanuel Le Roy Ladurie, Gordon Manley, Gustaf Siren.

L'assemblage originel des diagrammes a été réalisé par la commission historique de la Conférence d'Aspen, présidée par W. B. Watson.

Le montage définitif est l'œuvre de Jacques Bertin et de Janine Recurat.

ANNEXE 16

DENDROCHRONOLOGIE

Sur la dendroclimatologie américaine, deux séries de travaux :

— Publications anciennes : A. E. DOUGLASS, 1919, 1928, 1936 ; ANTEVS, public. n° 352 et n° 469 ; W. S. GLOCK, public. n° 486 ;

— Publications plus récentes qui renouvellent complètement la question et sur laquelle se fonde notre exposé : toute la série des *Tree-ring Bulletin* publiés par l'Université de l'Arizona, et SCHULMAN, 1951 et 1956. Cf. aussi GIDDINGS, 1947 ; ZEUNER, 1949, chap. I ; A. LAMING-EMPERAIRE, 1952 ; A. DUCROCQ, 1955. Et dernièrement, fondamentale, toute la série des articles de FRITTS. Sur l'Europe occidentale, les données de base sont dans HUBER, 1964 (notamment le graphique final) et HOLLSTEIN, 1965. Cf. aussi HUBER, 1969, qui a donné un graphique très détaillé sur le dernier millénaire en Allemagne hessoise. Pour la France, voir DE MARTIN, article paru dans les *Annales E.S.C.*, 1970.

Nous reproduisons ci-après (en raison de son utilité pour les chercheurs et pour les historiens d'Allemagne, de Suisse, du Bénélux, d'Angleterre sud-occidentale, et de France nord-orientale) la chronologie majeure annuelle des *tree-rings* du chêne, dans les régions allemandes situées à l'ouest du Rhin, qu'a élaborée HOLLSTEIN, 1965, pour la période 820-1964 de notre ère.

CHRONOLOGIE DU CHÊNE POUR L'ALLEMAGNE À L'OUEST DU RHIN

Les chiffres indiquent l'épaisseur moyenne des *tree-rings* en 1/100ᵉ de millimètre. Le chiffre «n» (à droite) donne le nombre d'échantillons ou poutres de chêne mis à contribution pour chaque décennie.

Année	0	1	2	3	4	5	6	7	8	9	n
820			152	161	115	143	186	190	175	147	1
830	144	204	185	165	138	121	174	231	148	191	4
840	181	201	216	162	199	178	187	173	172	163	4
850	168	128	130	177	153	132	148	156	137	165	4
860	133	145	138	128	135	135	156	149	127	160	4
870	141	159	143	151	80	136	134	144	147	152	7
880	128	144	138	112	150	156	163	139	149	145	7
890	119	135	154	154	159	139	139	158	110	108	7
900	141	141	117	141	118	143	132	109	117	149	9
910	95	130	126	106	94	107	78	89	79	109	10
920	82	117	88	92	91	89	82	117	81	109	10
930	83	120	118	104	117	91	115	102	131	129	12
940	131	123	153	95	100	77	100	113	129	128	13
950	144	124	134	128	107	123	111	116	112	138	13
960	115	130	107	118	99	114	114	129	124	148	13
970	119	117	124	124	91	132	118	120	104	129	13
980	100	98	119	108	101	144	119	111	108	129	13
990	86	113	102	108	97	89	105	98	95	132	14
1000	94	124	116	133	109	116	110	109	115	121	14
1010	110	115	139	138	95	122	111	114	85	114	13
1020	99	139	116	131	127	113	131	128	106	104	11
1030	148	118	119	127	116	118	105	144	114	103	11
1040	123	110	114	92	78	115	113	118	100	119	12
1050	109	110	133	98	122	123	129	127	114	93	10
1060	129	110	113	145	100	130	145	138	162	132	8

Année	0	1	2	3	4	5	6	7	8	9	n
1070	107	111	118	166	122	131	121	134	108	139	7
1080	139	99	171	132	116	168	138	166	158	164	6
1090	109	163	189	180	180	164	160	187	168	170	4
1100	218	168	119	145	149	132	170	150	182	174	4
1110	174	118	193	148	196	184	256	288	216	248	4
1120	198	165	264	262	186	169	189	159	184	153	6
1130	211	188	187	142	180	178	174	135	178	180	10
1140	232	195	164	209	182	206	168	167	149	186	11
1150	147	158	121	186	169	155	184	159	175	155	11
1160	182	175	131	101	66	60	80	60	131	130	11
1170	115	149	142	154	156	148	119	81	126	124	11
1180	141	127	142	114	86	96	109	136	88	129	11
1190	130	138	102	143	128	147	133	111	140	121	11
1200	110	160	153	160	144	120	138	89	129	128	13
1210	148	131	92	118	108	116	115	86	108	137	13
1220	115	134	106	125	124	121	118	106	103	142	15
1230	125	108	95	75	83	100	84	113	109	108	15
1240	133	120	118	132	87	135	110	138	122	140	14
1250	135	133	86	114	92	122	121	85	111	99	14
1260	102	91	73	81	119	117	138	101	128	114	13
1270	77	118	93	110	108	134	86	116	72	95	13
1280	116	98	108	141	109	116	138	75	92	81	12
1290	101	95	115	101	87	111	130	98	133	106	12
1300	111	104	118	90	91	86	88	99	79	119	12
1310	96	93	125	109	121	109	127	126	113	113	14
1320	85	117	113	94	99	89	72	107	106	108	14
1330	90	94	86	83	93	103	79	98	97	88	14
1340	74	93	99	102	77	102	101	79	90	115	15
1350	84	100	86	75	107	85	102	84	126	132	14
1360	87	90	133	131	124	110	158	158	140	175	19
1370	157	130	131	132	150	133	143	130	143	126	22
1380	134	122	107	135	132	103	142	116	137	127	29
1390	116	126	121	84	89	86	72	82	129	128	34
1400	117	135	156	161	131	141	134	122	130	144	34
1410	166	152	145	140	139	119	144	94	111	96	32
1420	80	119	72	85	104	89	128	131	130	144	36
1430	143	123	120	112	88	132	152	143	126	135	30
1440	138	120	99	120	113	119	107	119	90	137	25
1450	114	137	99	108	136	132	145	135	125	99	23
1460	129	107	91	110	78	122	105	126	154	120	28

Année	0	1	2	3	4	5	6	7	8	9	n
1470	145	131	158	129	165	163	120	131	98	147	28
1480	150	149	137	138	188	139	144	179	150	135	28
1490	140	110	120	119	128	130	136	145	95	150	27
1500	117	143	138	89	73	120	84	119	109	131	27
1510	111	108	124	97	106	133	110	69	93	95	24
1520	85	112	100	103	110	98	128	111	152	137	23
1530	99	155	84	132	85	132	91	116	77	118	23
1540	100	111	124	116	136	128	108	93	109	100	23
1550	97	108	83	99	85	125	81	86	91	85	25
1560	131	124	144	120	122	125	96	87	120	101	28
1570	125	107	95	99	76	124	93	113	97	120	28
1580	118	129	99	86	136	124	136	117	94	131	26
1590	92	107	125	130	105	104	90	116	115	96	25
1600	113	88	93	69	97	96	117	148	118	118	24
1610	98	98	120	146	125	100	101	130	115	98	22
1620	83	73	91	124	103	130	99	139	93	101	19
1630	97	101	136	118	91	86	59	85	99	76	18
1640	93	90	100	103	75	84	82	82	119	113	20
1650	109	78	63	78	100	115	100	101	106	80	21
1660	98	122	97	108	124	99	105	76	76	95	22
1670	81	102	91	129	93	100	85	105	104	117	23
1680	112	81	118	121	93	94	118	122	147	132	22
1690	137	154	132	158	137	114	92	80	115	116	20
1700	128	133	123	116	150	108	145	132	130	82	21
1710	80	86	132	141	113	137	117	135	110	93	24
1720	121	110	137	103	122	155	133	188	120	137	26
1730	147	105	133	133	140	162	130	151	162	136	24
1740	147	98	116	89	65	87	137	130	109	136	25
1750	125	133	161	108	168	123	152	119	87	96	25
1760	85	139	104	149	130	107	132	119	153	145	21
1770	154	118	101	167	166	162	137	139	114	115	18
1780	103	90	96	124	100	107	79	100	172	170	15
1790	130	128	148	107	137	135	148	147	135	108	14
1800	110	128	88	108	118	122	97	107	86	134	14
1810	110	122	95	109	104	104	129	124	107	91	14
1820	111	126	90	136	130	93	112	111	118	128	14
1830	109	117	85	95	124	99	100	113	106	108	14
1840	112	100	115	94	84	93	77	105	104	120	13
1850	121	121	105	109	70	111	95	93	72	102	13
1860	108	125	132	118	119	102	119	115	98	105	13

Année	0	1	2	3	4	5	6	7	8	9	n
1870	64	115	101	102	96	127	89	121	119	118	13
1880	82	96	104	95	102	95	93	89	107	106	13
1890	106	104	89	71	130	137	123	126	154	125	14
1900	128	133	129	136	134	100	68	76	73	70	14
1910	116	111	127	125	133	98	135	124	128	100	13
1920	113	88	123	103	130	105	108	115	105	106	13
1930	107	131	130	105	97	99	112	97	114	87	12
1940	89	84	63	90	88	80	108	80	97	120	12
1950	108	117	104	124	119	123	84	67	98	97	10
1960	103	105	88	100	85	•	•	•	•	•	

ANNEXE 17

INDICATIONS RÉCENTES SUR LE CLIMAT DU XIIIe SIÈCLE

Ce livre était déjà terminé quand Gabrielle Démians d'Archimbaud, l'éminente archéologue des villages disparus de Provence, m'a fait parvenir la note suivante :

«*Rougiers* (Var). — Au cours des campagnes de fouilles 1965 et 1966, il fut possible d'étudier, à l'emplacement du village féodal disparu, les deux grottes C et F, qui apportent de nouvelles indications sur la période de semi-abandon marquant l'ensemble du *castrum* pendant la deuxième moitié du XIIIe siècle : «desserrement démographique» du site de hauteur, conduisant à une nouvelle implantation en plaine et, d'autre part, recrudescence passagère de la pluviosité.

«Les deux grottes se présentent de manière assez différente : la première a l'aspect d'une vaste salle approximativement rectangulaire (8 m × 6 m environ), la partie nord étant occupée par un important pilier stalagmitique ; la seconde est formée par un étroit couloir s'enfonçant dans la falaise rocheuse calcaire (1 à 2,50 m de large sur 5 m de long), une faille la parcourant sur toute sa longueur. Dans les deux cas, les dépôts tardifs, formés en surface depuis l'abandon définitif du site au début du XVe siècle, sont très peu importants : mince couche de sable et de blocs (détachés des parois ou du plafond rocheux) qui, dans la grotte F, ne recouvre même pas toute la superficie.

«Ceci contraste avec la présence en profondeur d'une couche de remblai apparemment naturel, intercalée entre les niveaux du début du XIIIe siècle (période d'aménagement du site), et ceux de l'extrême fin du XIIIe ou du début du XIVe siècle, l'occupation humaine se poursuivant ensuite de manière continue jusqu'au XVe siècle. Dans la grotte C, cette couche, caractérisée par la présence de nombreux blocs de pierre [souvent gélive (?)] et de cailloutis mêlés à de la terre très peu compacte, est particulièrement importante en zone nord. Dans la grotte F, le niveau stérile, beaucoup plus net, et épais d'une trentaine de centimètres, se poursuit de manière continue dans toute la fouille. Formé de sable jaune, de pierres et de graviers résultant de la décomposition du rocher, il s'intercale entre une couche de terre noire contenant des poteries du début du XIIIe siècle et des sols d'occupation nettement postérieurs (extrême fin du XIIIe et début du XIVe siècle).

« Il semble donc qu'après le premier aménagement du site effectué au début du XIIIe siècle, une période de semi-abandon ait suivi, les grottes restant inutilisées en raison sans doute des très fortes infiltrations d'eau pluviale dont l'abondance peut seule expliquer la constitution des importants dépôts naturels constatés en profondeur.

« L'épaisseur de ces niveaux ne peut manquer de surprendre, aucune accumulation comparable ne s'étant formée en surface depuis la désertion du XVe siècle.

« Il semble donc qu'on soit en présence d'un phénomène climatique particulier qui dut prendre place vers le milieu du XIIIe siècle : fortes pluies d'été, faible évaporation, qu'il serait tentant de mettre en rapport avec la phase plausible de rafraîchissement ou d'humidification et d'étés pourris constatée en d'autres points de l'Europe, et notamment dans les Alpes, à la même époque. S'agit-il ici d'un nouveau témoignage sur une fluctuation climatique en Europe occidentale ? »

Comme on voit, la concomitance est remarquable : étés pourris plausibles et rafraîchissement dans la France du Sud ; simultanément, corrélativement peut-être, avance des glaciers suisses, par « ablation » plus faible (cf. *supra*, t. II, p. 29 et 33-40), autour de 1230-1250.

ANNEXE 18

A PROPOS D'UNE CAVERNE DE L'ARDÈCHE

Les cavernes, comme on vient de le voir par l'annexe qui précède, n'ont pas fini d'apporter des révélations sur l'histoire du climat. Et il convient à ce propos d'évoquer maintenant les travaux prometteurs de J. LABEYRIE, 1967, et de ses collaborateurs. Ces chercheurs ont analysé les variations de la teneur en O 18 contenu dans $CaCO_3$ (carbonate de calcaire), au cours de la formation d'une stalagmite blanche en calcite très pure, stalagmite située dans l'aven d'Orgnac (Ardèche, France), et vieille de près de 7 000 ans. On sait que ces variations de l'O18 sont révélatrices de changements dans la température ambiante, tels que ceux-ci se répercutent sur la composition isotopique de l'eau ; de cette eau qui a contribué anciennement à former la stalagmite. Pour le dernier millénaire, qui nous intéresse ici, LABEYRIE obtient approximativement les valeurs suivantes [1], à partir de cinq prélèvements successifs :

Xe siècle : 12,1 °C
Ca 1150 : 11,5 °C
Ca 1450 : 11 °C
Ca 1750-1800 : 12,3 °C
Ca 1940 : 11,7 °C

ANNEXE 19

(rédigée avec la collaboration de
J.-P. LEGRAND et M. DEMONET)

LES DATES DE VENDANGES ANNUELLES ET SEPTENTRIONALES
DE 1484 à 1977
(série définitive)

Le présent texte vise à rectifier sur un point, et d'autre part à compléter vers l'aval chronologique (jusqu'à nos jours) la série de dates de vendanges qui fut publiée dans les *Annales E.S.C.* en juillet-août 1978 [1]. Le tableau de la page 765 de ce numéro qui donnait année par année la date annuelle et moyenne de vendanges dans le quart nord-est de la « Gaule » vinicole est exact jusqu'en 1778 inclusivement ; mais à partir de l'année 1779 comprise et jusqu'en 1879, il fournit à tort la date de vendange *en moyenne mobile de trois ans* pour l'année mise en cause (en ce qui concerne le mode de calcul, exact, de cette moyenne mobile, voir *Annales E.S.C.*, 1978, p. 768). Nous publions donc ici un tableau rectifié où toutes les années comportent la moyenne brute annuelle (et non la moyenne mobile), y compris pour la période mise en cause, de 1779 à 1879.

Nous avons d'autre part, grâce aux chiffres fournis par J.-P. Le-

1. Ces chiffres en degrés centigrades concernent en principe la température moyenne de la grotte. En fait, les variations positives ou négatives de la température qu'indiquent ces chiffres en degrés centigrades importent beaucoup plus que la valeur absolue des chiffres eux-mêmes. Ces variations sont significatives de réchauffement ou de refroidissement séculaires, qui affectent, à la date indiquée, *tout le cycle* de l'eau, depuis le moment où celle-ci s'évapore de l'Océan, jusqu'à sa condensation en pluie et jusqu'à son incorporation finale aux concrétions et stalagmites de l'aven d'Orgnac.

1. Micheline BAULANT, Emmanuel LE ROY LADURIE, Michel DEMONET, « Une synthèse provisoire : les vendanges du XVe au XIXe siècle », *Annales E.S.C.*, n° 4, 1978, p. 763-771.

grand, complété notre série de vendanges de 1880 jusqu'en 1977, toujours pour la région de Suisse et du quart nord-est de la France envisagée dans notre article précédent et avons donc utilisé pour cela les séries [2] de :

— région parisienne : Argenteuil (faisant suite à partir de 1868 à celle que nous avions utilisée auparavant) ;

— Bourgogne : Beaune et Volnay (même remarque que pour Argenteuil) ;

— Champagne : date régionale pour les vins de Champagne (série débutant en 1874) ;

— Jura : Pupillin (série débutant en 1914) ;

— Suisse : Aubonne et Vevey (même remarque que pour Argenteuil).

Nous avons pris comme série de référence Volnay, station qui à tous les points de vue est très proche de Dijon qui fut notre série de référence pour la période de 1484 à 1879.

Nous avons calculé, pour chacune des six autres séries, l'écart qui sépare l'une de l'autre la moyenne générale de cette série en particulier (pour toute la période envisagée des années 1870 à 1977), et la moyenne générale homologue pour la série de Volnay.

Au vu du calcul de ces six «écarts à la moyenne», il est apparu que toutes ces séries étaient plus tardives que celle de Volnay (de cinq jours en moyenne à Argenteuil, un jour à Beaune, un jour en Champagne, onze jours à Pupillin, treize à Aubonne, quinze à Vevey). Nous avons donc enlevé, pour chaque année de la série, la valeur locale correspondant à cet écart (cinq jours chaque année sur la série d'Argenteuil, un jour chaque année sur la série de Beaune, etc.), ceci afin de rendre ladite série entièrement compatible avec celle de Volnay. Cette «amputation» ou soustraction a été faite, dans les conditions ainsi définies, sur chaque année de chacune des six séries mises en cause, mais non pas évidemment sur celle de Volnay.

Les sept séries, Volnay y compris, étant ainsi devenues homogènes entre elles, nous avons calculé une moyenne générale pour chaque année. Enfin, nous avons constaté que pour la décennie 1868-1879, qui est *commune* à la série [B] (= 1880-1977) que nous venons d'élaborer dans le présent article, et à celle [A] (maintenant rectifiée) que nous avons publiée dans les *Annales E.S.C.* en juillet-août 1978 au sujet de la période qui va de 1484 à 1879, il y a un écart *d'une journée* de [A] à [B] ; autrement dit la série [B] est plus précoce *d'une journée* en moyenne par rapport à la série [A], en ce qui concerne cette décennie 1868-1879 qui fait la charnière entre [A] et [B]. Nous avons donc rajouté une journée à chaque année de la série [B] de 1880 à 1977. Elle devient dans ces conditions entièrement compatible avec la série [A] ; et elle en forme désormais le prolongement logique. Nous avons maintenant une série complète de dates de vendanges de 1484 à 1977.

---

2. Ces séries ont été publiées individuellement par J.-P. LEGRAND dans *La Météorologie*, VI, 9, 1977, p. 73 ; VI, 12, 1978, p. 173 ; 1980.

Date moyenne annuelle du début des vendanges, en France du
Nord-Est, Suisse romande et région sud-rhénane, de 1484 à 1977, en
nombre de jours, à compter du 1ᵉʳ septembre (calendrier grégorien).

1484	31,22	1531	26,22	1578	24,92	1625	33,93
1485	36,72	1532	22,92	1579	39,72	1626	30,00
1486	20,22	1533	31,72	1580	28,02	1627	44,64
1487	26,22	1534	20,52	1581	38,52	1628	43,11
1488	47,22	1535	32,22	1582	29,72	1629	20,10
1489	27,72	1536	8,22	1583	14,92	1630	20,25
1490	27,22	1537	35,22	1584	24,02	1631	21,41
1491	49,72	1538	12,22	1585	36,52	1632	36,42
1492	lacune	1539	27,92	1586	32,72	1633	35,71
1493	35,72	1540	11,92	1587	38,22	1634	31,03
1494	18,22	1541	34,22	1588	27,02	1635	28,40
1495	12,22	1542	50,22	1589	26,52	1636	10,91
1496	40,22	1543	31,22	1590	11,84	1637	8,73
1497	31,22	1544	29,72	1591	31,27	1638	10,43
1498	25,92	1545	11,92	1592	34,92	1639	26,02
1499	28,22	1546	21,72	1593	33,24	1640	33,30
1500	14,22	1547	27,22	1594	34,55	1641	33,03
1501	19,22	1548	30,72	1595	31,72	1642	35,37
1502	25,52	1549	25,22	1596	35,08	1643	34,84
1503	16,92	1550	31,52	1597	42,34	1644	20,18
1504	17,22	1551	25,92	1598	28,80	1645	17,42
1505	43,22	1552	19,02	1599	12,09	1646	25,56
1506	28,52	1553	32,42	1600	42,43	1647	25,98
1507	18,52	1554	21,52	1601	41,42	1648	32,70
1508	32,22	1555	43,42	1602	21,26	1649	37,25
1509	24,92	1556	0,72	1603	11,82	1650	31,83
1510	30,22	1557	28,62	1604	25,49	1651	22,01
1511	43,92	1558	25,22	1605	21,62	1652	24,91
1512	23,92	1559	7,72	1606	39,09	1653	22,40
1513	27,72	1560	32,52	1607	23,74	1654	35,09
1514	28,52	1561	20,32	1608	36,13	1655	21,47
1515	31,22	1562	25,72	1609	28,19	1656	29,51
1516	10,72	1563	30,52	1610	19,87	1657	20,99
1517	21,72	1564	37,22	1611	18,37	1658	31,51
1518	27,92	1565	32,22	1612	32,20	1659	18,00
1519	37,22	1566	25,22	1613	26,30	1660	19,00
1520	23,22	1567	21,52	1614	37,78	1661	18,81
1521	22,72	1568	33,62	1615	18,10	1662	27,47
1522	23,52	1569	31,52	1616	6,24	1663	36,05
1523	16,92	1570	38,22	1617	30,01	1664	24,28
1524	14,22	1571	14,42	1618	35,96	1665	20,77
1525	20,22	1572	21,62	1619	25,66	1666	20,48
1526	26,92	1573	42,92	1620	31,19	1667	28,88
1527	39,22	1574	32,52	1621	46,54	1668	21,49
1528	33,72	1575	26,72	1622	27,24	1669	18,31
1529	43,22	1576	34,32	1623	22,41	1670	23,47
1530	21,72	1577	32,92	1624	14,56	1671	19,73

1672	29,73	1722	27,30	1772	30,67	1822	19,92
1673	39,84	1723	19,22	1773	38,36	1823	41,56
1674	26,92	1724	21,49	1774	29,46	1824	39,45
1675	48,41	1725	45,61	1775	29,03	1825	20,80
1676	11,93	1726	14,97	1776	34,77	1826	28,68
1677	29,49	1727	16,64	1777	37,36	1827	26,51
1678	23,17	1728	18,90	1778	25,53	1828	29,88
1679	25,78	1729	30,31	1779	22,91	1829	39,93
1680	16,50	1730	35,11	1780	23,74	1830	31,36
1681	19,61	1731	25,35	1781	13,95	1831	28,45
1682	34,73	1732	29,18	1782	35,58	1832	34,65
1683	21,30	1733	26,72	1783	21,42	1833	27,92
1684	9,24	1734	22,80	1784	19,49	1834	17,87
1685	23,70	1735	36,71	1785	30,84	1835	33,71
1686	11,14	1736	24,02	1786	33,25	1836	33,06
1687	29,57	1737	22,60	1787	38,07	1837	37,38
1688	28,80	1738	29,19	1788	17,10	1838	37,07
1689	31,33	1739	27,64	1789	36,13	1839	28,06
1690	28,98	1740	44,32	1790	30,22	1840	25,50
1691	23,81	1741	27,74	1791	22,82	1841	29,36
1692	42,34	1742	36,20	1792	33,83	1842	19,26
1693	30,71	1743	33,18	1793	26,68	1843	42,28
1694	20,63	1744	33,54	1794	14,39	1844	24,56
1695	38,45	1745	32,64	1795	28,91	1845	40,70
1696	31,50	1746	27,58	1796	35,72	1846	14,79
1697	27,24	1747	30,40	1797	30,41	1847	32,94
1698	43,81	1748	29,84	1798	20,59	1848	28,27
1699	29,58	1749	28,36	1799	43,08	1849	29,07
1700	36,57	1750	28,96	1800	25,58	1850	36,74
1701	30,28	1751	39,21	1801	28,35	1851	38,22
1702	33,40	1752	35,70	1802	24,34	1852	29,27
1703	33,11	1753	25,38	1803	29,23	1853	39,28
1704	18,18	1754	33,47	1804	29,78	1854	33,74
1705	34,52	1755	23,47	1805	44,01	1855	35,81
1706	16,99	1756	37,79	1806	26,75	1856	34,70
1707	28,07	1757	28,17	1807	23,10	1857	22,13
1708	29,17	1758	27,30	1808	28,24	1858	22,33
1709	28,35	1759	24,42	1809	41,67	1859	21,08
1710	25,81	1760	22,00	1810	32,63	1860	41,84
1711	30,28	1761	21,19	1811	15,12	1861	26,19
1712	26,33	1762	17,80	1812	40,17	1862	23,94
1713	38,36	1763	36,36	1813	41,55	1863	26,81
1714	33,08	1764	23,23	1814	37,56	1864	28,53
1715	30,31	1765	31,22	1815	27,26	1865	9,41
1716	39,14	1766	30,23	1816	54,13	1866	31,84
1717	28,65	1767	42,98	1817	40,78	1867	29,62
1718	10,27	1768	32,82	1818	23,87	1868	13,30
1719	21,65	1769	32,12	1819	28,27	1869	24,94
1720	29,87	1770	43,32	1820	36,71	1870	17,12
1721	33,43	1771	33,31	1821	45,15	1871	31,62

1872	30,60	1899	23,17	1926	31,00	1953	22,14
1873	30,06	1900	24,33	1927	23,43	1954	34,86
1874	21,67	1901	17,83	1928	24,43	1955	30,29
1875	25,51	1902	31,00	1929	23,43	1956	39,86
1876	31,79	1903	30,67	1930	27,71	1957	28,83
1877	32,11	1904	15,17	1931	27,00	1958	29,43
1878	33,06	1905	22,83	1932	35,00	1959	13,86
1879	46,32	1906	21,00	1933	25,00	1960	19,86
1880	28,83	1907	31,50	1934	15,14	1961	22,86
1881	26,00	1908	20,67	1935	27,86	1962	36,57
1882	34,40	1909	33,14	1936	28,50	1963	35,57
1883	32,83	1910	35,33	1937	17,00	1964	18,29
1884	25,67	1911	14,00	1938	29,43	1965	39,71
1885	25,17	1912	30,71	1939	38,86	1966	25,57
1886	28,00	1913	29,00	1940	23,00	1967	25,83
1887	26,83	1914	29,86	1941	33,17	1968	28,43
1888	33,40	1915	17,67	1942	22,14	1969	29,43
1889	26,40	1916	31,00	1943	17,29	1970	28,29
1890	32,80	1917	12,40	1944	26,57	1971	17,00
1891	37,40	1918	24,00	1945	8,00	1972	34,71
1892	20,33	1919	26,86	1946	24,50	1973	22,29
1893	4,70	1920	22,86	1947	10,71	1974	27,50
1894	28,67	1921	16,86	1948	27,29	1975	24,57
1895	18,50	1922	25,86	1949	21,29	1976	5,14
1896	25,50	1923	29,71	1950	16,86	1977	34,50
1897	18,17	1924	23,29	1951	35,43		
1898	33,33	1925	25,29	1952	12,29		

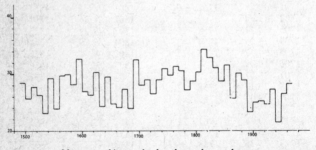

Moyenne décennale des dates de vendanges

Les moyennes décennales de cette courbe permettent d'étudier plus facilement la variation de la date de vendanges au plan séculaire, variation provoquée par des facteurs qui sont climatiques, mais qui sont aussi purement humains. On s'aperçoit que les dates de vendanges oscillent approximativement autour d'une moyenne biséculaire qui reste constante, de 1484 à 1700. Au XVIIIe siècle, en revanche, et jusque vers 1840, les vendanges deviennent de plus en plus tardives ; et ceci sous l'influence, notamment, des communautés de vignerons ; dominées par une élite de propriétaires, et d'exploitants soigneux et importants, elles cherchent à vendanger de plus en plus tard pour obtenir un meilleur vin, plus alcoolisé. Il est possible également que des changements de cépages aient poussé dans la même direction de « tardivité ». Après 1840 et jusque vers 1890, comme Robert Laurent l'a montré dans sa thèse sur la Bourgogne [3], la pression démocratique des petits vignerons qui sont moins soucieux de qualité que leurs confrères plus huppés, et le relâchement des institutions du ban des vendanges produisent un mouvement en sens contraire vers la précocité. Le greffage sur cépages américains après le phylloxera, à partir de la décennie 1880, a-t-il contribué également à cette tendance ? Un réchauffement [4] réel, à partir de 1890-1900, est venu se superposer à cette dérive d'origine humaine, en direction des vendanges précoces [5].

ANNEXE 20

LE CONTEXTE CLIMATIQUE DES GRANDES FAMINES
DU XVIIᵉ SIÈCLE D'APRÈS
L'OUVRAGE DE F. LEBRUN

Depuis l'édition américaine de ce *Times of feast, Times of famine*... (1971), qui a précédé l'édition anglaise, un livre important est paru et qui concerne de très près l'historiographie du climat : il s'agit de l'ouvrage de François Lebrun, *Les hommes et la mort en Anjou aux XVIIᵉ et XVIIIᵉ siècles* (Paris, La Haye, Mouton, 1971). Cette étude contient des données essentielles sur l'histoire climatique prise en elle-même et aussi (voir notamment le graphique hors-texte 41 de F. Lebrun) sur les causes météorologiques des grandes famines du XVIIᵉ siècle. Par ailleurs, elle éclaire l'environnement climatique des épidémies : les grandes vagues de dysenterie, par exemple, accompagnent les étés chauds et secs (1635, 1706, 1779) ; les maladies broncho-pulmonaires sévissent à l'occasion des hivers froids.

Mais je me tiendrai ici, dans cette brève exploitation de l'œuvre de F. Lebrun, à la météorologie *agricole* des très mauvaises années : en

---

3. Robert LAURENT, *Les Vignerons de la Côte-d'Or au XIXᵉ siècle*, Dijon, 1958.

4. J.-P. LEGRAND, dans un article de *La Météorologie* (mars 1979, p. 167-182), a proposé une méthode originale, basée sur la prise en considération des seules dates extrêmes (très précoces ou très tardives), pour éliminer le *trend* d'origine humaine, et pour mettre en évidence le *trend* séculaire ou décennal d'origine purement climatique.

5. Le texte de cette annexe 19 était primitivement paru dans les *Annales E.S.C.* en 1981 (p. 438).

effet, le style climatique des famines ne saurait demeurer indifférent
à qui veut comprendre une certaine histoire agraire. Au XVIᵉ siècle
(1556), au XVIIIᵉ siècle (récolte de 1788), au XIXᵉ (1846), les disettes
ou simples déficits frumentaires dans la moitié nord de la France
sont plus d'une fois liés à des épisodes d'échaudage : un coup de
soleil, à la fin du printemps ou au début de l'été, fait rôtir les grains
en lait, et les dessèche ; il prive la récolte à venir de tout rendement
substantiel. Or au XVIIᵉ siècle, si spectaculaire dans l'historiographie
de la faim, l'échaudage n'est pas le gros danger ; les grandes famines
de l'époque classique, celles de la décennie 1590, de 1630, de la
Fronde, de 1661, de 1694 et de 1709 dérivent d'hivers horriblement
froids ou très humides, ou d'étés pourris ; ou de ces deux ou trois
phénomènes successivement.

Laissons de côté cependant la décennie 1590 au cours de laquelle
la famine (autour de Paris, du moins) n'a joué qu'un rôle secondaire
dans le déclenchement des crises de subsistance ; tant les récoltes
étaient de toute façon menacées, chahutées ou compromises par les
guerres de religion et de la Ligue, par les randonnées des reîtres et
par la destruction du capital agricole. De même, au moment des
grandes famines de 1649-1652, l'arrière-plan climatique (hiver très
froid de 1649 et vendanges tardives de la décennie 1640, surtout vers
la fin de celle-ci) n'a joué qu'un rôle subordonné, quoique non
négligeable dans le destin fatal du blé. C'est la Fronde surtout,
davantage que la pluie, qui « tue » les grains vers 1650, par suite de
l'insécurité militaire, etc.

En revanche, la disette septentrionale de 1630 est bien la fille
unique du climat, du mauvais climat : d'après F. Lebrun, la moisson
angevine de l'été 1630, en bien des villages, est à peine supérieure au
volume de la semence ; du coup le prix du froment, dans l'Anjou,
atteint son record du XVIIᵉ siècle ; un record qui ne sera battu localement qu'une fois, et de bien peu, en 1661-1662. La cause immédiate
de ce désastre, quant au climat, n'est pas compliquée : l'année-récolte, de la veille des semailles à la moisson, autrement dit de
septembre 1629 à août 1630, a été, près d'Angers, remarquablement
humide et cyclonique : sur douze mois, on en compte seulement un
(juillet 1630) qui peut être considéré comme assez sec ; sept, très
mouillés (d'octobre 1629 à avril 1630 : soit une période d'humidité
qui concerne la majeure partie de la vie annuelle des céréales mises
en cause). Les quatre mois restants se sont montrés simplement
normaux.

Plus remarquable encore par sa clarté climatologique est la famine
de 1661 : elle éclate en pleine paix ; son épicentre est au pays de
Blois ; ses ravages sur les moissons, et par contrecoup sur les hommes, s'étendent aux régions de la Loire, et vers le sud du Bassin
parisien. Cette faim, qui coïncide avec l'avènement de Louis XIV, a
été, si l'on peut dire, le « banc d'essai » sur lequel ont été testées, par
Meuvret et par ses disciples, les théories de la crise de subsistance au
XVIIᵉ siècle, avec leurs thèmes essentiels : mortalité des pauvres,
concomitante avec la pointe cyclique du prix des céréales ; baisse du
nombre des conceptions pendant la période de cherté, à cause des

aménorrhées de famine, et par suite d'autres facteurs ; rôle multipli-
cateur des épidémies, propagées par l'errance des affamés, etc. Dé-
mographiquement exemplaire, cette famine de 1661, si l'on en croit
toujours les analyses de F. Lebrun, est par ailleurs révélatrice quant
au climat : l'hiver extrêmement froid de 1660 (déc. 1659, janv.-
fév. 1660) avait dépassé déjà les limites permises ; il avait provoqué,
dans les pays de la Loire, une récolte médiocre, mais pas catastrophique, en 1660. Hélas, de mars 1660 à février 1661, on ne devait
pas connaître, en Anjou, un seul épisode réellement et durablement
chaud, susceptible de frayer les voies dans de bonnes conditions à la
récolte de 1661. Or voici qu'à partir du moment où celle-ci sort de
terre, puis mûrit, les six mois qui vont de mars 1661 à août 1661 sont
tous humides ! Ces déluges font penser à ceux, du même genre,
qu'on avait connus vers 1315-1316. Ils provoquent, à partir de
l'été 1661, une famine de type médiéval. La situation ne deviendra
guère meilleure pendant l'année-récolte 1661-1662 : le beau temps y
fait peu parler de lui ; décembre 1661, janvier et février 1662 sont
fort pluvieux (on sait que l'hiver trop humide, au moins dans la
moitié septentrionale de la France, est défavorable aux semences, qui
pourrissent en terre et qui finissent par s'étouffer sous des légions de
mauvaises herbes). Le résultat global de ces successions d'abats
d'eau, puis de frimas n'est pas brillant : deux récoltes sont moyennes
ou surtout médiocres (1660 et 1662) ; une est totalement ratée (1661).
La famine qui découle de tout cela, dans la France ligérienne, est
probablement la pire du XVIIe siècle. Vers 1693-1694 enfin, la dernière grande famine du XVIIe siècle offrira — en Anjou toujours —
un tableau assez semblable : été et automne pourris et froids de 1692 ;
hiver froid de 1692-1693 ; printemps, été, et automne froids et
pourris de 1693 ; hiver froid de 1693-1694... Bref, de juillet 1692 à
janvier 1694, la «douceur angevine» est bien oubliée : on ne note
pas, alors, un seul épisode chaud ou sec qui soit digne d'être relaté
par les documents d'Anjou... Une fois de plus, dans le froid et dans
l'humidité, a germé, en 1693-1694, l'une des famines les plus atroces
de l'âge classique. Ces famines de froid et (ou) de pluie (décennie
1590, années 1630, 1649, 1661, 1694, 1709) sont à l'image de l'époque qu'on a dénommée «petit âge glaciaire». Les températures
moyennes, entre 1600 et 1700, sont un peu plus fraîches que pendant
les périodes de réchauffement du XXe siècle (1920-1950) ; la différence moyenne, du XXe au XVIIe siècle, est certainement inférieure à
1° C. Mais au niveau de quelques années ou de quelques suites
d'années exceptionnelles, cette différence se matérialise en séquences
d'étés pourris et d'hivers glacés, les uns et les autres néfastes aux
récoltes. Simultanément, les glaciers alpins sont plus gros vers 1600,
1645 ou 1680 qu'ils ne le seront de nos jours. Et le style de la
circulation atmosphérique, au XVIIe siècle, plus épanouie vers
l'équateur, plus ample, plus méridienne, plus lente aussi, bref por-
teuse d'hivers froids et d'étés pourris pour l'Europe, diffère, en
surface et en altitude, de ce qu'il deviendra dans notre époque : le
pessimum climatique de l'âge moderne s'oppose à l'*optimum* du premier XXe siècle.

Les famines de la période 1590-1709 sont donc bien les filles de leur temps : elles reflètent la météorologie désagréable du petit âge glaciaire ; et par ailleurs, elles sont suractivées par une structure économique et sociale qui engendre la pénurie et la misère ; si cette structure néfaste avait brusquement cessé d'agir, les désastres frumentaires dus au pessimum climatique n'auraient suscité, au niveau des groupes humains, que des petites crises sans importance.

Mais la question des structures économiques et sociales ne concerne pas notre livre, qui est d'histoire climatique. On nous permettra donc de conclure cette annexe 20 par une réflexion sur les combinaisons climatiques qui se sont avérées les plus favorables aux grandes famines en France du Nord pendant le XVIIe siècle. Après lecture de Lebrun, il me semble qu'il y a surtout deux types de combinaisons de ce genre :

1. *Ou bien l'association (pendant une ou plusieurs années consécutives) d'hivers très froids, et de printemps et d'étés frais et humides* (soit la combinaison la plus typique du petit âge glaciaire : hiver froid + été frais). Le cas paraît s'être réalisé en 1660-1661, en 1692-1694, en 1709 dans une certaine mesure, et enfin en 1740.

2. *Ou bien une combinaison un peu plus complexe qui associe à un hiver très humide et éventuellement doux, noyant les semences, un printemps et un été humides et froids.* Dans ce cas, seuls le printemps et l'été appartiennent typiquement au petit âge glaciaire (A). L'hiver humide et possiblement *doux* relève plutôt d'une autre tendance climatique un peu différente (B), et qui, en tout cas, n'a rien de glacial. C'est l'association de (A) et de (B) au sein de cette seconde combinaison qui crée (1630) ou qui entretient (1662) certaines grandes famines du XVIIe siècle (ou de la décennie 1310). Cette association de second type est du reste relativement rare, comme le montre précisément la faible fréquence, en tout état de cause, des très grandes crises de l'époque classique.

BIBLIOGRAPHIE

AARIO (L.), «Ein nachwärmezeitlicher Gletschervorstoss in Ober-fernau», *Acta geographica* (revue finlandaise), 1944 (paru en fait en 1945).

ADAMENKO (V. N.), «On the similarity in the growth of trees in Northern Scandinavia and in the polar Ural mountains», *J. Glac.*, fév. 1963, p. 449-451.

AGASSIZ (L.), *Étude sur les glaciers*, Neuchâtel, 1840.

AHLMANN (H. W.), «Vatnajökull», *Geog. Ann.*, 1937-1939.

AHLMANN (H. W.), «The Styggedal glacier», *Geog. Ann.*, 1940.

AHLMANN (H. W.), «The present climatic fluctuation», *Geog. Journ.*, avril 1949.

AHMAD (N.) et SAXENA (H. B.), «Glaciation of the Pindar River Valley, Southern Himalaya», *J. Glac.*, fév. 1963.

AIGREFEUILLE (Ch. d'), *Histoire de Montpellier* (Montpellier, édition de 1885).

ALBIGNY (P. d'), «Les calamités publiques dans le Vivarais», *Revue du Vivarais*, 1912, p. 370-381.

ALLIX (A.), *L'Oisans au Moyen Age*, Paris, 1929.

ALTMANN (J. G.), *Versuch einer historischen Beschreibung der helvetischen Eisbergen*, Zurich, 1751.

ANES ALVAREZ (Gonzalo), «La epoca de las vendimias : ... climatologia retrospectiva en España», *Estudios geograficos*, mai 1967.

ANGOT (A.), «Étude sur les vendanges en France», *Annales du Bureau central météorologique de France*, 1883.

ANGOT (A.), «Premier catalogue des observations météorologiques faites en France depuis l'origine jusqu'en 1850», *Annales du Bureau central météorologique de France*, 1895, I.

ANTEVS, «The big tree as a climatic measure», *Carnegie Institut. of Wash.*, public, n° 352.

ANTEVS, «Rainfall and tree growth in the great Basin», *ibid.*, public. n° 469.

ARAKAWA (H.).
    Les publications de cet auteur ont été réunies dans ARAKAWA : *Selected papiers on climatic change*, Meteorological Research Institute, Tokyo, s. d. ; cf. notamment dans ce recueil les articles

suivants, parus auparavant dans diverses revues spécialisées :
« Climatic change as revealed by the data from the Far East »,
Weather, vol. XII, 1957 ; cf. surtout les graphiques.
« Twelve centuries of blooming dates of the cherry blossoms at
the city of Kyoto and its own vicinity », *Geofisica pura e applicata*,
vol. 30, 1955 : tableaux de chiffres complets.
« Climatic change as revealed by the blooming dates of the
cherry blossoms at Kyoto », *Journal of Meteorology*, vol. 13, 1956 :
graphiques.
« Fujiwhara on five centuries of freezing dates of Lake Suwa in
the Central Japan », *Archiv. für Meteorologie, Geophysik und Bio-
klimatologie*, Série B, vol. 6, 1954.
« Dates of first or earliest snow covering for Tokyo since 1632 »,
Quarterly Journal of the Royal Meteorological Society, vol. 82, 1956.
ARLÈRY (M.), GARNIER (M.), etc., Contributions au numéro spécial
de météorologie agricole de la *Météorologie*, oct.-déc. 1954.
ARNOD (Le juge Philibert Amédée), Description des Glaciers sa-
voyards, 1691-1694, cf. VACCARONE, 1881 et 1884.
AUBERT (Édouard), *La vallée d'Aoste*, Paris, 1861.
AYMARD (A.), Note critique dans *Revue des Études anciennes*, 1951,
p. 126-129.
BAEHREL (R.), *Une croissance : la Basse-Provence rurale*, Paris,
1961.
BAKER (T. H.), *Records of the seasons... and phenomena observed in
the british isles*, Londres, 1883.
BANNISTER (B.), « Dendrochronology » dans *Science in Archaelogy*,
édité par BROTHWELL (D.) et HIGGS (E.), Londres/New York,
1963, p. 161-176.
BANNISTER (B.), ROBINSON (W.), WARREN (R.), Tree-ring dates
from Arizona (J), *Hopi Mesas Area, Lab. of tree-ring res.* Université
de l'Arizona, Tucson, 1967, et données similaires pour d'autres
régions, 1968.
BARATIER (E.), *La démographie provençale du XIIIᵉ au XVIᵉ siècle*,
Paris, 1961.
BARETTI, « Il lago del Ruitor », *Bolletino del club Alpino italiano*,
1880, p. 46-76.
BAULANT (M.) et MEUVRET (J.), *Prix des céréales extraites de la mer-
curiale de Paris*, Paris, 1962.
BECKINSALE (R.), « Climatic change, a critique of modern theories »,
dans WHITTOW (J.) et WOOD (P.), *Essays in geography for Austin
Miller*, Reading, 1965, p. 1-38.
BENGSTON (K. B.), « Activity of the Coleman Glacier, Mount Baker,
Washington, U.S.A., 1949-1955 », *J. Glac.*, vol. 2, 1952-1956,
p. 708.
BENNASSAR (B.), *Valladolid au siècle d'or*, Paris, 1967.
BERNARDI (A.), *Il monte Bianco* (1091-1786), Bologne, 1965.
BETIN (V. V.), « Ledovye uslivija v raione Baltiiskovo morja i na
podkhodakh knemu i ih mnogoletnge izmenenija » (Les glaces
dans la Baltique : variations longues), Moscou, *Gosudarstvennyi
Okeanografisceskii Institut Trudy*, nᵒ 41, 54-125, 1957.

BEVERIDGE (W.), «Weather and harvest cycles», *The economic journal*, déc. 1921, p. 421-453.

BEVERIDGE (W.), «Wheat prices and rainfall», *Journal of the statistical society*, vol. 85, 1922, p. 418-454.

BEVERIDGE (W. H.), *Prices and wages in England*, Londres, 1939.

«Bibliography on climatic changes», dans *Meteorological abstracts and bibliography*, vol. I, n° 7, juillet 1950.

BLANCHARD (R.), «La crue glaciaire dans les Alpes de Savoie au XVIIe siècle», *Recueil de travaux de l'Institut de géographie alpine*, I, 1913, p. 443-454.

BLANCHARD (R.), *Les Alpes occidentales*, tome VII, Grenoble, 1956.

BLOCH (M.), *Apologie pour l'histoire, ou métier d'historien* (Cahier des *Annales*), Paris, 1949.

BOISLILE (A. M. de), *Correspondance des contrôleurs généraux des finances avec les Intendants des provinces*, Paris, 1864 à 1897, plus particulièrement vol. I et II, pour les documents relatifs aux années 1690-1695 et à la famine de 1693.

BOISOT (L'abbé), Article sur «la Froidière de Chaux», dans le *Journal des Savants*, 22 juillet 1686, p. 226-228.

BONAPARTE (Prince R.), Notices, dans *Bulletin du Club alpin français*, 1892 (p. 28) et 1896.

BONNEFOY (J.-A.), *Documents relatifs au prieuré de Chamonix*, Publications de l'Académie de Savoie, Chambéry, 1879-1883.

BORD (J.), *Histoire du blé en France, le pacte de famine*, Paris, 1887.

BORISOV (A.) (en russe) (*Has the climate of Leningrad changed?*), Leningrad, 1967, d'après le résumé dans M.G.A., juin 1968, p. 1229.

BOUGES (Le R. P.), *Histoire ecclésiastique et civile de la ville et diocèse de Carcassonne*, Paris, 1741.

BOUJUT (M.), Introduction à l'édition française de MARY SHELLEY, *Frankenstein*, Paris, 1965, Éd. 10-18.

BOULAINVILLIERS (Le comte de), *État de la France*, Londres, 1752, vol. VI, p. 136.

BOURRIT (T.), *Description des glacières... du duché de Savoye*, Genève, 1773.

BOURRIT (T.), *Description... du mont Blanc*, Lausanne, 1776.

BOURRIT (T.), *Nouvelle description générale des Alpes*, Genève, 1785.

BOUT, CORBEL, DERRUAU, GARAVEL, PÉGUY, «Géomorphologie et glaciologie en Islande centrale», *Norois*, oct.-déc. 1955.

BOUVEROT (M.), «Notices sur les variations des glaciers du Mont-Blanc», *Association internationale d'hydrologie scientifique* (Toronto), vol. 46, 1957, p. 331.

BRANAS (J.), *Éléments de viticulture générale*, Montpellier, 1946.

BRAUDEL (F.), *La Méditerranée et le monde méditerranéen au temps de Philippe II*, Paris, 1949; et seconde édition, 1966.

BRAY (J. R.), «Forest growth N. W.-N. America», *Nature*, 205, p. 441, 30-1-1965.

BRAY (J. R.) et STRUIK, dans *Canad. Journ. of Bot.*, 1963, p. 1245.

BRAY (J. R.), dans *J. Glac.*, 1966, p. 322.

BREHME (K.), Article paru dans *Zeitschrift für Weltforstwirtschaft*,

1951, vol. 14, p. 65-80. (Je le cite d'après le compte rendu publié
dans le *Tree-ring Bulletin* de l'Université de l'Arizona, 1956,
p. 30.)

BRIER (G. W.), « Some statistical aspects of long term fluctuations in
solar and atmospheric phenomena», *A.N.Y.A.S.*, vol. 95, art. 1,
5 oct. 1961, p. 173-187.

BRITTON (C. E.), *A Meteorological Chronology to A.D. 1450*, Meteorological Committee, H.M.S.O., Londres, 1937.

BROGGI (J. A.), « La desglaciación actual de los Andes del Perú»,
Soc. geol. del Perú, Bol., vol. 15, 1943, p. 59-90, d'après FLINT,
éd. 1947, p. 540 (cf. ce titre).

BROOKS (C.), dans *Proceedings of the Toronto meteorological Conference*, Public. of the Roy. Met. Soc., Londres, 1954, p. 215.

BROOKS (C. E. P.), *Climate through the Ages*, Londres, 1949 et éd.
de 1950.

BROOKS (C. E. P.), «Climatic change», dans le *Compendium of Meteorology* édité par T. F. MALONE, *Amer. Met. Soc.*, Boston, 1951.

BRÜCKNER (E.), «Klimaschwankungen seit 1700», *Geographische
Abhandlungen*, Vienne, 4-2, 1890, p. 261-264.

BRUNET (R.), «Un exemple de la récession des glaciers pyrénéens»,
Pirineos, XII, 1956, p. 261-284 (compte rendu par J. TRICART,
dans *R.G.D.*, sept.-oct. 1958, p. 157).

BRYSON (R.), «A reconciliation of several theories of climatic
change», *Weatherwise*, avril 1968.

BRYSON (R.) et DUTTON (J.), «Variance spectra of tree-rings»,
A.N.Y.A.S., 95, 1, 5 oct. 1961, p. 580-604.

BRYSON (R.), IRVING (W.), LARSEN (J.), «Radiocarbon and soil evidence of former forest in the Southern Canadian Tundra»,
Science, 1er janv. 1965, vol. 147, n° 3653, p. 46-48.

BUCHINSKY (I. E.), *Oklimate proslovo Russkoi ravniny* («Le climat de
la plaine russe dans le passé»), *Gidrometeoizdat*, 2e éd., Leningrad,
1957.

BURROWS (C.) et LUCAS (J.), «Variations in two New Zealand glaciers since 1100 A.D.», *Nature*, 1967, p. 467.

BUTLER (M.), «Palynological studies, Cape Cod, Mass.», *Ecology*,
1959, vol. 40, n° 4, p. 735 *sq.*

BUTZER (K. W.), «Late glacial and post-glacial climatic variation»,
Erdkunde, fév. 1957, p. 31-35.

BUTZER (K. W.), *Quaternary stratigraphy and climate in the Near East*,
Cahier n° 24 des *Bonner geographische Abhandlungen*, Bonn,
1958.

BUTZER (K. W.), Article dans *International Symposium...*, 1966.

CAILLEUX (A.), «Variations récentes du niveau des mers», *Bull. de
la Soc. géologique de France*, 1952, p. 135-144.

CAILLEUX, cf. NAGERONI et TRICART.

CALLENDAR (G. S.), «Air temperature and the growth of glaciers»,
Q.J.M.R.S., 1942, p. 57-60.

CALLENDAR (G. S.), «Can carbon dioxide influence climate?»,
Weather, 4, p. 310-314, 1949.

CARPENTIER (E.), *Une ville devant la peste: Orvieto*, Paris, 1962.

CARPENTIER (E.), « La peste noire », *Annales,* nov.-déc. 1962, p. 1080 *sq.*

CASSEDY (J. H.), « Meteorology and medicine in colonial America », *Journal of the History of Medicine,* avril 1969.

CHAMPION (M.), *Les inondations en France depuis le VIe siècle jusqu'à nos jours,* Paris, 1858-1864, 6 vol.

Changes of Climate, Proceedings of the Rome symposium, Unesco, Paris, 1963.

CHARLESWORTH (J. K.), *The quaternary Era,* Londres, 1957.

CHARNLEY (F. E.), « Glaciers of Mount Kenya », *J. Glac.,* vol. 3, oct. 1959, p. 480-493.

CHATEAUBRIAND (F. de), *Voyage au Mont-Blanc,* Éd. G. Faure, Grenoble, J. Rey, 1920.

CHAUNU (P.), « Le climat et l'histoire, à propos d'un livre récent », *Rev. historique,* oct.-déc. 1967.

CHIZOV (O.) et KORYAKIN (V. S.), Communication au colloque d'Obergurgler, dans Publication n° 58 de l'*Assoc. intern. d'hydrol. scientif.* (1962) et compte rendu de cette communication dans *J. Glac.,* fév. 1963.

CHRISTILLIN (M. l'avocat), *Histoire du duché d'Aoste,* paru vers 1840.

« La chronique consulaire de Béziers », *Bull. soc. arch. Béz.,* vol. 3, 1839.

CLARK (J.), « Return to hard winters », *New Scientist,* vol. 37, 18-1-1968, p. 145-146.

Climatic change, evidences, causes and effects, ouvrage collectif dirigé par SHAPLEY (H.), Cambridge (U.S.A.), 1953.

COBB (R.), *Terreur et subsistances,* Paris, 1965 (en particulier p. 221-383 : une étude essentielle sur la disette de l'an III).

Compendium of meteorology, édité par MALONE (T.), Boston, 1951.

CONTAMINE (Ph.), *Azincourt,* Paris, 1964.

CONWAY (V.), « Von Post's work on climatic rhythms », *New Phytologist,* 1948, p. 220-238.

COOLIDGE (W. A. B.), *Die Petronella kapelle in Grindelwald,* Grindelwald, 1911, Jakober-Peter éd. (brochure rare, consultée à la bibliothèque du Club alpin de Grindelwald).

COOPER (W. S.), « The problem of Glacier Bay, Alaska », *Geog. Rev.,* 1937, p. 37.

CORBEL (J.), *Les Karsts du nord-ouest de l'Europe,* Lyon, 1957.

CORBEL (J.), « Nouvelles méthodes de mesure des paléotempératures », *Rev. de géog. de Lyon,* 1959, p. 168.

CORBEL (J.), *Neiges et glaciers,* Paris, 1962.

CORBEL (J.) et LE ROY LADURIE (E.), « Datation au C 14 d'une moraine du Mont-Blanc », *Revue de géographie alpine,* 1963, p. 173.

COUVERT (Roger), *Histoire de Chamonix,* 1970, avec un texte inédit sur les glaciers en 1600 (voir *supra,* chronologie des glaciers alpins, à cette date).

CRAIG (R.) et WILLETT (H.), « Solar variations... and weather changes », *Compendium of meteorology* (cf. ce titre), Boston, 1951.

CRONE (G. R.), *The Discovery of America,* Londres, 1969.

CRONE (G. R.), «How authentic is the Vinland Map?», *Encounter*, fév. 1966, p. 75-78.

CURRIE (B. W.), «Climatic trends on the Canadian prairies», 1956, compte rendu dans *Meteorological abstracts and bibliography*, 551-583, 14 (712).

CURTSCHMANN (F.), *Hungersnöte im Mittelalter. Ein Beitrag zur deutschen Wirtschaftsgeschichte des 8 bis 13 Jahrhunderts*, Leipzig, 1900.

DAMON (E.), «Radiocarbon and climate», 1968 (dans MITCHELL, 1968, *infra*).

DANSGAARD (W.), JOHNSEN (S. J.), MOLLER (J.), LANGWAY (C.), «One thousand centuries of climatic record from Camp Century on the Greenland ice sheet», *Science*, vol. 166, p. 377-381, 17 oct. 1969.

DANSGAARD (W.) and JOHNSEN (S.), «A time scale for the ice core from Camp Century», *J. Glac.*, 1969, p. 215-223.

DARNAJOUX (H.), «Bibliographie sur les longues séries d'observations», *Mét.*, juill.-sept. 1964, p. 241.

DARROW (R. A.), «Origin and development of the vegetational communities of the southwest», *New Mexico highlands University Bulletin*, n° 212, fév. 1961, p. 30-46.

DAVIS (N. E.), «The summers of North-West Europe», *Met. Mag.*, 1967, p. 178-187, et p. 319.

DAVIS (N. E.), «An optimum summer weather index», *Weather*, août 1968, p. 305-318.

DEAN (Jeffry), *Chronological analysis of the Tsegi phase site in North-East Arizona* (thèse non publiée, Université de l'Arizona, Tucson, 1967).

DEEVEY (E. S.), «Late-glacial and postglacial pollen diagrams from Maine», *Amer. Journ. of Science*, vol. 249, mars 1951, p. 177-207.

DEEVEY (E. S.), «Paleolimnology of the upper swamp deposit, Pyramid valley», *Records of the Canterbury Museum* (Australie), vol. 6, n° 4, p. 291-344, 15 fév. 1955.

DEEVEY (E. S.) et FLINT (R. F.), «Postglacial hypsithermal Interval», *Science*, fév. 1957, vol. 125, n° 3 240, p. 182-184.

DE LEO (A.), «Una nuova avventizia nel Palermitano», *Lavori dell'Istituto botanico et del Giardino coloniale*, vol. XXII, Palermo, 1967, p. 72, cité dans TRASSELI, 1968 (voir *infra*).

DELUMEAU (J.), *Vie économique de Rome au XVIe siècle*, Paris, 1959.

DEMOUGEOT (E.), «Variations climatiques et invasions», *Rev. hist.*, janvier 1965.

DEPPING (G. B.), *Merveilles et beautés de la nature en France*, Paris, 1845.

DERANCOURT (Commandant), Communication dans «Comité des trav. hist. et scientif.», *Bull. de la sect. de géog.*, 133, p. LI et 89.

DESBORDES (J. M.), *La Chronique villageoise de Vareddes* (Seine et Marne)... *aux XVIIe et XVIIIe siècles*, Paris (Édition de l'École), vers 1965-1969.

DESIO (A.), «Recent fluctuations of the italian glaciers», *J. glac.*, vol. I, 1947-1951, p. 421-422.

DEVIC (Cl.) et VAISSETTE (J.), *Histoire générale de Languedoc*, Toulouse (édition de 1872-1892).

DEYON (P.), *Amiens au XVIIᵉ siècle*, Paris, 1968.

« Diagrammes d'Aspen : informations climatiques, séries comparées, XIᵉ et XVIᵉ siècles» (tableaux d'assemblages de graphiques), *Annales*, sept.-oct. 1965 (cf. LE ROY LADURIE, 1965).

DIAMOND (M.), «Precipitations trends in Greeland during the past thirty years», *J. Glac.*, vol. 3, mars 1958, p. 177-181.

Dictionnaire historique et géographique de la Suisse, Neuchâtel, 1926.

DOLGOSHOV (V.) and SAVINA (S. S.), «Connections of phenological phenomena with variations of climate» (en russe); analysé dans *M.G.A.*, juill. 1969, p. 1828.

DOLLFUS (O.), «Formes glaciaires et périglaciaires actuelles autour du lac Humboldt», *B.A.G.F.*, 1959.

DORST (J.), *Les migrations des oiseaux*, Paris, 1956.

DOUGLASS (A. E.), *Climatic cycles and tree growth*, Carnegie Institute of Washington, public. nº 289 (1919, 1928 et 1936).

DRYGALSKI (E. von) et MACHATSCHEK (F.), *Gletscherkunde* (vol. VIII de l'*Enzyklopädie der Erdkunde*), Vienne, 1942.

DÜBI (H.), *Saas Fee*, Berne, 1902, p. 36.

DUBIEF (J.), Communication dans *Changes of Climate*, 1963 (cf. ce titre).

DUC (Mgr J. A.), *Histoire de l'église d'Aoste*, Aoste, 1901.

DUCHAUSSOY (H.), «Les bans de vendanges de la région parisienne», *La météorologie*, 1934.

DUCROCQ (A.), «La dendrochronologie», *Science et Avenir*, décembre 1955.

DUCROCQ (A.), *La science à la découverte du passé*, Paris, 1955.

DUPÂQUIER (J.), *Mercuriales du Vexin*, Paris (S.E.V.P.E.N.), 1968.

DUPLESSY (J. C.), *Étude isotopique et paléoclimatologique du concrétionnement de l'aven d'Orgnac*, thèse non publiée, Université de Paris, 1967.

DZERDZEEVSKII (B. L.), «The general circulation of the atmosphere...», *N.Y.A.S.*, vol. 95, art. 1, 5 oct. 1961, p. 188-200.

DZERDZEEVSKII (B. L.), Communication dans *Changes of Climate*, 1963, p. 285-296 (cf. ce titre).

EASTON (C.), *Les hivers dans l'Europe occidentale*, Leyde, 1928.

ELHAÏ (H.), *La Normandie occidentale*, Bordeaux, 1963.

EL KORDI, Histoire économique de Bayeux *(XVIIᵉ et XVIIIᵉ siècles)*, Paris, 1970.

   Ce livre contient une intéressante étude sur la variation des récoltes en Normandie au XVIIIᵉ siècle. Les mauvaises moissons de 1788 et 1789 dont j'ai mentionné les causes météorologiques et les conséquences révolutionnaires furent, selon les chiffres des *États des récoltes* de Bayeux, inférieures de moitié (1788) ou du tiers (1789) à la normale undécennale (1777-1787).

ELSASS (J. M.), *Umriss einer Geschichte der Preise in Deutschland*, Leyde.

EMILIANI (C.), «Pleistocene temperatures», *Journal of geology*, nov. 1955, p. 538-579.

EMILIANI (C.), « Paleotemperature analysis », *Journal of geology*, mai 1958, p. 264-276.

EMILIANI (C.), « Cenozoic climatic changes as indicated by... the chronology of deep-sea cores », *A.N.Y.A.S.*, vol. 95, art. 1, 5 oct. 1961, p. 520-536.

ENGEL (C.-E.), *La littérature alpestre*, Chambéry, 1930.

ENGEL (C.-E.), *Le Mont-Blanc*, s. l., Les Éditions du Temps, 1961.

ENGEL (C.-E.), *Le Mont-Blanc, vu par les écrivains*, Paris, 1965.

ERINC (S.), « The Pleistocene history of the Black Sea, with reference to the climatic changes », *Review of the geographical Institute of the University of Istanbul*, 1954.

EYTHORSSON (J.), « On the variations of glaciers in Iceland », *Geog. Ann.*, 1935.

EYTHORSSON (J.), « Variations of glaciers in Iceland, 1930-1947 », *J. Glac.*, vol. I, 1947-1951, p. 250.

EYTHORSSON (J.), « Temperature variations in Iceland », *Geog. Ann.*, 1949.

FABER (J. A.), etc., « Population changes... in the Netherlands », *A.A.G. Bijdragen*, 12, 1965, p. 46-110.

FAIRBRIDGE (R. W.), « Mean sea-level changes, long-term, eustatic, and others », dans *Encyclopedia of Oceanography*, vol. I, édité par FAIRBRIDGE (R. W.), New York, 1966, p. 479-485.

FAVIER (J.), *De Marco Polo à Christophe Colomb (1250-1492)*, Paris, 1968.

FEBVRE (L.), *Philippe II et la Franche-Comté*, Paris, 1912.

FERGUSON (C. W.), « Bristlecone pine », *Science*, 23 fév. 1968, vol. 1519, n. 3817, p. 839-846.

FERGUSON (C. W.), HUBER (B.), SUESS (H.), « Age of Swiss lake dwellings, ... dendrochronologically calibrated by radiocarbon dating », *Zeitschr. f. Naturforschung*, 21 a, 7, 1966, p. 1173-1177.

FERRAND (H.), 1912 (cf. *Relation anonyme...*, et WINDHAM et MARTEL).

FERRAND (H.), *Autour du Mont-Blanc*, Grenoble, 1920.

FIELD (W. O.), « Glaciers of Prince William Sound », *Geog. Rev.*, 1932.

FIELD (W. O.), « Glacier observations in the Canadian Rockies », *Canadian Alpine Journal*, vol. 32, 1949, p. 99-114, d'après *J. Glac.*, vol. I, p. 398.

FINSTERWALDER (R.), « Photogrammetry and Glacier research », *J. Glac.*, avril 1954, p. 306-315.

FIRBAS (F.), *Spät-und nacheiszeitliche Waldgeschichte Mitteleuropas nördl. der Alpen*, Iéna, 1949.

FLETCHER (J. O.), « Climatic change and ice extent on the sea », *Rand Corporation*, Santa Mon., Cal., *Paper P 3831*, avril 1968 (cité dans *M.G.A.*, avril 1969, p. 878).

FLINT (R. F.), *Glacial and Pleistocene geology*, New York, 1947 et nouvelle édition, 1957.

FLINT (R. F.) et BRANDTNER (F.), « Outline of climatic fluctuation since the last interglacial age », *A.N.Y.A.S.*, 95-1, 1961, p. 458.

FLOHN (H.), « Klimaschwankungen im Mittelalter und ihre historische-geographische Bedeutung», *Berichte zur Deutschen Landeskunde*, Band 7, Heft 2, 1950, p. 347-357.

FLORENCE (J.), *Dendrochronologie et climat en Capcir et Cerdagne*, thèse non publiée, Université de Toulouse, 1962.

FORBES (J. D.), *Travels through the Alps of Savoy*, Édimbourg, 1843.

FORNERY (Joseph), *Histoire du Comtat Venaissin et de la ville d'Avignon*, Avignon, 1910.

FOSSIER (R.), *La crise frumentaire du XIVᵉ siècle*, dans *Recueil de travaux, offert à Clovis Brunel*, Mémoires et documents publiés par la Société de l'École des Chartes, vol. 12, Paris, 1955.

FOURNIER (E.), *Gouffres et grottes du Doubs*, Besançon, 1899.

FOURNIER (E.), *Grottes et rivières souterraines*, Besançon, 1923.

FOURQUIN (G.), *Les Campagnes parisiennes à la fin du Moyen Age*, Paris, 1964; et article dans *Études rurales*, juill.-déc. 1966.

FRAZIER (K.), «Earth's Cooling Climate», *Science News*, vol. 96, nov. 1969.

Cet article souligne le rôle qu'ont joué les poussières d'origines industrielles et volcaniques dans le rafraîchissement du climat depuis 1950.

FRENZEL (B.), « Die vegetationszonen Nord-Eurasiens, während der postglazialen Wärmezeit», *Erdkunde*, IX, 1955, p. 40-53, d'après le compte rendu de J. TRICART, *R.G.D.*, 1955, p. 283.

FRENZEL (B.), Article dans *International Symposium...*, 1966.

FRIEDLI (E.), *Barndütsch als Spiegel bernischen Volkstums*, 2ᵉ vol. : *Grindelwald*, Berne, 1908.

FRITTS (H. C.).

Parmi les travaux nombreux et remarquables de H. C. Fritts, il faut citer :

«The relation of growth rings in American beech and white oak to variation in climate», *Tree-ring Bull.*, 1961-1962, vol. 25, nº 1-2, p. 2-10.

«Dendrochronology», dans *The Quaternary of the United States... A Review volume for the VII Congress of the International Association for Quaternary research*, Princeton, 1965, p. 871-879.

«Tree-ring evidence for climatic changes in western North America», *Monthly weather Review*, vol. 93, nº 7, p. 421-443, 1965.

«Growth rings of trees and climate», *Science*, 154, 25 nov. 1966, p. 973-979.

«Tree-ring analysis... for water resource research», *I.H.D. Bulletin, U.S. National Committee for International Hydrological Decade*, janv. 1969.

«Bristlecone pine in the White Mountains of California», *Papers of the Lab. of Tree-ring Research*, nº 4, 1969, Tucson, Ariz.

«Growth rings of trees : a physiological basis for their correlation with climate», dans *Ground level climatology* (Symposium, déc. 1965, Berkeley), *Amer. Assoc. for the advancement of Science*, Washington, D.C., 1967.

FRITTS (H. C.), SMITH (D. G.), et HOLMES (R. L.), «Tree-ring evidence for climatic changes in western north America from 1500

A.D. to 1940 A.D.», *1964 Annual Report to the United States Weather Bureau*, Washington (Projet : Dendroclimatic History of the United States), 31 déc. 1964.

FRITTS (H. C.), SMITH (D. G.), CARDIS (J.), et BUDELSKY (C.), « Tree-ring characteristics along a vegetation gradient in Northern Arizona», *Ecology*, vol. 46, 1965, n° 4.

FRITTS (H.), SMITH (D.), STOKES (M.), «The biological model for paleo-climatic interpretation of tree-ring series», *Amer. Antiquity*, vol. 31, n° 2-2, oct. 1965.

FRITTS (H. C.), SMITH (D.), BUDELSKY (C.), CARDIS (J.), «Variability of tree-rings...», *Tree-ring Bulletin*, nov. 1965.

FROLOW (V.), «Aperçu sur l'évolution climatique de Paris», *B.A.G.F.*, juin-juillet 1958.

FRUH (J.), *Géographie de la Suisse*, Lausanne, 1937, 3 vol.

FUSTER (Docteur), *Des changements dans le climat de la France*, Paris, 1845.

GAGE (M.), «The dwindling glaciers of... New Zealand», *J. Glac.*, vol. I, 1947-1951, p. 504-507.

GALTIER (G.), dans *Bull. Soc. Lang. de géog.*, 1958, p. 186 et 317.

GARAVEL (L.), «Le glacier de Sarennes de 1948 à 1953», *Revue forestière française*, 1955, n° 1, p. 9-26.

GARNIER (M.), «Contribution de la phénologie à l'étude des variations climatiques», *Met.*, oct.-déc. 1955.

GARNIER (M.), «Influence des conditions météorologiques sur le rendement de l'orge de printemps», *La Météorologie*, 1956, p. 335-361.

GAUFRIDI (J.-F. de), *Histoire de Provence*, Aix, 1694.

GEORGE (M.), *The Oberland and its glaciers*, Londres, 1866.

GESLIN (H.), «Influence de la température sur le tallage du blé», *La Météorologie*, 1954, p. 30.

GIDDINGS (J. L.), «Dendrochronology in Northern Alaska», *University of Arizona Bulletin*, vol. XII, n° 4, 1941.

GIDDINGS (J. L.), «Mackenzie River Delta chronology», *Tree-ring Bulletin*, avril 1947 (graphiques importants).

GIDDINGS (J. L.), «Chronology of the Kobuk-Kotzebue sites», *Tree-ring Bulletin*, 1948, vol. 14, n° 4, p. 26-32, 1952.

GIDDINGS (J. L.), «The Arctic Woodland Culture of the Kobuk River», *Museum Monographs*, 1952, the University Museum, Philadelphie, p. 105-110.

GILBERT (O.), et autres auteurs, «An Afghan Glacier», *J. Glac.*, 1969, p. 51-66.

GIRALT (E.), «En torno al precio del Trigo en Barcelona durante el siglo XVI», *Hispania*, XVIII, 1958, p. 38-61.

GIRALT (E.), «A correlation of years, numbers of days of Rogation for rain at Barcelona, and the price of one *quartera* wheat in *sous* and *diners* of Barcelona.» Communication à Aspen (ronéotypée), 1962 (voir «Diagrammes d'Aspen»).

GLASSPOOLE (J.), «Recent seasonal climatic trends over Great Britain», *Meteorological Magazine*, vol. 86, 1957, p. 358-362.

Der Gletschermann, Familienblatt für die Gemeinde Grindelwald, publié par G. STRASSER, curé de Grindelwald, 1890, n° 41-47, p. 165 (contient la publication de la *Chronique* ou *Cronegg* de Grindelwald).

GLOCK(W. S.), *Principes and methods of tree-ring analysis*, Carnegie Institute of Washington, public. n° 486.

GODARD (M.) et NIGOND (J.), « Le climat de la vigne dans la région de Montpellier », *Vignes et vins* (Revue de l'Institut technique du vin), n° 66.

GODECHOT, *Les Révolutions*, Paris, 1965.

GODWIN (H.), *The history of the british flora*, Cambridge, 1956.

GODWIN (H.), Article dans *International Symposium...*, 1966 (voir *infra*).

GODWIN (H.), WALKER (D.) et WILLIS (E. H.), « Radio-carbon dating... : Scaleby Moss », *Proceed. of the Royal Soc. of G. B.*, vol. 147, p. 352-366, 1957.

GOLDTHWAIT, Article dans *International Symposium...*, 1966 (voir *infra*).

GOLZOV, MAXIMOV, IAROCHEVSKII, *Praktische Agrarmeteorologie*, Berlin, 1955.

GOUBERT (P.), « Ernst Kossmann et l'énigme de la Fronde », *Annales*, 1958, p. 115.

GOUBERT (P.), *Beauvais et le Beauvaisis*, Paris, 1960.

GRAENLANDICA SAGA dans *The Vinland Sagas, The Norse discovery of America*, traduction et introduction de M. MAGNUSSON et H. PÁLSSON, Penguin Books, Baltimore, 1965.

GRÉMAUD (l'abbé J.), *Documents relatifs à l'histoire du Valais*, vol. III, p. 14-15, texte n° 1156, Lausanne, 1878, dans *Mémoires et documents publiés par la Société de l'histoire de la Suisse romande*, vol. 31.

GROSVAL'D (M.) and KOTLYAKOV (V.), « Present glaciers in the U.S.S.R., and... their mass balance », *J. Glac.*, fév. 1969, p. 9-23.

GROVE (J. M.), « The little ice age in the massif of Mont-Blanc », *The Institute of British Geographers, Transactions and Papers*, 1966, n° 40. C'est l'article le plus complet et le plus important, dans la littérature anglo-saxonne, à propos des fluctuations des glaciers de Savoie.

GRÜNER (G. S.), *Die Eisgebirge des Schweizerlandes*, Berne, 1760.

GRÜNER (G. S.), *Histoire naturelle des glacières de Suisse* (trad. par Kéralio du livre précédent), Paris, 1770.

GUENEAU (C.), « La disette de 1816-1817 dans la Brie », *Rev. d'hist. mod.*, vol. 4, 1929, p. 18-95.

GUICHONNET (P.), « Le cadastre savoyard de 1730 », *Rev. de géog. alp.*, 43, 1955, p. 255-298.

GUILCHER (A.), « L'élévation du niveau marin de la Méditerranée », *Ann. de géog.*, 1956, p. 439.

GUITTON (H.), *Fluctuations économiques*, Paris, 1958.

GUMILEV (L. N.), « Fluctuations de la Caspienne,... et histoire des peuples nomades », *Cahiers du monde russe et soviétique*, VI, 3, 1965. Cet article s'intéresse aux arguments souvent contestables de

C.E.P. Brooks et Huntington, à propos des corrélations entre pluviosité et migrations nomades en Asie centrale.

GUMILEV (sur l'humidité et les migrations en Asie) cité dans *M.G.A.*, juil. 1968, p. 1630.

HAEFELI (R.), «Gletscherschwankung und Gletscherbewegung», *Schweizerische Bauzeitung*, 1955, p. 626 et 693; 1956, p. 667.

HALE (M. E.), «Moraine plant succession at the edge of the ice cap (Baffin Island)», *J. Glac.*, vol. 2, 1952-1956, p. 22.

HALLER (W.), «Journal 1550-1570», édité dans *Schweizerische meteorologische Beobachtungen*, vol. 9-10 et suppl., Zurich, 1875.

HAMILTON (E. J.), *American treasure and the price revolution in Spain*, Cambridge, 1934.

HARRINGTON (H. J.), «Glacier retreat in the Southern Alps of New Zealand», *J. Glac.*, vol. II, 1952-1956, p. 133-145.

HARRISON (A. E.), «Glacial activity (Nisqually Glacier) in the Western United States», *J. Glac.*, vol. 2, 1952-1956, p. 666-668 et 675 (graphique).

HAURY (E. W.), «A dramatic moment in South-western archaeology», *Tree-ring Bull.*, mai 1962.

HAUSER (H.), «La Rebeine de Lyon», *Rev. hist.*, 1896.

HEERS (J.), *L'Occident aux XIVe et XVe siècles*, Paris (P.U.F.), 1966.

HEIM (V.), *Handbuch der Gletscherkunde*, Stuttgart, 1885.

HEINZELIN (J. de), «Glacier recession in the Ruwenzori Range», *J. Glac.*, 1952, p. 138.

HÉLIN (E.), «Le déroulement de trois crises à Liège au XVIIIe siècle», *Actes du colloque international de démographie historique*, Liège, 18-20 avril 1963 (problèmes de mortalité), publié par P. HARSIN et E. HÉLIN, Paris (Th. Genin), 1964.

HENNIG (A.), «Katalog bemerkenswerter Witterungsereignisse von der ältesten Zeiten bis zum Jahre 1800», *Berlin K. Preussisches Meteorologisches Institut. Abhandlungen*, 2, 4, 1904.

HENRY (P.), «Les ascensions légendaires au Mont-Blanc», *La Montagne*, Journal du Club alpin français, fév. 1969.

HERLIHY (D.), «Some references to weather in eleventh century chroniclers», communication à la conférence d'Aspen (exemplaire ronéotypé), 1962.

HESSELBERG (T.) et BIRKELAND (B.), «Säkulare Schwankungen des Klimas von Norwegen. Teil I: die Lufttemperatur», *Goefysiske Publiskasjones*, Oslo, vol. 14, n° 4-6, 1940-1943.

HEUBERGER (H.), «Gletschergeschichtliche Untersuchungen in den Zentralalpen», *Wissenschaftliche Alpenvereinshefte*, cahier n° 20, Innsbruck, 1966.

HEUSSER (C. J.), Note sur une datation au C 14 en Alaska, dans *Ecological monographs*, 1952.

HEUSSER (C. J.), «Radio-carbon dating of the thermal maximum in S.E. Alaska», *Ecology*, vol. 34, 1953, p. 637-640.

HEUSSER (C. J.), Article dans *International Symposium...*, 1966 (voir *infra*).

HEUSSER (C. J.) et MARCUS (M. G.), «Historical variations of Lemon Creek glacier, Alaska, and their relationship to the climatic record», *J. Glac.*, fév. 1964, p. 77.

HOFFMANN (W.), «Der Vorstoss des Nisqually-Glestschers, 1952-1956», *Z. f. Glk.*, 1958, p. 47-60, d'après *M.G.A.*, avril 1960.

HOINKES (H.), «Ablation and heat balance on Alpine glaciers», *J. Glac.*, vol. 2, 1955, p. 497.

HOINKES (H.), Communication dans le *Bulletin de l'Association internationale d'hydrologie scientifique*, juin 1963, p. 85-86.

HOINKES (H.), cf. bibliographie de Von RUDLOFF, 1967, n° 861.

HOINKES (H.), «Glacier variation and weather», *J. Glac.*, fév. 1968, p. 3-21, avec commentaires de LAMB (H. H.), *ibid.*, 1968, p. 129-130.

HOINKES (H.) et RUDOLPH (R.), Communications sur les problèmes de «*mass-balance*» des glaciers du Tyrol, dans *J. Glac.*, 1962 et dans la publication n° 58 de l'*Association internationale d'hydrologie scientifique*, 1962.

HOLLSTEIN (E.), «Jahrringchronologische Datierung von Eichenhölzern ohne Wald Kante» (Westdeutsche Eichenchronologie), *Bonner Jahrbücher*, 165, 1965, p. 1-27.

HOOKER (R. H.), «The Weather and the crops in eastern England, 1885-1921», *Quart. Journ. Roy. Met. Soc.*, avril 1922.

HOSKINS (W. G.), «Harvest fluctuations and English economic history... (XVIth/XVIIIth centuries)», *Agricultural History Review*, 1964, p. 28-46; et 1968, p. 15-31.

HOVGAARD (W.), «The Norsemen in Groenland, recent discoveries at Herfoljness», *Geographical Review*, vol. 15, 1925, p. 615-616.

HOYANAGI (Mutsumi), «Research on climatic change in Japan», dans *Japanese Geography, its recent trends*, publ. spéc. n° 1, publiée par l'*Association of Japanese Geographers*, Tokyo, 1966, p. 57-60. Cet article contient une bibliographie importante, en particulier sur les séries pluviométriques de Corée de 1770 et 1907, et sur le lien entre étés froids et mauvaises récoltes de riz.

HUBER (B.), «Seeberg... Dendrochronologie», *Acta Bernensia*, 1967.

HUBER (B.) et von JAZEWITSCH (W.), «Tree-ring studies», *Tree-ring Bulletin*, avril 1956, p. 29.

HUBER (B.) et SIEBENLIST (V.), «Das Watterbacher Haus im Odenwald, ein wichtiges Brückenstück unserer tausendjährigen Eichenchronologie», *Mitteilungen der Floristischsoziologischen Arbeitsgemeinschaft*, N.F., cahier n° 10, 1963.

HUBER (B.), SIEBENLIST (V.), NIESS (W.), «Jahrringchronologie hessischer Eichen», *Büdinger Geschichtblätter*, vol. V, 1964. Article capital pour la dendrochronologie européenne : voir en particulier le diagramme 16 qui couvre huit siècles, et le diagramme 2 (anneaux d'arbre exceptionnellement étroits ou «signature en V» pour les années 1311 et 1326, qui font ressortir par contraste les anneaux larges et la grande vague d'humidité de la décennie 1310).

HUBER (B.), GIERTZ-SIEBENLIST (V.), «Tausendjährige Eichenchronologie», *Sitzungsberichten der Österr-Akademie der Wiss.*,

Mathem.-naturw-Kl., Abt. I, 178 vol., cahiers 1-4, Vienne, 1969. Chronologie majeure pour le chêne allemand de 960 à 1960.

HUMBERT (P.), « Documents météorologiques anciens concernant la région du Mont-Blanc», *Mét.*, 1934, p. 278-294.

HUMPHRIES (D. W.), «Glaciology of Kilimandjaro», *J. Glac.*, vol. III, oct. 1959, p. 475-480.

HUNTINGTON (E.), *The pulse of Asia*, Boston, 1907.

HUNTINGTON (E.), *Civilization and Climate*, New Haven, éd. 1915 et 1927.

HUSTICH (I.), «On the correlation between growth and the recent climatic fluctuation», *Geog. Ann.*, 1949, p. 90-105.

HUSTICH (I.), «Yields of cereals in Finland, and the present climatic fluctuation», *Fennia*, 73, 1950-1951.

INTERNATIONAL SYMPOSIUM ON WORLD CLIMATE, Imperial college, Londres, 1966 : *World climate from 8000 to O B.C.*, *Proceedings*, Londres, *Royal Met. Soc.*, 1966.

IVES (I. D.) et KING (C.), «Glaciological observations on Morsajö-kull, S. W. Vatnajökull», *J. Glac.*, vol. 2, 1952-1956, p. 477.

JACQUART (J.), «La Fronde des princes dans la région parisienne», *Revue d'histoire moderne et contemporaine*, 1960.

JARDETSKY (W.), «Investigations of Milankovitch and the quaternary curve of solar radiation», *Annals of the New York Academy of sciences*, vol. 95, 1961.

JEANNIN (P.), *l'Europe du Nord-ouest et du Nord aux XVIIe et XVIIIe siècles*, Paris, 1969, p. 94.

JELGERSMA (S.), Article dans *International symposium...*, 1966 (voir *supra*).

JENNINGS (J. N.), «Glacier retreat in Jan Mayen», *J. Glac.*, oct. 1948, p. 167-182.

JENNINGS (J. N.), «Snaefell East Iceland», *J. Glac.*, vol. 2, 1952-1956, p. 133-145.

JULIAN (P. R.) et FRITTS (H. C.), «...Extending climatic records by dendroclimatological analysis», *Proc. of the 1st Statistical Met. Cong.*, Hartford, Conn., Amer. Met. Soc., mai 1968.

KASSNER (C.), «Das Zufrieren des Lake Champlain von 1816 bis 1935», *Met. Zeitschr.*, 1935, p. 333, d'après WAGNER (A.), 1940.

KICK (W.), «Long-term glacier variations as measured by photogrammetry; A re-survey of Tunsbergdalsbreen after 24 years», *J. Glac.*, fév. 1966, p. 1-17.

KINCER (J. B.), «Is our climate changing?», *Monthly weather Review*, vol. 61, 1933, p. 251-259.

KINSMAN (D.) et SHEARD (J. W.), «The glaciers of Jan Mayen», *J. Glac.*, vol. 4, fév. 1963, n° 34, p. 439-447.

KINZL (H.), «Die grössten nacheiszeitlichen Gletschervorstösse in den schweizer Alpen und in der Mont-Blanc Gruppe», *Zeitschrift für Gletscherkunde*, 1932.

KLEBELSBERG (R. von), *Handbuch der Gletscherkunde und Glazialgeologie*, Vienne, 1949.

KOCH (L.), «The East Greeland Ice», *Meddelelser om Grönland*, 1945.

KORYAKIN (V. S.), «Recent variations of the dimensions of glaciation in Novaya Zemlya» (en russe), 1968, résumé dans *M.G.A.*, janv. 1969, p. 225.

KOSIBA (A.), «Changes in the glaciers... in S.W. Spitsbergen», *Bull. A.I.H.S.*, avril 1963.

KOTLIAKOV (V. M.), «New data on the present glaciation of the Caucasus», 1967 (en russe), cité dans *M.G.A.*, mars 1969, p. 773.

KRAUS (E. B.), «Secular changes of tropical... and east-coast rainfall regimes», *Q.J.R.M.S.*, 1955, p. 198-210 et 439.

KRAUS (E. B.), «Recent changes of east coast rainfall regimes», *Q.J.R.M.S.*, 1963, p. 145-146.

KUSHINOVA (K. V.), 1968, article sur les causes des fluctuations météorologiques (en russe) : cf. *M.G.A.*, août 1969, p. 2075.

LA BÉDOYÈRE (Henri de), *Journal d'un voyage en Savoie en 1804 et 1805*, Paris, éd. 1807 et 1849.

LABEYRIE (J.), DUPLESSY (J. C.), DELIBRIAS (G.) et LETOLLE (R.), «Températures des climats anciens ; mesures d'O 18 et C 14 dans les concrétions des cavernes», *Radioactive dating and methods of low-level counting symposium*, Monaco, 1967 (Agence internationale de l'énergie atomique, Vienne, 1967).

LABRIJN (A.), «Het klimaat van Nederland gedurende de laatste twee en een halve eeuw» (avec résumé en anglais), *Koninklijk Nederlandsch Met. Inst.*, n° 102, *Meded. Verhandelingen, Gravenhage*, 49, 1945, p. 1-114.

LABROUSSE (E.), *La crise de l'économie française à la fin de l'Ancien Régime*, Paris, 1944.

LA CHAPELLE (E.-R.), Note critique, dans *J. Glac.*, juin 1965, p. 755.

LAHR (E.), *Un siècle d'observations météorologiques en Luxembourg*, publié par le *Min. de l'Agr., Serv. mét.*, Luxembourg, 1950.

LAMB (H. H.), «Climatic change within historical time», *A.N.Y.A.S.*, vol. 95, art. 1, 1961, p. 124-161.

LAMB (H. H.), Communication dans les *Proceedings* d'Aspen, 1962, p. 85 *sq.* (cf. ce titre).

LAMB (H. H.), Communication dans *Changes of Climate*, 1963, p. 125-150 (cf. ce titre).

LAMB (H. H.), «Trees and climatic history in Scotland», *Q.J.R.M.S.*, oct. 1964.

LAMB (H. H.), «The early medieval warm epoch and its sequel», *Palaeogeography, palaeoclimatology, palaeoecology*, I, 1965, p. 13-27.

LAMB (H. H.), *The Changing Climate*, Londres, 1966.

LAMB (H. H.), «Climate in the 1960's», *Geogr. Journal*, juin 1966, p. 183-212.

LAMB (H. H.), «On climatic variations affecting the far south», *World Meteorological Org.*, Techn., note n° 87, 1967, p. 428-453 : résumé dans *M.G.A.*, déc. 1968, p. 3052.

LAMB (H. H.), 1968, voir HOINKES, 1968.

LAMB (H. H.), Contribution on «climatic fluctuations», *8ᵉ congrès de l'I.N.Q.U.A. (Union internationale pour le quaternaire)*, Paris, août-sept. 1969.

LAMB (H. H.), PROBERT-JONES (J. R.), SHEARD (J. W.), «A new advance of the Jan Mayen glaciers», *J. Glac.*, oct. 1962.

LAMING-EMPERAIRE (A.), *Découverte du passé*, Paris, 1952.

LANDSBERG (H. H.), «Trends in climatology», *Science*, 1958, vol. II, p. 755.

LANGE (R.), «Zur Erwärmung Grönlands und der Atlantischen Arktis», *Ann. der Met.*, 1959, p. 265-277.

LAPEYRE (H.), Contribution à *Charles Quint et son temps*, Paris (C.N.R.S.), 1959, p. 40.

LATOUCHE (R.), *La vie en Bas-Quercy (XVIe-XVIIIe siècles)*, Toulouse, 1923.

LAURENT (R.), *Les vignerons de la « Côte-d'Or » au XIXe siècle*, Dijon, 1957-1958.

LAWRENCE (D. B.), «Glacial fluctuations for six centuries in Southern Alaska», *Geog. Rev.*, avril 1950.

LEBOUTET (L.), «Techniques et méthodes de la dendrochronologie...», *Annales de Normandie*, déc. 1966.

LEBRUN (F.), voir LEHOREAU (R.), publié en 1967.

LE DANOIS (E.), *L'Atlantique*, Paris, 1938.

LE DANOIS (E.), *Le rythme des climats dans l'histoire de la terre et de l'humanité*, Paris, 1950.

LE GOFF (J.), *La civilisation de l'Occident médiéval*, Paris, 1964.

LEHOREAU (R.), *Cérémonial de l'Église d'Angers (1692-1721)*, publié par LEBRUN (F.), Paris, C. Klinsieck, 1967.

LEROI-GOURHAN (Mme A.), Communication, au Congrès de 1959, de la *Société préhistorique française*.

LE ROY LADURIE (E.), «Fluctuations météorologiques et bans de vendanges au XVIIIe siècle», *Féd. hist. du Lang. médit. et du Rouss.*, 30e et 31e Congrès, Sète-Beaucaire, 1956-1957, Montpellier, s. d., p. 189.

LE ROY LADURIE (E.), «Histoire et climat», *Annales*, 1959.

LE ROY LADURIE (E.), «Climat et récoltes aux XVIIe et XVIIIe siècles», *Annales*, 1960.

LE ROY LADURIE (E.), «Aspects historiques de la nouvelle climatologie», *Rev. hist.*, 1961.

LE ROY LADURIE (E.), «La conférence d'Aspen...», *Annales*, 1963.

LE ROY LADURIE (E.), «Le climat des XIe et XVIe siècles, séries comparées», *Annales*, 1965.

LE ROY LADURIE (E.), *Les Paysans de Languedoc*, Paris, 1966.

LESCHEVIN (P.-X.), *Voyage à Genève et dans la vallée de Chamouni*, Paris et Genève, 1812.

LETONNELIER (G.), «Documents relatifs aux variations des glaciers dans les Alpes françaises», *Comité des travaux historiques et scientifiques, Bulletin de la section de géographie*, tome 28, 1913.

LILJEQUIST (G. H.), «The severity of the winters at Stockholm, 1757-1942», *Geog. Ann.*, 1943, p. 81-97.

LINDZEY (A. A.) et NEWMANN (J. E.), «Use of official datas in spring time temperature analysis of Indiana phenological record», *Ecology*, 37-4, oct. 1956.

LLIBOUTRY (L.), «More about advancing and retreating glaciers in Patagonia», *J. Glac.*, vol. 2, 1952-1956, p. 168 *sq.*

LLIBOUTRY (L.), *Nieves y Glaciares de Chile, fundamentos de Glaciologia*, Santiago, 1956.

LLIBOUTRY (L.), *Traité de glaciologie*, Paris, vol. I, 1964, et vol. II, 1965.

LOEWE (F.), «Variations of the Qaumaruyuk glacier, Western Greenland 1930-1967», *Beiträge zur Geophysik*, 77 (3), 1968, p. 232-234.

LONGSTAFF (T. G.), «The Oxford University Expedition to Greenland, 1928», *The geographical Journal*, juillet 1929, p. 61-68.

LUCAS (H. S.), «The famine of 1315-1317», *Speculum*, 5, 1930, p. 341-377.

LUDLUM (D. M.), *Early American Winters*, Boston (American meteorological society), 1966.

LUNN (A.), *The Bernese Oberland*, Londres, 1958.

LÜTSCHG (O.)[1], *Uber Niederschlag und Abfluss im Hochgebirge, Sonderdarstellung des Mattmarkgebietes*, Schweizerische Wasserwirtschaftverband, Verbandschrift C nº 14, Veröffentlichung der Schweizerischen meteorologischen Zentralanstalt in Zürich, Zürich, Sekretariat des Schweizerischen Wasserwirtschaftverbandes, 1926.

LYSGAARD (L.), «Recent climatic fluctuations», *Folia geographica danica*, Copenhague, 1949.

LYSGAARD (L.), «On the climatic variation», dans *Changes of Climate*, 1963, p. 151-160 (cf. cette référence).

MACGREGOR (V. R.), «Holocene Moraines in the Ben Ohau Range, N. Zeal.», *J. Glac.*, vol. 6, nº 47, 1967, p. 746.

MAGNUSSON (M.), voir *Graenlandica Saga*.

MALAURIE (J.), *Thèmes de recherche géomorphologique… en Groenland*, éd. du C.N.R.S., Paris, 1968 (en particulier p. 443-447).

MANLEY (G.), «Temperature trends in Lancashire», *Q.J.R.M.S.*, 1946.

MANLEY (G.), «The range of variation of the british climate», *Geog. Journ.*, mars 1951, p. 43-68.

MANLEY (G.), «Variation in the mean temperature of Britain since glacial times», *Geologische Rundschau*, 1952, p. 125-127.

MANLEY (G.), «The mean temperature of central England, 1698-1952», *Q.J.R.M.S.*, 1953, p. 242-262 et 558.

MANLEY (G.), «Temperature trends in England», *Archiv. für Met., Geophys. und Bioklimatol.*, 1959, tirage à part avec série manuscrite additionnelle aimablement fournie par le professeur Manley et qui contient une table des températures en Angleterre de 1670 à 1697.

MANLEY (G.), «Possible climatic agencies in the development of

1. Ouvrage très difficile à trouver : je n'ai pu le lire qu'à Zurich, au siège du *Wasserwirtschaft Verband*, puis dans la bibliothèque d'un Institut, rattachée à la bibliothèque générale de l'Université de Michigan.

post-glacial habitats», *Proceedings of the Royal Society*, B, vol. 161, p. 363-375, 1965.

MANLEY (G.), Article dans *International Symposium...*, 1966.

MARTEL (P.), *Relation d'un voyage aux glacières du Faucigny*, 1743. (Se trouve à la bibliothèque de Genève [1], mais non à la B.N.; a été réédité, mais sans l'iconographie, par H. FERRAND, 1912; cf. WINDHAM et MARTEL.)

MARTIN (E.), *Histoire de Lodève*, Montpellier, 1900.

MARTIN (P. de), «Datation de poutres anciennes dans les maisons rurales du Livradois (Auvergne, France), inédit vers 1969. Voir aussi l'article de DE MARTIN (Annales, mars-avril 1971, n° 2, p. 456-462) sur les poutres lorraines du XVIIe siècle, dont les «anneaux d'arbre» sont datés (dans ce texte) par comparaison avec la chronologie du chêne d'HOLLSTEIN (1965, article cité) pour l'Allemagne occidentale.

MARTINS (Ch.), Articles sur les glaciers contemporains, dans la *Revue des Deux-Mondes*, 15 janvier, 1er février, 1er mars 1867 et 15 avril 1875.

MASSIP (M.), «Variations du climat de Toulouse», *Mémoires de l'Académie de Toulouse*, 1894-1895.

MATHEWS (W. H.), «Fluctuations of glaciers... in S.W. British Columbia», *Journal of geology*, 1951, p. 357-380.

MATTHES (F. E.), «Glaciers», dans *Hydrology*, recueil collectif édité par MEINZER (O. E.), New York, 1942.

MAUNDER (E.), Communication (à propos du minimum prolongé des taches polaires, 1645-1715) dans *Journal of the british astronomers association*, 1922.

MAURER (J.), «Uber Gletscherschwund und Sonnenstrahlung», *Met. Zeitschr.*, 31, 1914, p. 23.

MAURER (J.), «Neuer Rückzug der Schweizer Gletschern», *Met. Zeitschr.*, 1935, p. 22.

MAYR (F.), «Untersuchungen über Ausmass und Folgen der Klima und Gletscherschwankungen seit dem Beginn der postglazialen Wärmezeit. Ausgewählte Beispiele aus den Stubaier Alpen in Tirol», *Zeitschrift für Geomorphologie*, 1964.

MELLOR (M.), «Variations of the ice margins in East Antarctica», *Geogr. Journ.*, juin 1959.

MELLOR (M.), «Mass balance studies in Antarctica», *J. Glac.*, vol. 3, oct. 1959, n° 26, p. 522-533.

MÉNEVAL (Le baron de), *Récit d'une excursion de l'Impératrice Marie-Louise aux glaciers de Savoie, en juillet 1814*, Paris, éd. 1847.

MERCANTON (P.-L.), «Mensurations au glacier du Rhône», *Neue Denkschriften der Schweiz. Naturforschenden Gesellschaft*, vol. 52, 1916.

MERCANTON (P.-L.), Notices détaillées sur les fluctuations contemporaines des glaciers des Alpes parues dans *Die Alpen*, 23, 1947, p. 313-320; 24, 1948, p. 387 et 1949, p. 267; et dans *J. Glac.*, vol. II, 1952-1956, p. 110.

---

1. D'après C.-E. ENGEL.

MERCANTON (P.-L.), «Glacierized areas in the swiss Alps», *J. Glac.*, avril 1954, n° 15, p. 315-316.

MERCER (J.), «Glacier variations in Patagonia», *Geog. Rev.*, 1965, p. 390-413. Dans cet article, voir en particulier p. 410-413 et n. 47-53; elles contiennent une substantielle bibliographie, relative aux avances glaciaires pendant la période subatlantique, vers 300 av. J.-C., en Europe, Amérique et Nouvelle-Zélande.

MERCER (J. H.), «Glacier resurgence at the Atlantic sub-Boreal transition», *Q.J.R.M.S.*, 1967, p. 528-534.

MÉRIAN (M.), *Topographia helvetiae*, s.l., 1642.

MILANKOVITCH (M.), *Canon of insolation and the ice age problem* (traduction anglaise), U.S. Department of Commerce, 1969.

MILES (M. K.), «The summers of North-West Europe», *Met. Mag.*, 1967, p. 318.

Ministère de l'Agriculture, Direction de l'Hydraulique et des Améliorations agricoles. Service d'étude des grandes forces hydrauliques (Région des Alpes) (à partir du t. III, Direction générale des Eaux et Forêts), Études glaciologiques:

Tome I: *Tyrol autrichien. Massif des Grandes-Rousses*, par MM. FLUSIN, JACOB et OFFNER, 1909.

Tome II: *Études glaciologiques en Savoie*, par M. MOUGIN (P.), et *Programme et méthodes applicables à l'étude d'un grand glacier*, par M. BERNARD (C.-J.-M.), 1910.

Tome III: *Études glaciologiques, Savoie et Pyrénées.* — I. *Études glaciologiques en Savoie*, par M. MOUGIN (P.); II. *Observations glaciaires dans les Pyrénées*, par M. GAURIER (Ludovic), 1912.

Tome IV: I. *Étude sur le glacier de Tête-Rousse*, par MM. MOUGIN (P.) et BERNARD (C.); II. *Les avalanches en Savoie*, par M. MOUGIN (P.), 1922.

Tome V: *Études glaciologiques en Savoie*, par M. MOUGIN (P.), 1925.

Tome VI: *Observations glaciologiques faites en Dauphiné jusqu'en 1924*, récapitulées et partiellement éditées par M. ALLIX (André), et *Variations historiques des glaciers des Grandes-Rousses*, par M. MOUGIN (P.), 1934.

N.B. — Il existe, chose curieuse, deux éditions différemment paginées (décalage uniforme des pages) des *Études glaciologiques* de 1912; j'ai utilisé l'une d'elles dans mon article de 1960 et l'autre édition dans ce livre.

MITCHELL (J.), «Recent secular changes of global temperature», *A.N.Y.A.S.*, vol. 95, art. 1, p. 235-250.

MITCHELL (J.), Communication dans *Changes of Climate*, 1963, p. 161-182 (cf. ce titre).

MITCHELL (J.), «Stochastic models of air-sea interaction and climatic fluctuation», *Proceedings of the symposium on the artic heat budget and atmospheric circulation*, édité par J. O. FLETCHER, janv.-fév. 1966 (The Rand Corporation Memorandum, R.M. 5233, N.S.F., déc. 1966).

MITCHELL (J.) et autres, *Causes of climatic change, in Meteorological monographs*, vol. 8, nᵒ 30, fév. 1968 (publié par l'Amer. Met. Soc.).

MITCHELL (J. M.), «A critical appraisal of periodicities in climate», réédition de *Weather and our food supply*, C.A.E.D. rapport 20, Université d'Iowa, Iowa, 1964.

MITCHELL (J. M.), «Theoretical paleo-climatology», dans *Quaternary of the United States*, 1965.

MITCHELL (J.) et KISS (E.), «Bibliography on climatic changes in historical times», *M.G.A.*, 15 décembre 1964.

MOCK (S. J.), «Fluctuations of the terminus of the Harald Moltke Brae glacier, Greenland», *J. Glac.*, oct. 1966, p. 369-373.

MONTARLOT (G.), «Facteurs météorologiques et végétation de la vigne», *Annales de l'École nationale d'agriculture de Montpellier*, tome XXII, fasc. 5, p. 236.

MONTERIN (U.), «Il clima sulle Alpi ha mutato in epoca storica», *Bulletin du Comité glaciologique italien*, 16, 57, 1936-1937. C'est la meilleure synthèse parue dans l'ancienne littérature glaciologique italienne, à propos de fluctuations «récentes» (autrement dit «historiques») des glaciers. Une critique cependant : les variations du trafic à travers les cols des Alpes sont liées à la conjoncture commerciale et non pas glaciaire, sauf dans les cas extrêmes où un glacier par son avance en vient à bloquer physiquement un col ou un passage alpin.

Monumenta Germaniae historica, Hanovre, édition 1937-1962.

MORINEAU (M.), «D'Amsterdam à Séville...», *Annales*, janv. 1968.

MORINEAU (M.), «Les faux-semblants d'un démarrage économique : agriculture et démographie en France au XVIIIᵉ siècle», *Cahiers des Annales*, nᵒ 30, 1971 (voir aussi *Rev. hist.*, 1968, p. 299 *sq.*).

MORIZE, «Aiguesmortes au XIIIᵉ siècle», *Ann. du Midi*, 26, 1914, p. 313.

MORRISSON, Article dans *International Symposium...*, 1966.

MOSSMAN (R.), «Reduction of the Edinburgh meteorological observations to 1900», *Royal Society of Edinburgh, Transactions*, 40, 1902.

MOUGIN (P.). Cf. ministère de l'Agriculture.

MÜLLER (K.), «Weinjahre und Klimaschwankungen der letzten 1000 jahre», *Weinbau, Wissenschaftliche Beiheft* (Mainz), 1, 83, 123, 1947.

MÜLLER (K.), *Geschichte des Badischen weinbaus* (avec une chronique des vins et une description des fluctuations climatiques du dernier millénaire), Lahr in Baden, 1953.

MUNAUD (A. V.), Études dendrochronologiques en Belgique, *Agricultura*, vol. 14, 1966, nᵒ 2.

MUNSTER (S.), *Cosmographiae universalis lib. VI*, Bâle, 1552; *Cosmographey oder Beschreibung aller Länder*, Bâle, 1567.

MURRAY (R.) and MOFFITT (B. J.), «Monthly patterns of the quasi-biennial pressure oscillation», *Weather*, oct. 1969, p. 382-390.

MUSSET (L.), *Les peuples scandinaves au Moyen Age*, Paris, P.U.F., 1951.

NAGERONI (G.), «Appunti per una revisione del catalogo dei ghiacciai lombardi» (*Att. soc. Ital. Sc. Nat.*, XLIII, p. 373-407), cité par CAILLEUX, *R.G. Dyn.*, 1955, fiche 528.

NICHOLS (H.), «Central Canadian palynology and its relevance to North-western Europe in the late quaternary period», *Rev. of paleobotany and palynology*, Amsterdam, 2, 1967, p. 231-243.

NICHOLS (H.), «Late quatern. History of vegetation and climate... in Manitoba», *Arctic and Alpine Research*, 1, 3, 1969, p. 155-167.

NORLUND (P.), «Buried Norsemen at Herfoljness», *Meddelelser om Gronland*, vol. 67, 1924, p. 228-259.

NORLUND (P.), *Viking settlers in Greenland*, Londres, 1936.

ODELL (N. E.), «Mount Ruapehu, N.Z., observations on glaciers», *J. Glac.*, vol. 2, 1952-1956, p. 601 *sq.*

ŒCHSGER (H.) et ROTHLISBERGER (H.), «Datierung eines ehemaligen Standes der Aletschgletschers», *Zeitschrift für Gletscherkunde*, IV, 3, 1961, p. 191-205.

OLAGÜE (I.), *La decadencia española*, Madrid, 1951 (notamment le volume IV, p. 247-306).

OLAGÜE (I.), *Histoire d'Espagne*, Paris, 1958.

OLAGÜE (I.), «Les changements de climat dans l'histoire», *Cahiers d'histoire mondiale*, VII, 3/1963, p. 637.

OLIVER (J.): Cet auteur a étudié systématiquement les anciens registres et journaux, notamment intimes, qui contiennent des informations sur la météorologie du XVIIIᵉ siècle. Voir *Weather and Agriculture*, ed. J. A. Taylor, Pergamon, Oxford, 1967; *Q.J.R.M.S.*, vol. 84, nᵒ 360, avril 1958, p. 126-133; *Weather*, vol. 13, nᵒ 8, août 1958; vol. 16, nᵒ 10, oct. 1961; vol. 20, nᵒ 12, déc. 1965; *The National Library of Wales Journal*, X, 3, été 1958; *Transactions of Anglesey Antiquarian Society and Field Club*, 1958.

OSBORNE (D.), and NICHOLS (R.), «Dendrochronology of the Wetherhill Mesa», *Tree-Ring Bull.*, mai 1967.

OVERBECK (F.) et GRIEZ (I.), «Mooruntersuchungen zur Rekurrenzflächenfrage... in der Rhön», *Flora*, 141, 1954, p. 51 *sq.*

OVERBECK (F.), MUNNICH (K.), ALETSEE (L.), AVERDIECK (F.), «Das Alter des Grenzhorizonts nord-deutscher Hochmoore nach Radiocarbon-Datierungen», *Flora*, 145, 1957, p. 37.

OYEN (P. A.), «Klima und Gletscherschwankungen in Norwegen», *Zeitschrift für Gletscherkunde*, mai 1906, p. 46-61 et 173-174.

PAGE (N.), «Atlantic/early sub. Boreal glaciation in Norway», *Nature*, 219, 17 août 1968, p. 694-697.

PAPON (L'abbé), *Histoire générale de Provence*, Paris, 1786.

PAYOT (P.), *Au royaume du Mont-Blanc*, Bonneville, 1950.

PÉDELABORDE (P.), «La circulation sur l'Europe occidentale», *Annales de géog.*, 1953.

PÉDELABORDE (P.), *Le climat du Bassin parisien*, Paris, 1957.

PÉROUX (G.), *Inventaire des Archives départementales de la Savoie*, Série E, tome I, Introduction.

PFANNENSTIEL (M.), «Die Schwankungen des Mittelmeerspiegels als Folge der Eiszeiten», *Freiburger Universitätsreden*, Neue Folge, H. 18, Fribourg, 1954, cité par H. V. RUDLOFF, 1967, p. 342.

PFISTER (C.), *Agrarkonjunctur und Witterungsverlauf im westlichen Schweizer Mittelland zur Zeit der Ökonomischen Patrioten* 1755-1797, Lang Druck AG Liebefeld/Bern, 1975.

PILLEWIZER (W.), Compte rendu de l'expédition des savants de la D.D.R. au Spitzberg, *Pet. géogr. Mitt.*, 1962-1964, p. 286.

PLASS (G. N.), «The carbon dioxide theory of climatic change», *Tellus*, vol. 8, mai 1956, p. 140-154.

PLATTER (*Félix et Thomas Platter à Montpellier* (1552-1559, 1595-1599). *Notes de voyage de deux étudiants bâlois*, Montpellier, 1892.

POGGI (A.), «La neige et les avalanches», *Mét.*, avril-juin 1961.

POISSENOT (Bénigne), *Nouvelles histoires tragiques... ensemble une lettre à un ami contenant la description d'une merveille appelée la Froidière veue par l'autheur en la Franche Comté de Bourgogne*, Paris, Richou, 1586, p. 440-451 (exemplaire à la B.N.).

POLGE (H.) et KELLER (R.), «La Xylochronologie, perfectionnement logique de la dendrochronologie», *Annales des Sciences forest.*, 1969, 26 (2), p. 225-256.

POST (A.), «The recent surge of Walsh glacier (Yukon and Alaska)», *J. Glac.*, vol. 6, n° 45, oct. 1966.

POTAPOVA (L. S.), Article sur les causes climatologiques des fluctuations du climat (en russe), 1968, cf. *M.G.A.*, août 1969, p. 2075.

POWELL (W.), *Silver, Soldiers and Indians*, University of California, 1955.

PRIBRAM (A. F.), *Materialen zur Geschichte der Preise...*, Vienne, 1938.

«Proceedings of the Conference on the Climate of the Eleventh and Sixteenth Centuries, Aspen, June 16-24, 1962», National Center for Atmospheric Research, Boulder, Colorado (N.C.A.R. Technical Notes, 63-1).

RABOT (Ch.), «Les glaciers du Pelvoux au début du XIXe siècle», *La Géographie*, 1914, vol. 29.

RABOT (Ch.), «Récents travaux glaciaires dans les Alpes françaises», *La Géographie*, vol. 30, 1914-1915, p. 257-268.

RABOT (Ch.), «Les catastrophes glaciaires dans la vallée de Chamonix au XVIIe siècle», *La Nature*, 28 août 1920.

RAIKES (Robert), *Water, weather, and prehistory*, Londres, 1967.

RAMDAS (L. A.) et RAJAGOPALAN (N.), Communication dans *Changes of Climate*, 1963, p. 87-91 (cf. ce titre).

RATINEAU (J.), *Les céréales*, Paris, 1945, p. 53-57.

REBUFFAT (G.), *Mont-Blanc...*, Paris, 1962.

REITER (E. R.), *Jet-stream meteorology*, Univ. of Chicago Press, 1963.

REKSTAD (J.), «Gletscherschwankungen in Norwegen», *Zeitschrift für Gletscherkunde*, 1906-1907.

Relation anonyme d'une visite à Chamouni en 1764, éditée et annotée par H. FERRAND, Lyon, 1912 (B.N. LK^7, 39 030).

RENOU (E.), «Études sur le climat de Paris», *Annales du Bureau central météorologique de France*, 1887, tome I, B 195 à B 226.

Rey (M.), « La source et le glacier du Rhône en 1834 », *Nouvelles Annales des voyages*, Paris (Pihan), 1835.

Richard (J. M.), « Thierry d'Hireçon », *Bibliothèque de l'École des Chartes*, vol. 53, 1892.

Richter (E.), « Zur Geschichte des Vernagtgletschers », *Z.D.O.A.*, 1877.

Richter (E.), *Die Gletscher der Ostalpen*, Stuttgart, 1888.

Richter (E.), « Geschichte der Schwankungen der Alpengletscher », *Z.D.O.A.*, 1891.

Richter (E.), « Urkunden über die Ausbrüche des Vernagt — und Gurglergletschers im 17 und 18 Jahrhundert, aus den Innsbrucker Archiven herausgegeben », *Forschungen zur deutschen Landes — und Volkskunde*, 6, 1892.

Rodewald (M.), Communication dans *Changes of Climate*, 1963, p. 97-108 (cf. ce titre).

Rodewald (M.), « Die Klimaschwankung in Westgrönland », *Wetterlotse*, Hambourg, fév. 1968.

Rogers (Th.), *A history of agriculture and prices in England*, Londres, 1886-1887.

Rogstad (O.), Articles sur les variations des glaciers de Norvège, dans *Norsk geografisk Tidskrift*, 1941, p. 273 et, 1942, p. 129, d'après *J. Glac.*, vol. I, 1947-1951, p. 151.

Rogstad (O.), « Variations in the glacier mass of Jostedalsbreen », *J. Glac.*, vol. I, 1947-1951, p. 551.

Rondeau (A.), « Recherches morphologiques dans l'État de Washington », *B.A.G.F.*, nov.-déc. 1954, p. 183-195.

Rose (B.), « 18th century price riots », *International review of Social History*, III, 1959, p. 432-445.

Roseman (N.), Communication dans *Changes of Climate*, 1963, p. 67-74 (cf. ce titre).

Rubin (M.), Communication dans *Changes of Climate*, 1963, p. 223-229 (cf. ce titre).

Rudé (G.), « La taxation populaire de Mai 1775 (la guerre des farines) », *Annales d'hist. de la Révol. franç.*, 1956, p. 139-179; et 1961, p. 305-326.

Rudé (G.), *The Crowd in History*, New York, 1964.

Rudloff (H. Von). Voir Von Rudloff (H.).

Russel (J. C.), *British Medieval Population*, Albuquerque, 1948.

Sacco (F.), « Il ghiacciaio ed i laghi del Ruitor », *Bol. della Soc. geol. ital.*, 36, 1917, p. 1-36.

Sanson (J.), *Relations entre le caractère météorologique des saisons et le rendement du blé*, publications de l'O.N.M., Paris, s.d.

Sanson (J.), « Températures de la biosphère et dates de floraison des végétaux », *La Météorologie*, oct.-déc. 1954, p. 453-456.

Sanson (J.), « Y a-t-il une périodicité dans la météorologie ? » *La Météorologie*, 1955.

Sanson (J.), « En marge météorologique de l'histoire », *La Météorologie*, 1956.

Saussure (H.-B. de), *Voyages dans les Alpes*, Neuchâtel, 1779 et 1786.

SCHERHAG (R.), « Die Erwärmung des Polargebiets », *Ann. hydrogr.*, Berlin, 1939, p. 57-67 et 292-303.

SCHEUCHZER (J.), ουρεσιφοιτης helveticus, sive itinera ad Helvetiae alpinas regiones, Lugduni Batavorum, 1723.

SCHMUCK (A.), « Frequency of dry spells in Wroclaw, 1883-1960, and max. of droughts, 1946-1960 », *Wroclawskie Towarzystwo Naukowe (Annales Silesiae)*, Wroclaw, 1961.

SCHOVE (D. J.), Communication dans « Post-glacial climatic change », *Q.J.R.M.S.*, 1949, p. 175-179 et 181.

SCHOVE (D. J.), *Climatic fluctuations in Europe in the late historical period*, M. Sc. Thesis, Université de Londres, 1953 (inédit).

SCHOVE (D. J.), « The sunspot cycle (a historical record) », *Journ. of geophys. res.*, 60, 2, 1955, p. 127-146. Importante bibliographie sur l'histoire du cycle solaire avant l'époque des observations rigoureuses, c'est-à-dire au Moyen Age et dans la période « moderne ».

SCHOVE (D. J.), « Medieval Chronology in the U.S.S.R. », *Medieval Archaeology*, vol. 8, 1964, p. 216-217.

SCHOVE (D. J.), « Fire and drought, 1600-1700 », *Weather*, sept. 1966. A propos du grand incendie de Londres (1666) et des années sèches à *tree-rings* minces qui le précédèrent.

SCHOVE (D. J.), « The biennial oscillation », *Weather*, oct. 1969, p. 390-396.

SCHULMAN (E.), « Tree-ring Indices of Rainfall, Temperature and River Flow », *Compendium of Meteorology*, The American Meteorological Society, Boston, 1951.

SCHULMAN (E.), « Tree-ring and History in the Western United States », *Smithsonian Report for 1955*, 459-473, Smithsonian Institute of Washington, 1956.

SÉVIGNÉ, *Lettres*, éd. Hachette, Paris, 1862.

SHAPIRO (R.), « Circulation pattern », Communication dans les « *Proceedings* » d'Aspen, 1962, p. 59 *sq.* (cf. ce titre).

SHAPLEY (H.), cf. *Climatic change*.

SHARP (R.), « The latest major advance of Malaspina glacier, Alaska », *Geog. Rev.*, 1958.

SHORT (T.), *General Chronological History*, 1749.

SHORT (T.), *New observations... with an appendix on the weather and meteors*, Londres, 1750.

SIMMONS (L.), *Soleil hopi*, trad., Paris, 1959.

SIREN (G.), « Skogsgränstallen som indikator för klimatfluktuationerna I norra fennoskandien under historisk tid », *Metsäntutkimuslaitoksen Julkaisuja 54.2 (Communicationes Instituti forestalis fenniae 54.2)*, Helsingfors, 1961.

SITZMANN (P.), « Les variations des glaciers du bassin de la Romanche », *Revue de géographie alpine*, janvier 1961.

SKELTON (R. A.), MARSTON (T. E.), PAINTER (G. D.), *The Vinland Map and the Tartar Relation*, avec un avant-propos de A. O. VIETOR, New Haven, Yale Univ. Press, 1965.

SLICHER van BATH (B. H.), « Les problèmes fondamentaux de la société préindustrielle en Europe », *A.A.G. Bijdragen*, 12, 1965.

SMILEY (T. L.), «A Summary of tree-ring dates from South-western archaeological sites», University of Arizona *Bulletin*, vol. 22, *Laboratory of tree-ring Research, Bulletin* n° 5, Tucson, Ariz.

SMITH (D. G.) and NICHOLS (R. F.), «A tree-ring chronology for climatic analysis (Mesa Verde)», *Tree-ring Bull.*, mai 1967.

SMITH (L. P.), Communication dans *Changes of Climate*, 1963, p. 457-469 (cf. ce titre).

SOKOLOV (A.), «Diminution de la durée du gel des rivières en liaison avec le réchauffement du climat» (en russe), *Priroda*, 1955, p. 96-98.

«Solar variation, climatic change...», recueil collectif (740 pages) publié dans *A.N.Y.A.S.*, vol. 95, art. 1, 5 oct. 1961.

SPINK (P. C.), «Glaciers of East Africa», *J. Glac.*, vol. I, 1947-1951, p. 277.

SPINK (P. C.), «Recession of the African glaciers», *J. Glac.*, vol. 2, 1952-1956, p. 149.

STARKEL, Article dans *International Symposium...*, 1966 (voir *supra*).

STEENSBERG (A.), «Archeological dating of the climatic change in Northern Europe, about 1300», *Nature*, 20 octobre 1951, p. 672-674.

STOCKTON (C. W.) and FRITTS (H. C.), «Probability... for variation in climate, based on widths of tree-rings», *Annual report, Grant E. 88-67* (G.) *Environmental Science Services Administr.*, janv. 1968.

STOLZ (O.), «Anschauung und Kenntnis der Hochgebirge Tyrols», *Z.D.O.A.*, 1928.

STRASSER (G.), cf. *Der Gletschermann*.

STRETEN (N.) and WENDLER (G.), «An Alaskan Glacier», *J. Glac.*, oct. 1968.

STUMPF (J.), *Gemeiner löblicher Eydgenossenschaft Landen... Beschreibung*, Zurich, éd. 1547-1548 et 1586, 1606, etc.

STUDHALTER (R.), «Early History of crossdating», *Tree-ring Bulletin*, avril 1956.

STUIVER (M.) et SUESS (H. E.), «On relationship between radiocarbon dates and true sample ages», *Radiocarbon*, publié par *Amer. Journ. of Science*, 1966, vol. 8, p. 534-540.

SUESS (H.), voir STUIVER, 1966.

SUESS (H.), «Climatic changes, solar activity, and the cosmic-ray production rate of natural radiocarbon», 1968, Article dans MITCHELL, 1968 (voir *supra*).

SUESS (H.), «The three causes of the secular C14 fluctuations», texte non publié, août 1969.

SUESS (H.), «Bristlecone pine calibration of the radiocarbon time scale, 5300 B.C. to the present», texte non publié, août 1969.

SUTCLIFFE (R.), Communication dans *Changes of Climate*, 1963, p. 277-285 (cf. ce titre).

TAILLEFER (F.), «Une histoire du climat...», *Rev.* de *géog. des Pyrénées et du Sud-Ouest*, vol. 38, 1967, p. 373.

TEMPLE (P. H.), «Survey of the Ruwenzori glaciers for recent changes», *Nature and Resources (Unesco)*, 5, 1, mars 1969, p. 13-14.

THEAKSTONE, «Recent changes in the glaciers of Svartisen», *J. Glac.*, fév. 1965, p. 411 *sq.*

THOMSON (E. P.), «The moral economy of the poor (the food riot)», *Past and present*, 1971, p. 71-136.

THORARINSSON (S.), «The ice dammed lakes of Iceland», *Geog. Annaler*, 1939-1940.

THORARINSSON (S.), «Vatnajökull», *Geog. Ann.*, 1943.

THORARINSSON (S.), «Present glacier shrinkage», *Geog. Ann.*, 1944.

TILLIER (J.-B. de), *Histoire de la vallée d'Aoste*, ms. de 1742, édité à Aoste en 1880, réédité en 1953.

TITOW (J.), «Evidence of weather in the account rolls of the bishopric of Winchester, 1209-1350», *Economic history review*, 1960. Voir aussi du même auteur un article fondamental qui développe celui-ci dans *Annales*, 1970, n° 2, p. 312 *sq.*

TOUSSOUN (O.), «Mémoires sur l'histoire du Nil», dans *Mémoires de l'Institut d'Égypte*, tome IX, 1925, p. 366-410.

TRASSELLI (C.), «Studi sul clima», *Rivista di storia dell'agricoltura*, mars 1968.

TREVELYAN (G. M.), *English Social History*, Londres, 1942.

TRICART (J.), «Géomorphologie quaternaire», *R.G.D.*, nov.-déc. 1958, p. 184.

TRICART (J.) et CAILLEUX (A.), *Le modelé glaciaire et nival* (vol. II du *Traité de géomorphologie*), Paris, 1962.

TURNER (R. M.), ALCORN (S. M.), OLIN (G.) et BOOTH (J. A.), «The influence of shade, soil and water on Saguaro seedling establishment», *The botanical gazette*, vol. 127, n° 2-3, juin-sept. 1966.

TYCHO-BRAHÉ, *Meteor. Dagbog* (1582-1597), édité par P. LACOUR, Copenhague, 1876.

UNTERSTEINER (N.) et NYE (J.), «...Berendon glacier, Canada», *J. Glac.*, juin 1968.

USPENSKII (S. M.), «Poteplanie Arktiki i fauna vysokikh shirot», *Priroda*, fév. 1963, d'après *M.G.A.*, avril 1964, p. 833.

UTTERSTRÖM (G.), «Climatic fluctuations and population problems in early modern history», *The Scandinavian economic history review*, 1955.

UTTERSTRÖM (G.), «Population problems in pre-industrial Sweden, *Scandinavian Economic History Review*, 1954 et 1962.

VACCARONE (Luigi), «I Valichi nel Ducato d'Aosta nel secolo 17», *Bolletino del club alp. ital.*, vol. 15, 1881, p. 181-193 (contient aussi le texte de F. ARNOD, 1691-1694, sur les glaciers de Savoie).

VACCARONE (L.), *Le vie delle Alpi occidentali negli antichi tempi*, Turin (Candeletti), 1884 (contient également un texte d'Arnod).

VALENTIN, dans *Pet. géog. Mitt.*, 1952, cité par FINSTERWALDER, 1954 (cf. ce nom).

VANDERLINDEN (E.), *Chronique des événements météorologiques en Belgique jusqu'en 1834*, Bruxelles, 1924.

VAN DER WEE (H.), *The growth of the Antwerp market and the european economy*, La Haye, 1963.

VANNI (M.), « Le variationi frontali dei ghiacciai italiani », *Boll. del Comitato glaciologico italiano*, Turin, 1948, p. 75-85.

VANNI (M.), « Le variationi recenti dei ghiacciai italiani », *Geofisica pura e aplicata*, 1950, p. 230.

VANNI (M.), « Variations of the Italian glaciers in 1961 », *J. Glac.*, fév. 1963.

VANNI (M.), ORIGLIA (C.), de GEMINI (F.), « I Ghiaccai della valle d'Aosta », *Bolletino del Comitato glaciologico italiano*, 1953.

VEBAEK (C. L.), « The climate of Greenland in the 11th and 16th centuries », Communication (ronéotypée) à la conférence d'Aspen (1962) sur le climat des XIe et XVIe siècles.

VERYARD (R. G.), Communication dans *Changes of Climate*, 1963, p. 3-36 (cf. ce titre).

VEYRET (P.), « Trois glaciers du Pelvoux en 1951 », *Rev. de géog. alp.*, 1952, p. 197-199 (cf. aussi *J. Glac.*, vol. 2, 1952-1956, p. 154).

VEYRET (P.), « La tournée glaciologique de 1959 », *Rev. de géog. alp.*, janvier 1960, p. 203-207.

VEYRET (P.), « Les variations des glaciers du Mont-Blanc », *La Montagne*, avril 1966.

VILLENEUVE (Comte de), *Statistique des Bouches-du-Rhône*, Marseille, 1821.

VIRGILIO, « Note sur la catastrophe du Pré-de-Bar en 1717 », *Bolletino del Club alpino italiano*, 1883.

VIVIAN (R.), « Le recul récent des glaciers du Haut-Arc et de la Haute-Isère », *R.G. alp.*, 1960 (2), p. 313-329. Voir aussi les nombreuses monographies de glaciers alpins qu'a données VIVIAN pendant les années 1960-1970 dans la *Rev. de géog. alp.*

VIVIAN (R.), « Glace morte et morphologie glaciaire », *R. de géog. alp.*, 1965.

VON POST (L.), « Pollen Analysis... in earth's climatic history », *New Phytol.*, 1946, p. 193-218.

VON RUDLOFF (H.), « Die Schwankungen der Grosszirkulation... innerhalb der letzten Jahrhunderte », *Annalen der Meteorologie*, 1967.

VON RUDLOFF (H.), *Die Schwankungen und Pendelungen des Klimas in Europa seit dem Beginn der regelmässigen Instrumenten-Beobachtungen*, Braunschweig (Vieweg), 1967.

WAGNER (A.), *Klimaänderungen und Klimaschwankungen*, Braunschweig, 1940.

WAGRET (P.), « Le climat se réchauffe-t-il ? », *La Nature*, janv. et août 1958, 3273 et 3280, p. 19 et 331.

WAHL (E. W.), « A comparison of the climate of the Eastern United States, during the 1830's with the current normals », *Monthly Weather Review*, fév. 1968, p. 73-82.

WALKER (D.), article sur les variations climatiques en Nouvelle-Zélande et en Australie, dans *International Symposium...*, 1966 (voir *supra*).

WALLEN (A.), « Température, pluie et récoltes », *Géog. Ann.*, 1920, p. 332-357.

WALLEN (C. C.), «Glacial meteorological investigations on the Karsa glacier in swedish Lappland», *Geog. Ann.*, 1948.

WALLEN (C. C.), «European weather in 1968», *Weather*, oct. 1969.

WARD (W. H.) and BAIRD (P. D.), «A description of the Penny ice cap (Baffin Island)», *J. Glac.*, avril 1954.

WATSON (W.), Communication dans *Proceedings... Aspen*, 1962, p. 37 (cf. ce titre); *ibid.* «Census of data» et «Bibliography».

WEBB (C. E.), «Investigations of glaciers in British Columbia», *Canadian Alpine Journal*, vol. 31, 1948, p. 107-117, d'après *J. Glac.*, vol. I, p. 275.

WEIDICK (A.), «Observations on some holocene glacier fluctuations in West Greenland», *Meddelelser on Grönland*, vol. 165, n° 6, 1968, 202 pages.

WEIKINN (C.), *Quellentexte zur Witterungsgeschichte Europas von der Zeitwende bis zum 1850, Hydrographie, I (Zeitwende-1500)*, Akademie-Verlag, Berlin, 1958.

WERENSKIOLD (W.), «Glaciers in Jotunheim», *Norsk geografisk Tidsskrift*, 1939.

WEYL (P. K.), «Role of the ocean in climatic change», *Meteorological Monographs*, Boston, fév. 1968.

WHITE (S. E.), «The firn field of the Popocatepelt», *J. Glac.*, 1952-1956, p. 389.

WHITOW (J.-B.), etc., «Glaciers of the Ruwenzori», *J. Glac.*, juin 1963, p. 581-617.

WILLETT (H. C.), «Climatic change; temperature trends of the past century», *Centenary proceedings of the Royal meteorological society*, 1950, p. 195.

WINDHAM et MARTEL, *Premiers voyages à Chamouni*, Lettres de Windham et de Martel (1741-1742) publiées et annotées par H. FERRAND, Lyon, 1912, (B.N., LK⁷ 39 030).

WISEMAN, Article sur les fluctuations thermiques de l'Océan, dans *International Symposium...*, 1966.

WOODBURY (R.), «Climatic changes and prehistoric agriculture in the south-western United States», *N.Y.A.S.*, vol. 95, art. 1, 5 oct. 1961, p. 705-709.

World Climate (8000-0 B.C.), voir *International Symposium...*, 1966.

WRIGHT, Article dans *International Symposium...*, 1966.

WYLIE (P. J.), «Ice recession in N.E. Greenland», *J. Glac.*, vol. 2, 1952-1956, p. 704.

ZEUNER (F. E.), *Dating the past, an introduction to geochronology*, Londres, 1949 (chap. I).

ZINGG (Th.), Communication et graphiques dans *Bull. of the Assoc. of scientific hydrology*, juin 1963, p. 84-85.

ZUMBERGE (J. H.) et POTZGER (J. E.), «Late Wisconsin chronology of the lake Michigan Basin, correlated with pollen studies», *Bull. of the geol. soc. of Amer.*, vol. 66, 1955-1962, p. 1640.

ZURLAUBEN, *Tableaux topographiques de la Suisse*, Paris (Clousier), 1780.

INDEX

Aario, L., II, 27-28.

Abkühlung, I, 121.

Ablation, II, 5-25, 39-51. *Voir aussi* Réchauffement; siècles, Glaciers.

Abrekke (vallée et glacier), I, 235, 247.

Abyssinie, II, 87.

Afrique, I, 32, 104; II, 87 (*voir aussi* les noms de lieux); retrait des glaciers, 126-128.

Afrique du Nord, I, 32, 104. *Voir* aussi Afrique.

Agassiz, L., I, 284.

Agitation sociale, provoquée par les mauvaises récoltes et le climat, I, 70, 80-85, 90-94, 113, 115.

Agriculture et climat, I, 12-23, 61 *sq.*, 68-69, 79-95, 113-117, 144-145, 149-150; II, 76-77 (*voir aussi* récoltes); XVIIIᵉ siècle, I, 85-94; XIᵉ et XVIᵉ siècles, II, 75-77, 80-81, 86-87, 92-93; fluctuations glaciaires, I, 111-118, 144-145, 149-150, 163, 215-216, 230-231; II, 18-25; pluviosité et famine au XIVᵉ siècle, I, 48-51.

Ahlmann, H. W., I, 100-101, 129, 283-284; II, 19.

Alaska, I, 33, 34, 43, 102, 103, 131, 150, 254, 264, 265; II, 39, 49, 78, 87, 105.

Aletsch (glacier), I, 223; II, 34, 35, 36, 37, 40, 51, 54, 80.

Allalin (glacier), I, 171, 215, 222, 227, 236, 246, 252, 258, 262, 263, 267; II, 38, annexe 13.

Allée Blanche (glacier), II, 258, 261, 267.

Allemagne, I, 7, 9, 13, 17, 45-48; climat médiéval, II, 41-43; fluctuations climatiques, I, 73, 101, 118-122; glaciers, I, 277-281; (*voir aussi* les différentes localisations); récoltes, I, 13, 64-67, 75, 77, 81, 95 *sq.*; annexe 12 C; dendrochronologie du chêne (IXᵉ-XXᵉ siècles), annexe 16; recherche sur les arbres, I, 45-48; périodes de réchauffement, II, 6, 41-43; périodes d'humidité (XIVᵉ siècle), I, 48-51, vendanges, annexe 12 C.

Allix, A., I, 25; II, 54.

Alpes (glaciers), I, 8, 9, 13-15, 71, 74-75, 81, 96-97, 114, 116-117, 118, 120, 125 (*voir aussi* les différents siècles, pays, glaciers, emplacements); avance glaciaire (1215-1350), II, 33-50; climat aux XIᵉ et XVIᵉ siècles, II, 88-94 *passim;* climat au Moyen-Age, II, 27-94 *passim;* petite avance récente des glaciers, annexe 2; retrait gla-

ABRÉVIATIONS

A.C.	:	Archives communales.
A.C. Cham.	:	Archives communales de Chamonix.
A.C.M.	:	Archives communales de Montpellier.
A.D.H.S.	:	Archives départementales de la Haute-Savoie.
A.I.H.S.	:	*Association internationale d'hydrologie scientifique.*
An.	:	Annexe.
A.N.Y.A.S.	:	*Annals of the New York Academy of Sciences.*
B.A.G.F.	:	*Bulletin de l'Association des Géographes français.*
Fonds Chobaut	:	Fonds Chobaut conservé au Musée Calvet d'Avignon; dossier des calamités météorologiques et dossier des vendanges.
Geog. Ann.	:	*Geografiska Annaler.*
Geog. Rev.	:	*Geographical Review.*
J. geol.	:	*Journal of geology.*
J. Glac.	:	*Journal of glaciology.*
Mét.	:	*La Météorologie.*
M.G.A.	:	*Meteorological and geoastrophysical abstracts.*
Q.J.R.M.S.	:	*Quarterly journal of the royal meteorological society.*
R.G.D.	:	*Revue de géomorphologie dynamique.*
Z.D.O.A.	:	*Zeitschrift des deutschen und œsterreichen Alpenvereins.*
Z. f. Glk.	:	*Zeitschrift für Gletscherkunde.*

SOURCES MANUSCRITES

Archives départementales de la Haute-Savoie. — Série G : 10 G 204 à 329 : collégiale de Sallanches, papiers du prieuré de Chamonix (fonds très riche d'un bout à l'autre). J'ai vu (notamment) 10 G 226 à 10 G 265 (comptabilité) et 10 G 307 à 10 G 329 (procédures); 1 G 98 à 1 G 130 : visites pastorales des évêques de Genève (dont relève le prieuré de Chamonix). Enfin, au fonds ancien des cadastres, la *vieille mappe* de Chamonix (1730).

Archives communales de Chamonix (Haute-Savoie). — Notamment les séries HH, et surtout CC, où sont conservés les procès-verbaux d'enquêtes sur les catastrophes glaciaires du XVIIᵉ siècle.

Pour les sources manuscrites qui intéressent les dates de vendanges et les séries événementielles, voir les annexes 11 et 12, et *Les paysans de Languedoc,* vol. I, chap. Iᵉʳ, et vol. II, annexes 1, 2 et 3.

Bibliothèque nationale, cabinet des Estampes, dossiers des États sardes et de Savoie, cotés Vb 1 et Vb 2 (iconographie glaciaire).

TABLE DES FIGURES

TOME I

TOME II

TABLE DES LÉGENDES HORS-TEXTE

TOME I

TOME II

TABLE DES MATIÈRES

9677-1983. — Imprimerie-Reliure Mame, Tours.
N° d'édition 9736. — Avril 1983. — Printed in France.